RG
F311L

37.95

annulé

D1165843

Les loups à leur porte

Jérémy Fel

Les loups à leur porte

Rivages

Retrouvez l'ensemble des parutions
des Éditions Payot & Rivages sur

payot-rivages.fr

Collection dirigée par Émilie Colombani

© Éditions Payot & Rivages, Paris, 2015

À mon grand-père, Pierre Périssé.

LORETTA

Les premières lueurs du crépuscule recouvraient déjà les champs de blé, qui, tout autour d'elle, ondulaient avec le tintement de milliers de petits carillons.

Loretta, les épis lui effleurant les hanches au fur et à mesure qu'elle avançait, se baissa et en arracha un d'un coup sec, ce qui libéra dans l'air une fine poussière dorée qui s'y dispersa en scintillant. Sa maison se dressait au loin et surplombait cet océan rêche de sa silhouette massive. Elle savait qu'elle devrait bientôt se résoudre à y retourner, à cause de ceux qui rôdaient dans les plaines à la nuit tombée, ces êtres aux corps sombres venus de nulle part et qui depuis si longtemps terrifiaient les habitants de son Kansas natal. La veille encore, elle en avait vu un s'approcher alors qu'elle se tenait sur le perron, avec la sensation, presque grisante, qu'il commençait déjà à flairer l'odeur de son propre sang.

Mais elle ne courait aucun risque tant que le soleil n'avait pas franchi la ligne d'horizon, et elle aimait trop cette atmosphère si particulière, qui culminait quand le jour cédait sa place à la nuit, pour laisser la peur la gouverner. Dans ces moments de contemplation paisible, happée par les sortilèges de l'heure bleue, elle s'efforçait de ne pas trop penser aux cadavres que l'on retrouvait certains matins sur le bord des routes, dans un tel état que même leurs proches ne pouvaient plus les reconnaître.

Loretta n'écoutait plus les mises en garde. Loretta s'efforçait jour après jour de mettre sa liberté à l'épreuve afin de sentir, dans tous les recoins de son corps, le doux frisson du danger.

Une dizaine d'engoulevents passèrent au-dessus de sa tête dans une bourrasque de battements d'ailes. Elle les suivit du regard jusqu'à ce qu'ils descendent en piqué derrière la grange, dont la façade rougeoyait sous la lumière mourante. Tout en fouettant l'air avec l'épi de blé, elle continua à marcher en sentant parfois des insectes s'agripper à ses mollets, le visage tourné vers les silos à grains qui, à quelques kilomètres de là, commençaient déjà à se voiler d'ombre.

Et qui bientôt y disparaîtraient, tout comme ce monde à nouveau livré à la barbarie.

Le soleil, à l'ouest, s'était presque entièrement couché derrière les champs de son père. Elle fit demi-tour et rejoignit d'un pas tranquille le chemin qui menait à la maison, ses pieds nus foulant la terre tiède et aussi blanche que du sable, alors que des panaches de fumée s'échappaient de la cheminée et ramenaient à elle l'agréable odeur du bois qui s'y consumait.

Une alarme se fit entendre dans le lointain, sourde et lancinante, destinée à prévenir les derniers imprudents. Loretta hâta le pas, pendant que dans le ciel les oiseaux s'agitaient, les chauves-souris guettaient…

Quand les rideaux de sa fenêtre se mirent à bouger à son approche, elle sourit en pensant que c'était son père qui l'attendait le cœur serré, prêt à la sermonner à nouveau pour oser rester dehors aussi tard et au mépris du danger.

Mais c'est en arrivant au niveau des marches du perron qu'elle se rendit compte avec stupeur que c'était quelqu'un d'autre qui se tenait de l'autre côté de la vitre, *chez elle*, un inconnu au corps recouvert de terre noire et dont les yeux braqués sur elle brûlaient comme des feux de forge.

Loretta Greer se réveilla en sursaut et manqua dans son élan de tomber de son côté du lit. L'esprit encore embrumé, elle se rassit et reprit sa respiration, le bruit des blés continuant à lui résonner dans les oreilles.

Un rêve. Un simple rêve.

Il était à peine minuit. George dormait toujours allongé sur le ventre. Loretta se passa la main sur le front et se rallongea en essayant de se détendre, mais le noir qui régnait sous ses paupières était encore trop rempli des images de son rêve. Plus jeune, elle aimait retranscrire ceux dont elle se souvenait au réveil dans un petit carnet en cuir, mais celui-ci, elle préférait l'oublier au plus vite, comme tous ces cauchemars qui l'assaillaient ces derniers temps et qui l'empêchaient souvent de se rendormir. Afin de se changer les idées, elle se repassa en mémoire tout ce qu'elle devrait faire une fois que George serait parti travailler : d'abord s'occuper des comptes du mois, puis faire deux trois courses en ville et rejoindre Judy dans ce petit salon de thé qui venait d'ouvrir près de l'hôtel de ville pour enfin, quand elle rentrerait, préparer le gigot d'agneau qu'elle avait acheté au Walmart en début de semaine. Loretta espérait sans trop y croire que Daryl aurait fini par rentrer et qu'ils pourraient manger tous les trois dans le calme.

Où pouvait-il donc bien être en ce moment même ? Elle n'avait pas eu le temps de le revoir depuis la violente altercation qui avait éclaté la veille au soir avec son père, juste après qu'il eut refusé de venir l'aider à la ferme en prétextant qu'il avait bien mieux à faire que ces « vulgaires travaux de paysan ». Déjà à moitié saoul, George était devenu fou de colère et s'était jeté sur lui pour le frapper avec la boucle de son ceinturon. Loretta, elle, était restée plantée devant eux, tétanisée par la peur qu'il lui procurait quand il se mettait dans cet état, *pauvre petite chose qui fuyait le coup de bâton.*

Daryl était parti s'enfermer dans sa chambre. George, quant à lui, s'était assis à table et avait attendu qu'elle leur serve le repas. Tout en dévorant ses ribs de porc, il l'avait prévenue qu'il réveillerait Daryl à l'aube et le forcerait à venir travailler avec lui dans les champs, qu'il était hors de question que ce morveux se la coule douce pendant tout le reste des vacances d'été. Loretta n'avait rien osé ajouter, le ventre noué, incapable d'avaler quoi que ce soit. Elle avait ensuite fait la vaisselle pendant que George se prélassait devant la télévision et avait attendu qu'il s'endorme pour apporter discrètement son assiette à Daryl, qu'elle avait dû laisser devant sa porte car il n'avait pas voulu lui ouvrir. Ce matin, elle avait constaté avec amertume que le plateau était resté intact, déjà envahi par les mouches. Elle en avait vidé le contenu dans la poubelle de la cuisine avant de sortir se détendre dans le jardin.

George n'avait finalement pas mis ses menaces à exécution, mais Loretta savait que ce n'était que partie remise et que la situation entre eux ne ferait qu'empirer si chacun restait campé sur ses positions. Elle avait attendu toute la matinée que Daryl consente à sortir de sa chambre. En début d'après-midi, pendant qu'elle téléphonait à Judy dans la cuisine, elle avait entendu la porte d'entrée claquer et s'était précipitée à la fenêtre du salon pour le voir marcher le long de l'allée d'un pas pressé, un sac en toile sur le dos, afin de rejoindre son ami Samy, qui se tenait de l'autre côté de la barrière, adossé contre son Impala flambant neuve. Elle l'avait appelé plusieurs fois, mais Daryl ne s'était pas retourné et s'était assis à l'avant de la voiture sans le moindre regard vers elle.

Une fois revenu du travail, George n'avait même pas demandé où se trouvait leur fils et s'était affalé devant la télévision après avoir avalé un demi-poulet rôti. Et elle, assise à la table de la cuisine à écouter la radio, avait passé la soirée à se demander ce qu'il pouvait bien faire au-dehors, repensant sans cesse au regard qu'il lui avait lancé la veille pendant que son père le fouettait avec sa ceinture et qu'il se tenait prostré sur le sol, gardant sa rage à l'intérieur, un regard à elle seule adressé, saturé de détresse et de colère, presque brûlant.

Elle savait depuis longtemps à quel point Daryl haïssait son père et avait presque fini par s'y habituer. Mais elle ne pourrait pas supporter qu'il en vienne à la haïr elle aussi ; pour s'être toujours montrée aussi lâche, pour avoir fui le moindre conflit, incapable de le protéger de lui. Elle avait déjà perdu une fille, elle ne perdrait pas en plus son fils.

Les larmes lui montèrent rapidement aux yeux. Elle les laissa couler sur l'oreiller. Avec cette chaleur elles sécheraient vite.

Daryl avait tellement changé ces derniers temps ; elle-même avait de plus en plus de mal à reconnaître l'enfant qu'elle avait élevé dans cet adolescent taciturne et ombrageux, et qui faisait parfois preuve envers les autres d'une dureté désarmante. Depuis le début de l'été, il passait le plus clair de la journée à faire on ne sait quoi à l'extérieur, et, quand il revenait à la maison, c'était pour rester enfermé dans sa chambre à écouter du rock sur son tourne-disque ou à se défouler pendant des heures sur le punching-ball qu'il s'était acheté avec l'argent reçu pour son anniversaire.

Une semaine plus tôt, alors qu'elle se promenait dans le centre-ville d'Emporia, elle était tombée sur Lauren, sa dernière petite amie, une fille charmante qu'elle avait été si ravie de le voir fréquenter. Elle lui avait fait un signe de la main mais celle-ci avait continué à marcher sur le trottoir en faisant semblant de ne pas la remarquer. Daryl n'avait jamais dit pourquoi ils s'étaient si brutalement séparés. Voulant en avoir le cœur net,

Loretta avait traversé la rue pour lui parler, mais son père, un mécanicien qui travaillait au garage Loomis, s'était aussitôt interposé en la prévenant de ne plus jamais les approcher, elle et son cinglé de fils.

Son cinglé de fils.

Loretta en était restée ahurie sur le trottoir et avait attendu qu'ils disparaissent au coin de la rue pour retourner à sa voiture. Quand elle en avait parlé à Judy, celle-ci lui avait conseillé de l'emmener voir un psychologue, arguant que cela ne pourrait que lui faire du bien de parler à quelqu'un.

Mais qu'en savait-elle, après tout, cette vieille fille qui n'avait jamais eu d'enfants ?

De petits chocs mêlés à des bruissements d'ailes se firent entendre dans le grenier et la tirèrent de ses pensées. Sûrement des chauves-souris. Ces sales bestioles qui y nichaient une grande partie de l'année avaient longtemps effrayé Daryl, du moins jusqu'à ce qu'un jour, alors qu'il avait à peine treize ans, il en abatte une avec le fusil de son père. Depuis lors, il la gardait dans un bocal rempli de formol sur son étagère, comme une sorte de trophée, cette horrible chose qui lui faisait détourner le regard les rares fois où elle se rendait dans sa chambre.

Le lendemain matin, s'il n'était toujours pas rentré, elle l'appellerait chez Samy pour lui proposer d'aller quelque part en ville. *Seuls à seuls.* Ils pourraient déjeuner ensemble dans ce petit restaurant italien qui venait d'ouvrir sur Commercial Street. Daryl adorait les pizzas et cela le changerait de ces cochonneries industrielles dont il se gavait chaque midi.

Et cette fois elle aurait le courage de lui parler. Elle n'avait plus le choix. Il fallait faire en sorte que la situation se détende un peu avec son père. Et puis elle avait tant besoin de savoir ce qu'il se passait dans sa tête, et ainsi trouver les bons mots, les bons gestes, pour arriver à apaiser cette colère qu'elle sentait parfois prête à en déborder…

Loretta se retourna sur le côté en soupirant. Au moment où le sommeil la gagnait à nouveau, elle se souvint d'un coup qu'elle avait oublié de téléphoner à sa sœur, comme elle le faisait habituellement chaque dimanche soir. Edna vivait depuis huit ans à St. Louis, cela faisait des mois qu'elles ne s'étaient pas vues et, la dernière fois qu'elles s'étaient parlé au téléphone, elle lui avait à nouveau proposé de venir passer quelques jours chez elle. Comme à son habitude, Loretta avait décliné son invitation, mais elle se dit que finalement partir là-bas serait une merveilleuse idée. Et d'ailleurs pourquoi pas le week-end prochain ? Elle n'avait rien prévu de particulier et si Edna était libre elle pourrait même s'y rendre en voiture ; il n'y avait que cinq heures de route pour rejoindre St. Louis.

Prendre la route, cheveux au vent et musique à fond dans l'autoradio…

Peut-être pourrait-elle en profiter pour proposer à Daryl de l'accompagner, elle le laisserait même conduire un peu sa voiture s'il le souhaitait. Edna lui avait appris que son fils, Marshall, était chez elle jusqu'à la mi-juillet. Il était un peu plus âgé que Daryl et étudiait à Brown. Le fréquenter serait bien plus profitable que de traîner avec ce Samy qui avait été arrêté au début de l'été pour possession de marijuana. Si seulement Marshall pouvait l'influencer un peu pour qu'il se décide à s'inscrire à son tour à l'université… George, les rares fois où elle avait évoqué le sujet, avait toujours refusé net cette idée, prétextant le fait qu'ils n'en avaient pas les moyens et que de toute manière sa place était à la ferme. Loretta, sans qu'il n'en sache rien, plaçait chaque mois une petite somme d'argent sur un autre compte, destiné à aider son fils dans ses études s'il décidait de suivre cette voie. Bien sûr Daryl non plus n'était pas au courant, elle pourrait le lui annoncer lors de leur prochaine conversation. Il serait alors bien obligé de voir à quel point son avenir lui importait. Quand elle lui avait demandé ce qu'il comptait faire après le lycée, il avait sèchement répondu qu'il n'en savait rien mais qu'il était bien décidé à partir d'ici pour ne plus jamais revenir. En un sens elle ne pouvait que le comprendre, elle qui à bientôt quarante-quatre ans vivait depuis toujours dans ce trou perdu au fin fond du Kansas, elle qui plus jeune avait souvent rêvé de partir vivre sur la côte ouest afin d'y partager un petit deux-pièces avec son amie Deirdre, de devenir infirmière, de voyager…

Mais la vie en avait décidé autrement le jour où elle avait rencontré George Greer, ce grand gaillard d'un mètre quatre-vingt-dix qui lui avait en un instant bouché la vue et enflammé le cœur.

Depuis combien de temps n'avait-elle pas franchi les frontières de l'État ? Elle remonta ainsi deux ans en arrière, ce jour où elle était allée voir sa mère à Tulsa, juste avant qu'elle décède d'une crise cardiaque à soixante-deux ans à peine. George avait refusé de l'accompagner, prétextant le trop-plein de travail. Il n'avait de toute façon jamais pu supporter sa mère, « cette vieille sorcière » comme il l'appelait depuis qu'elle avait déclaré lors d'un dîner posséder des dons de clairvoyance. Loretta se revit à nouveau ce soir où elle les avait pris à part dans la cuisine pour leur expliquer que quelque chose de mauvais hantait ces terres, qui était là depuis des siècles et qui rendait fous les hommes et empoisonnait leurs femmes. Plus amusée qu'effrayée, Loretta s'était bien gardée de lui dire que George avait pu racheter l'exploitation pour la seule et bonne raison que son propriétaire s'était suicidé dans la grange avec un fusil de chasse.

Un bruit sec se fit entendre à l'extérieur, comme un claquement de portière. Loretta se rendit à la fenêtre, avec l'espoir que ce soit son fils qui aurait malgré tout décidé de rentrer. Mais elle ne vit aucune voiture devant la maison, à part la sienne et celle de George, garées toutes deux près du porche. Peut-être était-ce simplement la porte de la grange, qui mal fermée avait claqué sous le vent. Elle ne put s'empêcher d'éprouver une pointe de déception. Même si cela devenait une habitude ces derniers temps, elle n'était jamais tranquille quand elle le savait dehors en pleine nuit.

Elle posa sa main sur la vitre et regarda les champs illuminés par la pleine lune, et qui donnaient l'impression d'être recouverts de brume, ces terres dont la simple vue lui devenait de plus en plus insupportable, étouffante. On se sentait si éloigné de tout dans cet endroit de malheur. L'habitation la plus proche d'ici, celle des Simmons, se trouvait à une dizaine de kilomètres. Helen Simmons était atteinte de la maladie d'Alzheimer depuis des années, la dernière fois qu'elle était passée la voir elle ne l'avait même pas reconnue.

Son paquet de Lucky Strike à la main, Loretta sortit de la chambre sans faire de bruit. Plutôt que de descendre dans le salon, elle préféra se rendre dans le bureau de George, situé deux portes plus loin, et s'installa dans son profond fauteuil en cuir tout en allumant une cigarette. Elle savait d'avance qu'elle aurait du mal à se rendormir. Elle avait juste besoin de se détendre un peu. Et au moins ici elle n'entendait pas George ronfler.

Ne quittant pas des yeux les volutes de fumée qui s'élevaient dans le noir, elle s'imagina avoir le courage de demander à sa sœur d'inviter Maddie en même temps qu'elle. Elle savait que toutes deux avaient gardé de bonnes relations, même si Edna avait toujours évité de trop aborder le sujet, par peur de la blesser. Maddie était partie de la maison sept ans auparavant, sans un mot ni une lettre pour expliquer son geste. Loretta avait à l'époque appris par la mère de son petit ami qu'ils avaient tous deux emménagé dans le centre-ville de Memphis. Elle n'avait par la suite jamais cherché à la contacter, préférant attendre qu'elle fasse le premier pas quand elle se sentirait prête. Mais Maddie ne lui avait plus donné de nouvelles depuis et Loretta s'était forcée à l'accepter, bien consciente d'être la seule responsable du fossé qui s'était creusé entre elles au fil des années, elle qui n'avait jamais vraiment permis à sa fille de prendre dans sa vie la place qu'elle aurait dû avoir. Mais elle était tombée enceinte si jeune… Le jour de l'accouchement, effrayée et morte de fatigue, elle avait dû se forcer pour la tenir dans ses bras et faire bonne figure devant ses parents, et ce malgré l'aversion qu'elle lui inspirait. Quand elle était retournée chez elle quelques jours plus tard, elle avait espéré que cela changerait au fur et à mesure qu'elle grandirait, mais elle n'avait jamais réussi à s'attacher à elle. C'était comme si quelque chose s'était brisé très tôt et était devenu impossible à recoller avec le temps. Maddie avait grandi sous son toit pendant toutes ces années sans qu'elles arrivent à nouer de véritable relation mère-fille, et quand elle était partie, au début de l'été 1972, Loretta s'en était sentie soulagée, comme libérée d'un poids.

Sept ans auparavant…

Avec le recul elle s'était souvent demandé ce qu'il aurait fallu faire pour parvenir à améliorer leur relation, même si elle savait pertinemment qu'elle n'aurait jamais réussi à l'aimer comme elle l'aurait dû, de cet amour qu'elle avait dès le début éprouvé de façon si naturelle pour Daryl.

Certaines choses, après tout, ne se commandent pas.

Maddie travaillait dans une petite chaîne de télévision locale, elle était mariée et avait eu une fille, Josie, à présent âgée de trois ans. Elle paraissait être devenue une femme complètement différente de l'adolescente terne et sans grâce qu'elle avait élevée. C'était du moins ce qu'elle aimait penser d'après les nouvelles glanées auprès de sa sœur.

Peut-être devrait-elle mettre son orgueil de côté et lui proposer de la rejoindre à St. Louis, en terrain neutre ; d'ainsi avoir une chance de connaître enfin sa petite-fille, qu'elle n'avait jusque-là vue que sur quelques photographies…

Loretta ouvrit la fenêtre pour évacuer l'odeur du tabac. À peine eut-elle le temps d'apercevoir la lune qu'un mouvement rapide sur sa droite la fit sursauter, comme si quelqu'un s'était brusquement mis à courir vers l'autre côté de la maison.

Elle se pencha et fixa le coin du mur, son cœur battant de plus en plus vite dans sa poitrine. Mais il faisait trop sombre pour discerner quoi que ce soit. Elle recula vers le centre de la pièce et pensa aux nombreuses propriétés des environs qui avaient été cambriolées depuis la fin du printemps. Les services du sheriff n'avaient pour l'instant aucune piste mais George lui avait dit un jour que c'était à coup sûr l'œuvre de ce petit groupe de gitans qui vivaient près d'East Lake. Depuis qu'ils avaient débarqué dans la région on avait dénombré une recrudescence de vols en tous genres et d'incivilités, si bien qu'avec d'autres habitants il avait fait pression sur les autorités pour les faire déguerpir au plus vite, sans résultat.

Devait-elle aller le prévenir pour qu'il aille inspecter les alentours ? Mais si elle se trompait tout lui retomberait dessus comme d'habitude ; George était d'une humeur massacrante quand on le réveillait en pleine nuit, surtout en semaine, alors qu'il se levait à six heures chaque matin.

Pourtant elle devait savoir, sinon elle ne parviendrait plus à fermer l'œil de la nuit. Le fusil de George était en bas, tout comme le téléphone. Loretta marcha jusqu'à l'escalier et tendit l'oreille, ne percevant aucun bruit, à part le tic-tac de l'horloge de la salle à manger.

Au rez-de-chaussée, elle vérifia que la porte d'entrée était bien fermée, puis elle se rendit de l'autre côté et constata avec un petit frisson que celle de la cuisine était, elle, restée ouverte. Elle alluma la lumière de la façade, osa un regard au-dehors, mais ne vit rien de particulier hormis la vieille balançoire et la lisière des champs de blé à vingt mètres de là.

Les autres maisons avaient été cambriolées pendant l'absence de leurs propriétaires. Pourquoi quelqu'un prendrait-il le risque de venir ici alors qu'ils étaient là ?

Absurde.

Pourtant elle était sûre de ce qu'elle avait vu.

Mais peut-être que le vol n'était pas son objectif, peut-être était-il venu ici pour autre chose.

Était-ce ce jeune homme qu'elle avait croisé à Emporia deux jours plus tôt ? Elle était persuadée qu'il faisait partie de ce groupe de gitans dont George lui avait parlé. Âgé d'une petite vingtaine d'années, la peau bronzée et les cheveux d'un noir épais, il l'avait lourdement dévisagée quand elle était passée près de lui les bras chargés de courses sur Commercial Street. Quand elle avait hâté le pas jusqu'à sa voiture, il l'avait suivie en sifflotant, une bouteille de bière à la main, et s'était adossé contre la vitrine d'un lavomatic pendant qu'elle rangeait ses sacs dans le coffre, exhibant son torse musclé et recouvert de tatouages, la détaillant des pieds à la tête un demi-sourire aux lèvres. Loretta, de plus en plus mal à l'aise, s'était assise au volant, puis elle avait démarré et était retournée chez elle en oubliant la moitié des choses qu'elle avait prévu de faire en ville.

Une trentaine de minutes plus tard, tout en déchargeant les courses sur le perron, elle avait remarqué qu'une vieille voiture s'était arrêtée à la barrière. Elle n'avait pas pu, à cette distance, voir distinctement qui était le conducteur, mais elle avait aussitôt pensé que c'était lui, et que maintenant il savait où elle habitait.

Alors qu'elle était seule à la maison, que personne ne serait là pour la secourir s'il décidait de venir lui faire du mal.

Loretta s'était enfermée à double tour et était restée assise dans le salon jusqu'à ce que George revienne du travail. Elle avait préféré ne pas évoquer le sujet et avait préparé le repas du soir comme si de rien n'était.

Et elle ne comprit son erreur que maintenant, alors qu'elle était seule en bas, sans défense.

Était-ce vraiment ce gitan qui la pensant seule chez elle aurait décidé de revenir ? Et pour lui faire quoi ? La même chose qu'à Anna Warren ?

Cette simple idée lui donna la nausée. Anna Warren était une belle blonde de trente-sept ans et vivait seule dans une maison située de l'autre côté d'Emporia depuis que son mari s'était tué dans un accident de voiture sur la Kansas Turnpike. Son frère, venu lui rendre visite de Topeka, l'avait un matin retrouvée morte dans son salon, à demi nue et gisant dans son propre sang. Elle avait été violée et égorgée. Cela s'était passé il y avait un mois à peine. Loretta la connaissait de vue, elle était bibliothécaire dans le lycée où allait Daryl.

Et personne, là non plus, n'avait jamais été arrêté.

Prise de panique, elle ferma la porte à clef et attrapa un gros couteau à viande laissé sur le plan de travail, prête à planter le moindre intrus qui surgirait face à elle, chacune des ombres qui l'entouraient prenant dans son esprit la forme d'un visage, d'un sourire pervers, de mains prêtes à étrangler.

Elle resta ainsi de longues minutes, le bruit de sa respiration caché par le sifflement du réfrigérateur, et ce jusqu'à ce qu'elle remarque son reflet dans la vitre au-dessus de l'évier et qui lui fit repenser à ce film d'horreur sorti au cinéma deux ans plus tôt, où de jeunes baby-sitters étaient la proie d'un psychopathe portant un masque blanc le jour de Halloween.

Elle était ridicule. Elle allait beaucoup trop loin. Peut-être n'était-ce qu'un effet de son imagination après tout. Elle était tellement nerveuse ces temps-ci. Et ce foutu rêve qui stagnait toujours dans un coin de sa tête n'avait pas arrangé les choses.

Son corps nu recouvert de terre noire, ses yeux de flammes qui la fixaient.

Elle avait tout aussi bien pu voir un de ces chiens errants qui traînaient dans le coin depuis que le chenil avait fermé et qui se serait enfui en l'entendant ouvrir la fenêtre. La veille elle en avait surpris plusieurs aboyer au loin.

Oui. Un simple chien.

Pourquoi fallait-il qu'elle imagine toujours le pire ?

Loretta posa le couteau près d'un tas d'enveloppes, pour la plupart des factures qu'elle n'avait pas pris le temps d'ouvrir. Cela attendrait. Elle avait eu son lot d'émotions pour l'instant.

Le jour ne se lèverait que dans cinq heures. Elle n'avait pas envie de retourner se coucher mais elle ne pouvait pas non plus rester ici toute la nuit. Et avec la journée qui l'attendait, elle avait besoin de reprendre des forces.

Elle éteignit les lumières et retourna vers l'escalier, tellement plongée dans ses pensées qu'elle ne remarqua pas, quand elle passa tout près d'elle dans le couloir, cette présence tapie dans l'ombre et qui en silence attendait.

Au-dehors on entendait distinctement le bruit des blés qui ployaient sous le vent, ce bruit si particulier qui avait bercé chacune de ses nuits depuis sa plus tendre enfance. Loretta repensait parfois avec une pointe de nostalgie à l'époque où elle vivait avec ses parents une trentaine de kilomètres plus au nord, cette époque où les terres du Kansas représentaient pour elle un univers fascinant, infini, et qu'elle ne se lassait pas d'explorer. Du moins jusqu'à ce jour où, quand elle avait huit ou neuf ans, elle s'était amusée à se cacher dans les champs dans le seul but de forcer son père à sortir de la maison pour l'y chercher. Au risque de se salir, elle avait avancé à quatre pattes sur des dizaines de mètres en se retenant de rire quand elle l'entendait l'appeler de la fenêtre de la cuisine, et de crier quand des scarabées ou des sauterelles montaient sur ses bras et ses jambes. Elle était ce jour-là partie si loin que quand elle s'était relevée, elle n'avait même plus réussi à distinguer sa maison, juste cette étendue bruissante qui se prolongeait jusqu'à un horizon saturé de ciel rouge. Elle avait marché droit devant elle, de plus en plus effrayée, ne sachant plus dans quelle direction aller dans cette immensité ocre, jusqu'à ce qu'elle arrive face à un épouvantail au visage rieur et débordant de paille, ses yeux faits de fragments d'assiette brisée luisant sous le soleil, un de ceux qu'elle voyait de sa fenêtre et qui quand elle les fixait pendant trop longtemps se mettaient à la regarder à leur tour, pour lui promettre d'un geste sans équivoque qu'un jour prochain ils l'attraperaient. Et Loretta avait hurlé, sans plus pouvoir s'arrêter, ameutant son père qui avait couru jusqu'à elle un torchon à la main pour la trouver prostrée sur le sol, sa jolie robe rose à présent tachée de terre.

Bien des années après, elle ne savait même plus s'il s'agissait d'un souvenir ou d'un rêve.

Après tout, qu'importe.

Dès le lendemain matin elle appellera Edna pour lui annoncer la bonne nouvelle. Elle avait déjà des tas d'idées sur ce qu'elles pourraient faire toutes les deux et se promit d'aller en ville cette semaine pour s'acheter quelques vêtements et se rendre chez le coiffeur. Depuis le temps qu'elle voulait changer de coupe de cheveux, ce serait le moment parfait…

Ce n'est que quand elle commençait tout juste à se rendormir qu'elle sentit cette odeur, de plus en plus prégnante, l'odeur de quelque chose en train de brûler. Elle alluma la lumière et se retourna vers George qui, toujours allongé sur le dos, avait les yeux grands ouverts.

– Putain c'est quoi cette merde ! dit-il en se redressant.

Elle ne put rien répondre, un peu de fumée s'immisçant déjà sous la porte. Sa première idée fut d'avoir allumé une bougie sans avoir pensé à l'éteindre. Mais ce n'était pas possible, elle n'avait rien touché de tel en bas, elle en était certaine.

George bondit hors du lit et se précipita dans le couloir, ce qui fit entrer dans la chambre de gros panaches de fumée sombre. Loretta, sidérée, se couvrit le nez de la main. Le couloir était envahi d'un voile brunâtre qui ondoyait tout autour d'elle et l'empêchait d'en voir clairement les contours. Elle marcha en longeant le mur tout en appelant George, sans succès.

Plus elle avançait, plus la chaleur devenait insoutenable. Elle descendit l'escalier en toussant, vit avec horreur les flammes qui envahissaient déjà tout le rez-de-chaussée, furieuses et perverses, cherchant à l'aveugle un être vivant pour le consumer.

Cela ne pouvait pas arriver réellement. Pas chez elle, pas dans sa propre maison.

Loretta descendit encore quelques marches en plaquant le haut de sa chemise de nuit sur sa bouche. Elle distingua alors George debout au milieu du salon, l'extincteur à la main, sa silhouette déformée par les flammes qui l'encerclaient. Elle se cramponna à la rampe et cria son prénom pour lui indiquer une issue.

Mais il était déjà trop tard, et, quand il le comprit, George lâcha l'extincteur et recula de quelque pas, perdu et terrorisé comme un enfant au sein d'un cauchemar, une terreur qu'elle n'aurait, après vingt ans de mariage, jamais pensé voir un jour sur son visage.

Le tapis à ses pieds commença à prendre feu à son tour, puis, l'étau se resserrant, le bas de son pyjama en flanelle. George se débattit en hurlant mais les flammes se propagèrent au reste de son corps à une vitesse foudroyante, sans qu'il ne puisse rien faire pour les arrêter.

Sous le choc, Loretta hurla à son tour, puis elle remonta les marches quatre à quatre, sa tête tournant de plus en plus violemment sous l'effet des émanations toxiques qui remontaient par la cage d'escalier. De retour dans leur chambre, elle claqua la porte et mouilla des serviettes qu'elle plaqua au sol.

Elle n'avait plus beaucoup de temps, bientôt l'incendie atteindrait aussi l'étage. Loretta se précipita vers la fenêtre pour l'ouvrir, mais à peine vit-elle ce qui se trouvait au-dehors qu'elle se figea, n'arrivant tout d'abord pas à en croire ses yeux. Et pour elle tout se brisa, toute résolution, tout espoir, toute envie de se battre. Anéantie, elle se laissa glisser contre le mur, la chambre s'obscurcissant de plus en plus à cause de la fumée qui s'y immisçait par tous les interstices.

Mais ce n'était pas au piège qui se refermait sur elle auquel elle pensait à cet instant, ni à son mari qui avait brûlé vif sous ses yeux et de savoir que bientôt elle subirait le même sort. Ce qu'elle ne pouvait s'enlever de la tête, c'était ce qu'elle venait de voir par la fenêtre de sa chambre et qui en une fraction de seconde l'avait poignardée en plein cœur.

Daryl, son propre fils, debout près de sa voiture un bidon d'essence à la main, et qui regardait d'un air émerveillé l'infâme spectacle alors que sur le verre de ses lunettes se reflétaient les flammes qui réduisaient sa maison en cendres.

DUANE

Le ciel qui surplombait les plaines était d'un gris de poussière. Malgré la fatigue et le stress accumulés, Duane Parsons resta concentré sur le bitume de la route 70 et traversa sans s'en rendre compte la frontière entre la Pennsylvanie et l'Ohio.

Une pluie fine commençait à mouiller le pare-brise. Il actionna les essuie-glaces et jeta un regard à Josh qui dormait à l'arrière, emmitouflé dans une couverture et serrant son gros lapin en peluche dans les bras.

Cela faisait vingt-quatre heures qu'ils avaient quitté New York. Il décida de continuer sur une bonne centaine de kilomètres avant de chercher un motel. Il se sentait d'attaque pour rouler de nuit mais préférait que le gamin dorme dans un vrai lit.

Duane appuya sur l'accélérateur en chantonnant sur *Gimme Shelter* qui passait à la radio, parfois distrait par les énormes panneaux publicitaires qui pullulaient sur le bord de la route.

S'il roulait bien, ils seraient à Chicago le lendemain soir. Et il saurait s'il n'avait pas, sur un coup de tête, définitivement foutu sa vie en l'air.

Une quarantaine de kilomètres plus loin, il s'arrêta dans une petite station-service au nord de Barnesville. Il cacha le visage de Josh avec le haut de la couverture et mit soixante dollars d'essence, qu'il paya en liquide dans la boutique attenante, ainsi qu'une canette de Coca et deux barres de chocolat Hershey.

Il se rendit sans traîner à sa voiture. À mi-chemin, il croisa une jeune femme vêtue d'une petite robe vert clair et d'une veste en daim qui le dévisagea un court instant. Pris d'un mauvais pressentiment, il ne la quitta pas des yeux tout en ouvrant la portière. La femme continua à avancer, puis elle ralentit le pas, se retourna et le regarda à nouveau en se mordant légèrement la lèvre inférieure. Duane attendit qu'elle entre dans le magasin pour se faufiler dans sa voiture.

Josh se réveilla et se rassit sur la banquette. Duane lui tendit une barre de chocolat, puis il but quelques gorgées de Coca et démarra, ne voulant pas rester trop longtemps dans les parages au cas où cette femme l'aurait reconnu.

Le fond du ciel devenait de plus en plus sombre. À la radio, un flash info évoqua un risque important de tornades dans l'Ohio, l'Indiana et le Kentucky. Duane se concentra sur la route, alors que Josh, sa bouche barbouillée de chocolat, observait attentivement les paysages qui défilaient derrière la vitre, serrant contre

BIBLIOTHÈQUE MUNICIPALE D'ALMA

sa poitrine la peluche qu'il lui avait donnée juste avant de s'enfuir. Elle appartenait autrefois à son petit frère, Dennis. Il l'avait dénichée par hasard en fouillant dans les cartons du grenier de la maison de sa mère à Brooklyn, un dimanche où il avait fait l'effort de passer l'après-midi avec elle. Duane préférait ne pas trop imaginer ce à quoi elle devait penser en ce moment même. Il lui avait téléphoné tôt ce matin pour la prévenir de ne pas croire ce qu'on allait raconter dans les journaux, qu'il lui expliquerait tout en temps voulu. Mais jusqu'où consentirait-elle à lui faire confiance ?

S'il l'appelait maintenant, que lui dirait-elle ?

Je savais que tu recommencerais, tu ne vaux pas mieux que ton père en fin de compte, le sang ne ment pas.

En début de soirée, il se gara devant un motel des environs de Columbus. Une fois dans la chambre, il prit une douche pendant que Josh s'amusait avec une petite voiture sur la moquette, puis il alluma la télévision et, après avoir zappé sur plusieurs chaînes, tomba sur Sybil au journal de CNN, debout sur les marches de son immeuble, vêtue d'un tailleur noir, ses cheveux blonds parfaitement coiffés en chignon. Elle le suppliait, face caméra, de lui ramener son fils. Duane en eut la nausée. Elle n'avait pas perdu de temps pour avertir les médias, jouant son rôle de mère éplorée à la perfection.

On montra ensuite une photo de lui prise deux ans plus tôt, juste après son arrestation pour braquage dans une épicerie de la 52e, et il ne put s'empêcher de penser à tous ces gens assis devant leur poste de télévision et qui ne le réduiraient qu'à cette photographie en noir et blanc, et au fait qu'il avait enlevé un petit garçon de trois ans et demi à sa mère.

Un des enquêteurs déclara que l'enfant était vraisemblablement toujours vivant et qu'aucune rançon n'avait été demandée. Il estimait que le kidnappeur, Duane Parsons, vingt-trois ans, devait se terrer quelque part en ville et attendre le bon moment pour exiger de l'argent. Un petit malfrat qui enlevait le fils d'une riche habitante de la Troisième Avenue n'avait vraisemblablement pas d'autres raisons que l'argent. La police de Brooklyn avait fouillé son appartement de fond en comble, sans que cela puisse donner d'indication sur l'endroit où il pouvait bien se cacher. Il fut bien précisé qu'aucun document à caractère pédophile n'avait été retrouvé sur les lieux ou sur le disque dur de son ordinateur.

Duane frissonna à l'idée qu'une telle piste puisse être exploitée, sentit sa mère l'envisager un seul instant, figée devant son poste de télévision.

Une journaliste évoqua ensuite son adolescence chaotique et son passage en prison. Écœuré, il changea de chaîne et tomba sur un documentaire où des animaux se disputaient leur place dans un lac qui se desséchait en Afrique et se transformait peu à peu en marre boueuse.

À la fin, ne restaient plus que les crocodiles.

Il avait rencontré Sybil quatre mois auparavant. Elle avait une petite quarantaine d'années et était avocate chez Sullivan and Cromwell. Un soir, après avoir gagné une grosse affaire contre une compagnie immobilière, elle l'avait loué sur les conseils d'une amie, lui qui depuis un an proposait ses services à des hommes ou à des femmes aisés. Son regard sombre, son corps finement musclé et son aura de mauvais garçon faisaient fureur dans les beaux quartiers de Manhattan.

Après une vingtaine de minutes à parler autour d'un scotch, elle l'avait emmené dans sa chambre et déshabillé comme on déballe un cadeau.

Tous deux s'étaient vus de nombreuses fois par la suite. Sybil l'appelait en général en fin de journée et le payait pour la nuit entière.

Un matin, en se faisant un café dans la cuisine, Duane avait rencontré Josh, qui se tenait sur le pas de la porte une peluche à la main. D'abord surpris, il lui avait proposé de venir s'installer à ses côtés et lui avait préparé un chocolat chaud, juste avant que Sybil entre dans la cuisine et ordonne sèchement à son fils de retourner dans sa chambre, située à l'autre bout de l'appartement.

Elle avait éludé le sujet en l'emmenant faire les boutiques, lui avait acheté ce jour-là plus de deux mille dollars de vêtements et de chaussures.

Sybil savait parfaitement se contrôler dans l'enceinte d'un tribunal, mais chez elle le vernis craquait à chaque secousse.

Une semaine plus tard elle avait frappé Josh car il avait renversé un peu de jus d'orange sur son canapé en cuir. Quand il ne voulait pas manger, qu'il pleurait trop ou qu'il ne faisait pas ce qu'elle ordonnait, elle l'enfermait pendant des heures dans une pièce totalement vide. Elle ne le frappait jamais au visage, mais toujours au dos, au ventre, sur les cuisses. Avec une ceinture, un martinet, une cravache pour chevaux.

Duane n'avait dans les premiers temps rien osé faire, bien conscient qu'elle pourrait le jeter à la moindre contrariété. Sybil l'aimait avant tout silencieux, bien habillé et bon amant.

Josh n'était pas scolarisé. Une femme avec un léger accent italien venait s'occuper de lui dans la journée, assez bien payée pour passer sous silence les accès de violence de son employeuse. Sybil semblait faire en sorte qu'il le croise le moins possible, et Duane profitait des rares fois où elle s'absentait pour jouer avec lui, tenter de l'apprivoiser.

Mais plus il le voyait et s'attachait à lui, plus il en venait à la détester elle.

Un soir, après avoir entendu Josh hurler, il s'était précipité dans sa chambre et avait trouvé Sybil penchée au-dessus de son jeune corps prostré, une ceinture à la main. Sans réfléchir, il l'avait saisie par le bras tout en la menaçant de la dénoncer aux services sociaux. Elle s'était contentée d'éclater de rire et de lui faire comprendre qu'elle n'avait qu'un coup de fil à passer pour le briser.

Avant de le foutre dehors.

Conscient de son impuissance, Duane avait essayé au fil du temps de ne plus penser à Josh, honteux d'une lâcheté qu'il ne parvenait à oublier qu'en buvant jusqu'à ne plus pouvoir tenir debout.

Et ce jusqu'à la veille au matin quand, sortant du loft d'un couple de banquiers, il l'avait croisé avec sa nourrice dans la rue, à deux ou trois pâtés de maisons de chez Sybil. Mal à l'aise, il avait détourné la tête, mais Josh l'avait aussitôt reconnu et avait couru dans sa direction. Duane s'était accroupi pour le prendre dans ses bras, sous les yeux médusés de la gouvernante, puis il l'avait laissé là, sur le trottoir, et avait continué à avancer en se promettant de ne surtout pas s'arrêter, de ne pas penser à son regard plein d'espoir, à ses hématomes, pourtant cachés par ses vêtements mais qu'il avait sentis en l'étreignant, comme s'ils brûlaient à travers le tissu.

Mais au bout de quelques mètres il s'était retourné, apercevant encore sa petite tête blonde prête à disparaître dans la foule. Et il avait fait demi-tour, cette fois bien décidé à l'arracher à cette femme et à l'emmener loin d'ici.

À peine dix minutes plus tard, la gouvernante avait appelé Sybil pour l'avertir qu'il avait enlevé son fils. Et Duane, après avoir récupéré tout l'argent liquide qu'il avait planqué dans son appartement, s'était enfui en voiture avec Josh à l'arrière, ne sachant pas où aller, voulant juste quitter cette ville qui risquait à chaque instant de se refermer sur eux comme un piège.

Ce n'est qu'en fin de soirée, dans un hôtel des environs de Philadelphie, qu'il avait su ce qu'il devait faire. Quelques recherches dans un petit cybercafé lui avaient procuré le soulagement d'un but à atteindre, puis, les heures passant, l'angoisse que tout ne se passe pas comme prévu et qu'il n'y ait ensuite plus rien à quoi se raccrocher.

Duane laissa Josh devant la télévision puis il ferma la chambre à clef, et se rendit dans une épicerie de l'autre côté de la route, où il acheta un poulet rôti, des couverts en plastique, un paquet d'oignons frits et un gros gâteau au chocolat en faisant attention de ne pas se faire remarquer par les autres clients. A priori aucun signalement d'eux n'avait été fait hors de New York, mais il ne devait pas pour autant baisser sa garde.

Ils mangèrent devant des dessins animés qui passaient sur le câble. À vingt heures, il brossa les dents de Josh et le coucha dans son lit.

Fatigué par cette journée de route, il éteignit la lumière de la chambre, se déshabilla et se glissa sous les draps à son tour. Il zappa entre plusieurs chaînes et s'arrêta sur une des dernières scènes de *La Soif du mal* d'Orson Welles, qu'il avait vu la première fois dans un petit cinéma de Brooklyn avec Gina, sa petite amie de l'époque.

Des cris se firent entendre dans la chambre d'à côté, mêlés à des grincements de ressorts. Duane frappa contre le mur mais ils continuèrent de plus belle, suivis de ricanements. Il pleuvait à l'extérieur. Au loin, un orage grondait.

Au moment où il commençait à se concentrer sur ce qu'il se passait à l'écran, une voiture s'arrêta juste devant leur chambre, les lumières de ses phares traversant la vitre. Une voix d'homme se fit entendre, puis le bruit d'une portière qui claque ; du moteur qui continuait à tourner. Duane se redressa et vit une ombre passer furtivement sous la porte. Son rythme cardiaque s'emballa. Peut-être que le gérant, l'ayant reconnu, avait appelé les flics du coin… Et maintenant il était déjà trop tard pour s'enfuir…

Cernés.

Eux qui se tiendraient en uniforme, debout de l'autre côté et leurs armes à la main, prêts à le sommer de se rendre et à défoncer la porte s'il refusait de le faire. Aussitôt entrés dans la chambre, ils le plaqueraient au sol face à un Josh terrifié, sans lui laisser le temps de lui expliquer, de lui dire de ne pas avoir peur.

Cet impitoyable éternel retour.

Afin d'en avoir le cœur net, Duane regarda à travers la vitre en se cachant derrière le rideau. Le conducteur se tenait debout à un mètre du mur le dos tourné, vêtu d'un imperméable beige et parlant au téléphone. Dans la voiture, une femme très maquillée était assise sur le siège avant et détaillait dans le rétroviseur son visage éclairé par la lampe.

Il s'adossa un instant contre le mur, puis retourna se coucher, ses jambes continuant de trembler sous les draps, alors qu'à l'écran le flic incarné par Orson Welles agonisait dans une zone industrielle de la frontière mexicaine.

Il le cherchait dans l'eau noire et ne vit plus que sa main tendue, pâle et grande ouverte, encore mue par l'espoir qu'il arrive à la saisir et à le tirer des profondeurs dans lesquelles il sombrait.

Mais il ne pouvait descendre plus bas, la peur le figeait, il n'avait presque plus d'air dans les poumons.

Impuissant, il le laissa disparaître entièrement et remonta peu à peu vers la surface, ses larmes amères ravalées par l'eau chlorée, remonta vers la vie qui de l'autre côté l'appelait.

Duane se réveilla en sursaut. Au loin on entendait le brouhaha continu des camions qui roulaient sur l'Interstate. La télévision passait un reportage sur un concours de mini-miss en Arkansas.

Il prit la télécommande pour l'éteindre et remarqua seulement à cet instant que Josh s'était levé de son lit pour venir se coucher contre lui. Il passa son bras autour de son épaule et ferma les yeux, peu à peu apaisé par la respiration d'un enfant qui semblait dormir d'un sommeil sans rêves.

À peine réveillé, il déplia sa carte routière pour vérifier le trajet qu'il leur restait à parcourir. Il devait continuer sur la 70 jusqu'à Indianapolis puis prendre la 65 jusqu'à Chicago. Sept heures de route environ s'il ne perdait pas trop de temps.

Ils sortirent de la chambre et redonnèrent les clefs au gérant dans son bureau, des cris d'enfants se faisant entendre derrière une des fenêtres. Josh s'y rendit, intrigué, son lapin en peluche à la main, et Duane le prit dans ses bras pour qu'il puisse voir ce qu'il se passait. Il y avait une petite aire de jeux derrière le motel, où plusieurs enfants s'amusaient. Josh semblait captivé, donnant l'impression absurde de voir d'autres gamins de son âge pour la première fois.

Duane l'emmena main dans la main jusqu'à l'aire de jeu puis il le laissa rejoindre les autres, d'abord de façon timide, puis parvenant peu à peu à intégrer le petit groupe.

Tout en allumant une cigarette, il jeta quelques coups d'œil aux parents qui profitaient de cette pause avant de reprendre la route, ne prenant pas la peine de se demander s'ils pouvaient le reconnaître, lui qui en cet instant n'était qu'un jeune père laissant son fils s'amuser avec les autres.

Josh, qui était monté en haut d'un petit toboggan vert, lui fit un petit signe de la main. Duane y répondit puis il s'éloigna pour fumer. Une piscine était protégée par une barrière en bois, l'air de ne plus servir depuis longtemps, des feuilles flottant à la surface d'une eau croupie. Duane posa ses mains sur la barrière et, pris d'un vertige, il fut à nouveau dans le jardin de leur ancienne maison de Jersey City, lors de cette matinée figée sous un soleil d'été dont le rayonnement flou débordait sur le bleu du ciel. Il avait onze ans et se tenait agenouillé en maillot de bain sur le bord de la piscine, regardant, sans pouvoir bouger, le corps de son petit frère Dennis flotter dans l'eau froide et qui rougissait au niveau de sa tête.

Mais il ne l'avait pas vu, il n'avait rien pu faire.

Sa mère surgit de la maison, vêtue de son peignoir rose, du shampoing dégoulinant de ses cheveux et tombant dans l'herbe en flocons mousseux. Duane la laissa plonger dans l'eau, tétanisé, sa peau éclaboussée de gouttelettes froides, avec la peur de la voir se noyer à son tour. Mais elle en ressortit en tenant Dennis contre elle, l'allongea sur les dalles assombries par l'humidité et essaya en vain de le ranimer, ses larmes se mêlant à l'eau chlorée qui dégoulinait de son petit corps inerte.

Et Duane, face à ce visage mort, éprouva une terreur infinie, ne pouvant se défaire de ce regard qui semblait de la même couleur que l'eau qui lui avait asphyxié l'âme.

Il serra la barrière des mains et se focalisa sur sa respiration, puis il se retourna vers Josh qui glissait à nouveau le long du toboggan.

Ils repartirent du motel un peu plus tard et s'arrêtèrent en début de soirée dans un diner situé quelques kilomètres au nord de Lafayette, Indiana. Duane, qui avait roulé six heures sans faire de pause, fit quelques pas sur l'asphalte pour se dégourdir les jambes, puis il couvrit la tête de Josh avec une casquette de base-ball, le prit dans ses bras et poussa la porte de l'établissement. Il n'y avait pas encore trop de monde, cela sentait une odeur mêlée de viande grillée et d'huile de friture. Duane installa Josh à une table située près de la fenêtre, les autres clients semblant trop occupés par ce que contenaient leurs assiettes pour se soucier d'eux.

Une serveuse de trente-cinq ans environ, les cheveux châtains et ondulés et habillée d'un chemisier rose et d'une jupe blanche, vint à leur table. Il commanda un cheeseburger avec frites et un menu enfant pour Josh.

Ils mangèrent en silence, Duane intrigué par une femme entre deux âges assise près de l'entrée son verre à la main, et qui chantonnait sur un morceau de Fleetwood Mac diffusé à la radio. Une télévision accrochée au mur et dont le son était coupé retransmit les informations du soir, et il frémit à l'idée d'y voir son portrait le désigner du doigt. Il finit son repas et se rendit au comptoir pour demander un café à la serveuse qui s'appelait, il le lut sur son badge, Mary Beth. Elle était plutôt jolie, des yeux d'un bleu qui tirait sur le violet et les traits harmonieux, même si elle était un peu trop maquillée à son goût. Il avait du mal à ne pas reluquer ses seins qui semblaient comprimés sous son chemisier.

Le ciel se couvrait de gros nuages noirs irisés à leurs contours par la lumière faiblissante du soleil. Duane décida de rester dans le coin pour la nuit. Il n'y avait plus que deux petites heures de route mais il ne voulait pas arriver trop tard là-bas.

Et ainsi passer une dernière soirée avec Josh.

– Qu'est-ce qu'il est mignon, dit la serveuse. Il a quel âge ?

– Il aura quatre ans dans deux mois… Je pense m'arrêter dans les environs pour ce soir, il est déjà tard et j'ai plus le courage de reprendre la route. Il y aurait un petit motel non loin d'ici ?

– Eh bien si vous n'êtes pas trop pointilleux, vous en avez un à quinze kilomètres en remontant vers Fowler, sinon il faut que vous retourniez sur Lafayette. Vous êtes en voyage, vous et votre fils ?

Votre fils.

– Oui, on peut dire ça, fit Duane en se tournant vers Josh qui, toujours assis sur la banquette, battait des jambes dans le vide.

– En même temps ce n'est pas difficile à deviner, je ne vois que des gens de passage. Vous venez d'où ?

– New York, répondit-il sans réfléchir.

– Ah oui, effectivement, ce n'est pas la porte à côté ! J'ai une amie qui y est partie pour le boulot… Moi, je pense que je ne suis plus faite pour habiter dans une aussi grande ville, j'aurais trop peur de m'y perdre.

– On peut se perdre n'importe où, dit Duane en levant la tête vers une photo du Golden Gate punaisée au mur.

Un couple entra dans le diner, suivi par deux garçons d'une dizaine d'années et déjà en surpoids. Ils s'assirent à une table et l'homme, son t-shirt taché de sueur, fit signe à l'autre serveuse, une petite blonde portant des lunettes, de venir prendre leur commande.

Duane finit son café, demanda à Mary Beth si elle pouvait surveiller Josh puis alla dehors pour fumer une cigarette. Il ferma sa veste et marcha un peu sur la route déserte, respirant l'air vif et chargé d'une vague odeur de bois brûlé. Une grange incendiée se dressait de l'autre côté des champs de maïs, une légère fumée s'échappant encore des décombres.

Il tenta d'imaginer ce que Sybil pouvait bien ressentir, si la perte de son fils la ferait réfléchir. Lui manquait-il ne serait-ce qu'un peu ? Josh n'avait jamais parlé d'elle depuis leur départ, ne l'avait jamais demandée. C'était comme si elle était sortie de sa mémoire en même temps que l'air pollué de New York de ses poumons, qu'il l'avait évacuée comme un corps élimine une maladie. Elle était la seule fautive dans cette histoire. Elle ne méritait pas d'avoir un gamin comme Josh. Mais qui était-il pour la juger, lui qui avait laissé son petit frère se noyer devant ses yeux ? Duane, tout au long de son existence, s'était souvent demandé ce qu'il se serait passé si c'était lui qui était mort ce jour-là et non pas Dennis, la vie que son petit frère aurait eue s'il avait pu le sauver, tout ce qu'il aurait pu accomplir s'il ne s'était pas explosé le front contre le bord de cette piscine. Aurait-il réussi là où il avait échoué ? Ou serait-il tombé dans les mêmes pièges que lui, Duane Parsons, ce petit minable qui n'était même pas parvenu à tenir une promesse qu'il avait faite bien des années auparavant, debout sur le porche de leur ancienne maison dont la façade était recouverte des lumières bleues des gyrophares ?

Un homme portant un Stetson sortit en titubant du diner et le salua. Il se posta sur le bord de la route et attendit, les mains dans les poches, qu'une camionnette grise s'arrête à son niveau, puis il monta à l'intérieur et la conductrice démarra sans un mot.

Duane jeta son mégot par terre, alors qu'à deux cents mètres de là, la camionnette croisa une voiture de police qui se rapprochait dans l'autre sens. La voyant, il retourna à l'intérieur l'estomac noué et remit la casquette de Josh bien en place.

La voiture se gara juste devant le diner et il sentit son cheeseburger lui remonter par la gorge. Deux policiers se tenaient à l'avant. Celui qui était au volant inspecta l'intérieur de l'établissement en parlant dans son radiotélé. Duane dut se maîtriser pour ne pas saisir Josh par le bras et se ruer vers la sortie de secours.

Le policier fit claquer la portière de sa voiture. Il avait la cinquantaine, bedonnant et le visage buriné par le soleil. Duane se retourna vers le mur et fixa son verre vide, les bruits alentour se réduisant à ceux de la porte du diner qui s'ouvrait, des pas du flic qui résonnaient sur le linoléum…

– Bonjour, Mary, dit-il d'une voix joviale.

Mary Beth le salua de la tête.

– Je te sers un café, Harry ? demanda-t-elle en posant une tasse sur le comptoir.

– Oui, ce ne sera pas de refus. Je faisais juste un saut, je dois aller voir Earl dans sa ferme, il s'est remis à tabasser sa femme, cette vieille poivrasse…

Le policier s'accouda au comptoir en grommelant et se plaça face à Duane, qui se força à se conduire de la façon la plus naturelle possible, même si la simple vue de son uniforme lui retournait l'estomac.

Mais de toute évidence il n'était pas là pour eux.

– Et au fait, quand accouche Paula ? s'enquit Mary Beth. C'est pour bientôt, non ?

– Dans une semaine si tout se passe bien.

Duane se détendit. Le policier bavarda encore un peu avec la serveuse, puis il but son café d'une traite, et les salua en sifflotant.

– Vous n'avez pas l'air de trop apprécier la police, dit Mary Beth en débarrassant leurs couverts.

– Non, en effet, disons que c'est lié à de mauvais souvenirs.

La lumière des gyrophares sur la façade de leur maison ; la voix de son père qui lui disait des choses qu'il ne voulait pas entendre…

– Est ce que tu aimes les gâteaux ? demanda-t-elle en se penchant vers Josh, son assiette à la main.

Josh lui fit un grand oui de la tête.

– Ah, je m'en doutais… Dans ce cas je pense que j'ai quelque chose qui va te faire plaisir !

Elle vérifia que Duane était d'accord, puis elle ramena une grosse part de tarte aux pommes de la cuisine. Josh la remercia, et elle retourna derrière le comptoir.

– Donc, vous pourriez me donner l'adresse du motel dont vous m'avez parlé ? demanda Duane en la rejoignant pour régler.

– Oui, bien sûr. Bon, vous aurez sûrement dormi dans de meilleurs lits, mais dans le coin ne vous attendez pas à trouver un Hilton.

– Je pense que ça ne pourra pas être pire que celui d'hier. J'ai encore les marques des ressorts du matelas dans le dos…

– Vous savez, je n'habite pas loin et je finis mon service dans pas longtemps, si vous voulez j'ai une chambre de libre… Je la loue quelques fois, à condition que les gens m'inspirent un minimum confiance, et ça me ferait plaisir d'avoir un peu de compagnie ce soir. Je devais sortir avec une amie mais elle vient de se décommander…

Un peu surpris par cette proposition, il se demanda si le sous-entendu était aussi évident qu'il en avait l'air.

Mary Beth se mit alors à rougir et n'osa plus lever les yeux.

Duane poussa un petit rire, ce qui la fit rire à son tour. Sachant que cela ne pourrait lui faire que du bien de se détendre un peu, il accepta volontiers sa proposition et resta à parler avec elle, Josh sur ses genoux, et ce jusqu'à ce que la serveuse qui la remplaçait vienne prendre son poste.

Mary Beth vivait dans une charmante maison située dans le fond d'une allée, au nord-ouest de Lafayette. L'endroit parfait pour se cacher un temps, pensa-t-il en remontant le petit chemin dallé qui menait à l'entrée.

Après une courte visite, ils installèrent Josh dans le lit de la chambre d'amis, située au premier étage.

Mary Beth, un livre à la main, s'assit près de lui pour lui lire une histoire avant de dormir. Josh, tout du long, ne la quitta pas des yeux, l'air étonné par l'attention qu'elle lui portait. Duane comprit avec un pincement au cœur que c'était peut-être la première fois qu'on lui lisait une histoire avant de s'endormir. Il décida de les laisser un peu tous les deux, et, de retour dans le salon, il s'installa devant l'ordinateur de Mary Beth et tapa l'adresse de leur destination sur Google Maps, afin de vérifier l'itinéraire à suivre en arrivant à Chicago. Demain, à cette heure, Josh et lui seraient séparés, et rien ne pouvait prédire qu'ils se reverraient un jour. Mais c'était la seule chose à faire, même s'il ne pouvait se débarrasser de l'idée qu'il allait l'abandonner à un futur incertain, alors qu'il lui avait si facilement accordé sa confiance.

Sur la cheminée était posée une photo où Mary Beth, jeune et amaigrie, tenait un petit garçon d'un an à peine dans les bras, assise sur la pelouse d'un parc. Duane perçut en elle l'empreinte de la drogue, encore trop lumineuse dans son regard éteint, le regard d'une jeune femme pour qui, malgré son semblant de sourire, la vie ne tenait plus à grand-chose.

Il se servit un verre d'eau dans la cuisine et fixa tout en buvant un grand portrait de Natalie Wood accroché au mur. La fenêtre au-dessus de l'évier donnait sur un jardin avec dans le fond une balançoire qui ne devait plus servir depuis longtemps. Un chat courut dans l'herbe et bondit sur un arbre, ses feuilles s'agitant à l'endroit où il se posta pour guetter les oiseaux.

Quand il retourna dans la chambre, Josh était déjà endormi. Mary Beth caressait tendrement sa joue et, l'entendant entrer, elle se leva, les yeux un peu rougis comme si elle avait pleuré.

Il commençait à faire nuit à l'extérieur. On entendait un train passer non loin de là. Mary Beth mit de la musique sur une vieille chaîne hi-fi puis s'installa à côté de Duane sur le canapé du salon. Ils parlèrent de tout et de rien en buvant des bières, un peu gênés de se retrouver seuls, entre adultes. Au fil de la discussion, sachant qu'il pouvait lui faire confiance, Duane évoqua les raisons qui l'avaient poussé à enlever Josh ; ce que lui faisait subir Sybil ; son angoisse quand il se demandait s'il n'avait pas commis une erreur et si le petit garçon ne sortirait pas encore plus meurtri de cette histoire par sa faute. Mary Beth l'écouta attentivement, sans le juger, ce qui le soulagea d'une façon qu'il n'aurait pas crue possible. Il sentit qu'elle le comprenait, qu'il n'était pas fou, que peut-être, à sa place, elle aurait fait la même chose. Aurait-il pu avoir une telle écoute sans parcourir pour cela des centaines de kilomètres ? Ses amis l'auraient convaincu de se rendre aux autorités pour ne pas aggraver son cas ; sa mère lui aurait fait ce chantage à l'émotion dont elle avait le secret. Ils auraient tous pensé à lui en premier, et pas à Josh.

Une fois qu'il eut fini, Mary Beth, visiblement touchée, posa sa main sur son épaule.

– Une femme de Lafayette a été arrêtée l'année dernière parce qu'elle avait tabassé sa gamine jusqu'à la tuer, dit-elle. Cette histoire a fait les gros titres des journaux. Je la connaissais de vue, elle habitait pas loin d'ici. Personne dans son entourage n'a fait quoi que ce soit pour lui venir en aide, et ça, je ne me l'explique pas.

– Il n'y avait personne non plus dans la vie de Josh, à part moi.

– Oui, à part toi, il a au moins eu cette chance.

Duane finit sa bière et posa la bouteille sur la table basse.

– Et tu comptes faire quoi ? Tu ne pourras pas te cacher éternellement, Josh est trop jeune pour bourlinguer sur les routes, il a besoin d'un minimum de stabilité, surtout en ce moment. Et puis tu dois aussi penser à toi.

– Ne t'inquiète pas pour ça, je sais ce que je fais et bientôt tout sera réglé… Bon et puis maintenant c'est à ton tour de me parler un peu de toi. Tu vis ici depuis longtemps ?

– Ça va faire six ans maintenant. C'était la maison de mon grand-oncle, mes parents et moi vivions dans le coin avant de déménager en Californie. Il m'a souvent gardée quand j'étais petite et un jour où je suis repassée par ici pour me rendre à Indianapolis j'ai décidé de venir lui rendre visite. Malheureusement il était très malade, un cancer du pancréas. Je suis restée à ses côtés le temps qu'il a fallu, sinon il serait mort seul. Juste après l'enterrement j'ai découvert qu'il m'avait tout légué. Il n'a jamais eu d'enfant, plus de famille à part moi. Cela faisait des années que j'allais d'un endroit à un autre sans arriver à me poser. Au départ je voulais juste souffler un peu, ranger ses affaires, m'occuper de ses animaux, mais en définitive je ne suis plus jamais repartie.

– Tu vivais en Californie ?

– San Jose jusqu'à la fin de l'adolescence, puis San Francisco, mais j'en suis partie quand j'avais à peine dix-neuf ans. Après j'ai passé mon temps à voyager au fil des boulots que je trouvais.

Duane fut amusé par la coïncidence. Ben, son meilleur ami, vivait à San Francisco depuis de nombreuses années et il lui avait souvent proposé de l'y rejoindre, sans qu'il saute le pas.

Il se promit de l'appeler, une fois que les choses se seraient calmées. Ben habitait à deux pâtés de maisons de la leur quand ils étaient enfants et venait souvent jouer avec son petit frère et lui les mercredis et samedis après-midi. Ils avaient par la suite fréquenté le même collège et étaient devenus inséparables durant tout le début de leur adolescence, et ce jusqu'à ce que son père, un professeur d'économie, accepte un poste à Berkeley et les contraigne à partir vivre à l'autre bout du pays. Ils avaient depuis pris l'habitude de se téléphoner au moins une fois par mois. Ben était journaliste au *San Francisco Chronicle* et venait le voir dès qu'il se rendait à New York. Il avait été la seule personne dont Duane avait accepté la visite pendant son séjour en prison. Contrairement aux autres amis qu'il s'était faits par la suite, Ben avait toujours eu une place à part, peut-être parce qu'il avait bien connu Dennis, et aussi celui que Duane avait été avant le drame, si bêtement insouciant.

Il hésita à lui demander qui était ce petit garçon avec elle sur la photographie, ce qu'il était devenu, mais il se retint et se pencha vers elle pour l'embrasser.

Un peu plus tard ils montèrent dans sa chambre.

C'était la première fois depuis des mois qu'il couchait avec une femme pour autre chose que de l'argent.

Il se réveilla en milieu de matinée et se tourna vers Mary Beth qui était étendue sur le ventre, sa nudité rehaussée par un rayon de soleil, puis il se leva en faisant attention à ne pas la réveiller, enfila son caleçon et sortit de la chambre.

Ils déjeunèrent tous les trois dans le petit jardin situé derrière la maison, Josh assis sur les genoux de Mary Beth. Duane les observa avec émotion pendant qu'elle le faisait manger ; une scène simple, en tous points banale, mais c'était ainsi que cela aurait dû se passer pour ce gamin dès le début, si la vie avait été plus juste.

Au moment du départ, il serra Mary Beth dans ses bras et la remercia pour tout. Elle lui tendit un papier où était inscrit son numéro de téléphone afin qu'il lui donne de ses nouvelles. Il le rangea dans son portefeuille, espérant du fond du cœur avoir l'occasion de la revoir un jour.

Ils arrivèrent à Chicago en milieu d'après-midi. Duane, n'ayant pas de plan de la ville, mit une bonne demi-heure à se rendre dans le quartier d'Evergreen Park. Une sorte de fête foraine était installée le long d'un grand espace vert et il décida d'y emmener Josh, histoire de partager encore quelques instants ensemble. Il lui acheta une glace à la fraise, puis le prit sur ses épaules et l'emmena voir les attractions. On était samedi, il y avait beaucoup de monde et l'air était saturé d'odeurs sucrées.

Après avoir fait le tour des manèges, ils s'assirent sur un banc un peu à l'écart de la foule. Des gamins passèrent à vélo sur le chemin bordant l'herbe, et Duane, les suivant du regard, se revit bien des années en arrière, quand il était parti avec Ben et Dennis dans les rues de leur quartier, cet après-midi d'été bien calé dans un temps où tout paraissait encore si simple. Il voulait apprendre à Dennis à pédaler sans ses petites roues et il avait convenu avec Ben de rouler de plus en plus vite à la première ligne droite, dans le but d'obliger son petit frère à se donner à fond pour les rattraper, tellement concentré sur ce défi qu'il en oublierait la peur de tomber. C'était de cette façon que son père le lui avait appris quand il vivait avec eux. Il se rappela avec émotion du moment où Dennis avait réussi à les dépasser et était parti seul en tête sur cette route dont le goudron fondait au soleil, *fier et grand.*

Et maintenant, bien des années après, Dennis à jamais laissé loin derrière, Ben ayant seul fait la course en tête, et Duane, après être tombé plusieurs fois, encore trop faible pour totalement se relever et le rejoindre.

Conscient qu'il était temps de partir, il prit Josh dans ses bras et retourna à sa voiture après avoir demandé son chemin à une jeune femme qui se promenait en poussant un landau sur le trottoir.

Il trouva la rue au bout d'un petit quart d'heure et se gara au niveau du numéro 48. La maison était plutôt imposante, haute de deux étages, ses murs recouverts de bardeaux blancs pour plus de sécurité. Il laissa Josh dans la voiture, puis il sonna à la porte d'entrée, mais personne ne répondit.

Il se rassit à l'avant et tapota le tableau de bord des doigts, Josh regardant avec attention ce qu'il se passait dans la rue.

Maintenant il n'avait plus qu'à attendre.

Une demi-heure plus tard, une Cadillac grise se gara face à la maison. Le conducteur avait la trentaine, la silhouette sportive et les cheveux bruns et courts. Même s'il ne l'avait jamais vu avant, Duane sut aussitôt que c'était lui.

– Samuel Wolfram ? demanda-t-il en arrivant à son niveau.

– Oui ? Et vous êtes ?

– Je m'appelle Duane Parsons, Josh est dans la voiture derrière moi, je suppose que vous avez dû suivre les infos…

L'homme eut un mouvement de recul et se tourna en direction de la vieille Buick de Duane, où Josh se tenait le front collé contre la vitre.

– Vous êtes venus jusqu'ici ? Depuis New York ? Je n'ai su ce qu'il s'était passé que ce matin, c'est ma femme qui m'a appelé au boulot !

– Écoutez, laissez-moi juste le temps de vous expliquer la situation, et vous comprendrez rapidement que je n'avais pas le choix…

– Pas le choix ? Pour enlever Josh à sa mère ? Et pourquoi l'avoir ramené jusqu'ici, c'est insensé ! Il va bien, au moins ?

– Oui, il va bien, Monsieur Wolfram, et j'ai fait tous ces putains de kilomètres parce que vous êtes le seul à pouvoir venir en aide à votre fils, tant qu'il restera avec Sybil il sera en danger…

– En danger ? En quoi serait-il en danger avec elle ? Pourquoi devrais-je vous croire ?

Duane, excédé, courut à sa voiture et revint avec Josh puis il le plaça devant son père et lui retira son t-shirt, exposant son jeune corps recouvert d'ecchymoses à la lumière du jour. Josh, qui ne comprenait pas ce qu'il se passait, lâcha son lapin en peluche et se mit à pleurer.

Sous le choc, Samuel s'agenouilla face à son fils et plongea timidement sa main dans ses cheveux.

– Je ne savais pas, je vous jure que je ne savais pas…

Il le serra contre lui. Josh ne bougeait pas. Duane se demanda s'il le reconnaissait.

– Je ne pouvais plus la laisser faire, si je l'avais emmené dans un centre d'aide à l'enfance, ou dans n'importe quel hôpital, Sybil aurait réussi à le reprendre dans la journée…

Samuel se releva, son fils dans les bras.

– Bon, on va rentrer tous les trois à l'intérieur pour parler de ça, d'accord ?

– D'accord, répondit Duane en ramassant le lapin en peluche et en le suivant le long de l'allée qui menait à la maison. Il voulait être sûr de le laisser entre de bonnes mains.

Ils s'assirent dans un grand salon sobrement décoré dans les tons beiges, deux murs entiers recouverts de livres, une baie vitrée donnant sur un jardin ombragé.

– Comment vous m'avez retrouvé ? Je me doute que ce n'est pas Sybil qui vous a donné mes coordonnées…

– Non, en effet, elle m'a parlé de vous une fois ou deux, je savais que vous aviez déménagé à Chicago après votre divorce, je n'ai eu qu'à chercher votre adresse sur internet.

– Oui, bien sûr, dit Samuel en se tournant vers Josh qui se tenait sagement assis à ses côtés. Quand j'y repense, ça fait plus de deux ans que je ne l'ai pas revu. Sybil a fait en sorte que je ne puisse pas le prendre pour les dernières vacances d'été, j'ai essayé plusieurs fois d'avoir de ses nouvelles, mais elle me répondait toujours qu'il dormait ou qu'il était chez sa nourrice…

Et puis le temps a passé, mon boulot est de plus en plus prenant et…

– Je ne suis pas là pour vous juger.

– Je sais. Mais je ne comprends pas comment j'ai pu être aussi aveugle, j'aurais dû me douter de quelque chose… Quoi qu'il en soit j'appellerai mon avocat dès demain, il me dira ce qu'il convient de faire… Je vais aussi prendre rendez-vous chez un médecin pour qu'il ausculte Josh, ainsi que chez un psychologue pour enfants. Ça me permettra de pouvoir porter plainte contre elle. Il est hors de question que mon fils reparte chez cette folle… Vous savez depuis combien de temps elle le bat ?

– Non… Je ne la connais que depuis quatre mois…

Duane vit alors dans les yeux de Samuel qu'il hésitait à lui demander quelque chose.

De quelle manière il l'avait connue, quelle était la nature exacte de leur relation…

– En tout cas, si je peux vous aider à quoi que ce soit n'hésitez pas. Après ce que vous avez fait pour mon fils c'est la moindre des choses. Je vais m'assurer que votre rôle dans cette histoire soit clairement établi, les accusations de Sybil ne feront plus le poids quand tout va sortir au grand jour. S'il le faut mon avocat vous défendra aussi. C'est elle qui dorénavant devra se cacher, croyez-moi…

Il lui tendit une petite carte avec ses coordonnées, et Duane la rangea dans son portefeuille.

– Vous pouvez rester ici cette nuit si vous voulez. Ma femme ne va pas tarder à rentrer, elle a emmené notre fille à la fête foraine, vous mangerez avec nous.

– Votre fille ? Elle a quel âge ?

– Un an et demi. Quand j'y pense, je crois que c'est la première fois que Josh et elle vont se voir.

Une petite sœur.

– Je vous remercie pour la proposition, mais je pense que je vais y aller. Maintenant c'est à vous de jouer, n'est-ce pas ?

Samuel acquiesça d'une façon franche, résolue, et qui le rassura.

Conscient qu'il était temps de partir, il se leva et rejoignit Josh.

– Tu vas rester avec ton papa, maintenant, d'accord ? dit-il en s'accroupissant face à lui. Tu seras bien ici, et puis je reviendrai bientôt te voir, je te le promets…

– D'accord, fit Josh en serrant son lapin en peluche.

– Tu y fais bien attention, hein, il est à toi, maintenant. Et puis je viens d'apprendre que tu as une petite sœur, tu te rends compte ? Elle va bientôt arriver, tu seras son grand frère !

Josh se jeta alors dans ses bras. Duane, un peu surpris, le tint contre lui quelques instants en tentant de maîtriser son émotion, puis il l'embrassa sur le front, se releva, serra la main de Samuel et regagna la porte d'entrée.

Sans plus se retourner.

Chaque pas qu'il fit hors de la maison se répercutant dans son corps comme un coup de poignard.

Il s'assit à l'avant de sa voiture, et c'est quand il démarra qu'il remarqua que Samuel se tenait sur le perron avec Josh dans les bras, tous deux lui faisant au revoir de la main. Il les salua à son tour, et Samuel rentra avec son fils à l'intérieur de leur maison.

Josh qu'il ne reverrait peut-être jamais plus. Josh qui, au fil du temps, oublierait tout, l'oublierait lui.

Mais c'était dans l'ordre des choses. Il n'avait jamais osé espérer que cela puisse se passer autrement.

Duane se dirigea d'abord un peu au hasard, puis il sortit de Chicago par l'est. Il ne voulait pas reprendre la route par laquelle il était arrivé, il ne voulait pas encore faire demi-tour.

Le soir commençait à tomber pendant qu'il roulait sur la 88. Tout autour s'étalaient les immenses plaines de l'Illinois. Dans le ciel opaque, les nuages ressemblaient à de gros bouts de coton plongés dans de la suie. Il mit la radio et écouta les informations en fixant les bandeaux de la route qui défilaient.

Et à présent ? Qu'allait-il bien pouvoir faire ? Depuis qu'il était parti de New York, il n'avait pas vraiment pensé à l'après, au moment où il serait à nouveau seul. Il se rassura en se disant qu'il avait assez d'argent pour pouvoir tenir quelque temps et ainsi attendre que les choses bougent du côté du père de Josh. Il ne pourrait de toute façon pas continuer à errer sur les routes, même si la simple idée de retourner à New York lui donnait la nausée ; pas seulement à cause du fait de risquer d'être inculpé d'enlèvement d'enfant et de retourner en prison – il avait bon espoir que les charges soient abandonnées si le père de Josh tenait parole –, c'était la simple idée de retrouver son quotidien terne et étouffant qui le terrifiait, cet appartement de Queens où il vivait cloîtré la plupart du temps, de plus en plus incapable d'affronter l'extérieur ; cette vie en pente douce qu'il n'avait quittée que pendant trois petits jours et dont il ne voulait déjà plus, un peu comme un nageur qui serait remonté à la surface après être resté trop longtemps sous l'eau, et désespérerait déjà à l'idée de devoir y replonger.

Mais c'était sa vie, il n'en avait pas d'autre de rechange.

Il hésita à retourner chez Mary Beth. Mais il savait que cela ne mènerait pas à grand-chose. Il pensa alors à Ben. La seule personne à qui il avait vraiment envie de parler en ce moment.

Chercher un téléphone, l'appeler, tout lui expliquer et se promettre de l'écouter.

Un panneau indiquait la ville de Davenport à vingt kilomètres. Duane appuya sur l'accélérateur, déjà pressé d'y arriver.

Et se forma peu à peu dans sa tête cette idée, à la fois folle et si évidente. Plutôt que de l'appeler, continuer la route vers l'ouest et le rejoindre à San Francisco. Après tout, rien ne l'en empêchait désormais. À nouveau seul, libre, sans attaches, il avait juste à continuer sur sa lancée, ne pas arrêter le mouvement… Et puis il était certain que Ben l'accueillerait là-bas les bras ouverts, il l'avait encore invité à venir chez lui, la dernière fois qu'ils s'étaient parlé.

Il visualisa le trajet qu'il lui restait à parcourir pour rejoindre la Californie. Environ trois mille kilomètres ;

quatre jours à rouler non-stop à travers cinq États, le double de la distance qu'il avait parcourue jusque-là.

Cela le découragea un instant. Mais seulement un instant. Maintenant qu'il était parti, il était hors de question de faire machine arrière. Une fois arrivé, il irait s'asseoir au bord de l'océan, et là, le cul planté dans le sable, il saurait peut-être enfin quoi faire de sa putain de vie.

Deux heures plus tard, Duane s'arrêta dans la petite ville de Newton, Iowa, et traversa le parking où il s'était garé, les petits bâtiments défraîchis qui l'entouraient lui donnant la curieuse impression d'arpenter un autre monde, à des années-lumière de celui où il avait toujours vécu, mais en même temps un peu plus proche de là où s'achèverait sa route.

Afin de chercher un hôtel où passer la nuit, il emprunta une avenue assez large et vit qu'un homme était étendu sur le trottoir, et que deux flics en uniforme se démenaient pour le relever. Il croisa alors le regard du plus jeune, où se mêlaient nervosité et lassitude. Tout autour d'eux, les lumières bleutées du gyrophare de leur voiture clignotaient sur les façades des immeubles, presque les mêmes que ce soir où, treize ans auparavant, ils étaient sortis avec Dennis sur le perron de leur maison en se demandant quelles pouvaient bien être ces voix amplifiées qui provenaient de l'extérieur, ce soir où tout avait commencé à basculer.

Leur père se tenait sur le bord des marches, faisant face à une dizaine de policiers postés derrière leurs voitures arrêtées en plein milieu de la route.

Armés. Prêts à tirer.

Duane n'en avait tout d'abord pas cru ses yeux. *Comme dans un film de gangsters.*

Les entendant avancer dans son dos, leur père s'était brusquement retourné, et son visage rougi par la colère s'était décomposé en les voyant. Duane n'avait remarqué qu'à cet instant qu'il tenait son fusil à la main, le gardant pointé sur les policiers, ce fusil qui le fascinait quand il était accroché dans l'armurerie.

Et il avait compris que leurs vies ne seraient plus jamais les mêmes.

Leur père s'était agenouillé face à eux et leur avait expliqué qu'il avait fait quelque chose de mal, qu'il allait partir pour très longtemps, qu'ils devraient tous les deux obéir à leur mère, que c'était la seule chose qui comptait. Il avait ensuite fait promettre à Duane de toujours protéger son petit frère, quoi qu'il puisse se passer.

Puis William Parsons avait posé son fusil sur les planches du perron pour les serrer fort dans ses bras. Il s'était ensuite relevé et avait descendu les marches les mains derrière la tête, sans plus jamais se retourner vers ses deux fils.

Trois ou quatre policiers s'étaient jetés sur lui pour le plaquer au sol et lui avaient mis des menottes aux poignets avant de l'emmener dans une de leurs voitures. L'un d'eux, une fois la situation sous contrôle, s'était rendu sur le perron pour récupérer le fusil et avait froidement ordonné à Duane et à Dennis de rentrer chez eux et de rejoindre leur mère, qui les espionnait derrière les rideaux du salon.

Mais tous deux étaient restés sans bouger, sourds à cette autorité en costume qui n'appelait que la rage ; et à peine quelques minutes plus tard, il n'y avait plus eu dans la rue que le bruit des sirènes qui s'éloignait, et une poignée de voisins qui, alertés pas le raffut, étaient sortis pour voir un bout du spectacle.

Dennis s'était mis à pleurer tout en continuant à regarder dans la direction où étaient parties les voitures qui leur avaient volé leur père.

Duane, à ses côtés, avait levé les yeux vers le ciel pour y chercher la lumière des étoiles absentes.

Puis, se souvenant de sa promesse, il avait fermement saisi la main de son petit frère pour le raccompagner à l'intérieur de leur maison.

CLAIRE

Connaissez-vous le croque-mitaine ?
Miton, miton, mitaine ?
Il a deux grands yeux perçants,
Une grande bouche, de grandes dents...

Ils avaient bougé.

Claire en était certaine maintenant et ne les quittait plus des yeux, de peur qu'ils ne finissent par s'évanouir dans l'obscurité sans qu'elle puisse être certaine de leur nature : deux petits cercles pâles et luisants tapis dans le fond du jardin, là où les ombres étaient le plus denses et semblaient s'écouler des arbres comme un liquide épais sur l'herbe.

Sentant un engourdissement dans sa jambe, elle posa une main sur la vitre et changea de position sur le petit fauteuil qu'elle avait accoudé contre la fenêtre et qui grinça sous son poids. Derrière elle la pendule sonna onze heures du soir. Elle crut que les cercles avaient disparu mais ils réapparurent, plus faiblement, comme décalés. Ce n'était rien, bien entendu, mais sa nervosité la rendait stupide et excitait ses pulsions obsessionnelles. Dans ces conditions, elle était capable de rester de longues minutes debout devant un robinet pour être absolument certaine qu'il soit bien fermé.

Le lendemain matin, elle irait dans le jardin et découvrirait que ce n'étaient que deux petites pierres rondes et plus brillantes que les autres incrustées dans le mur de l'enceinte.

Rien de plus.

Cela faisait deux semaines maintenant que Claire Millet était arrivée à Manderley, une imposante maison de deux étages située à une vingtaine de kilomètres d'Annecy. Son grand-père l'avait rebaptisée ainsi en 1960, en référence à *Rebecca* de Daphné du Maurier. Manderley était effectivement le genre de bâtisse qu'on soupçonnait, en en arpentant les alentours, d'être hantée par un fantôme.

Elle venait de finir son master de psychologie à la Sorbonne et avait éprouvé, après des années concentrées sur ses études, le besoin de relâcher la pression et de s'isoler pour une période indéterminée. Personne ne savait où elle était partie, et elle avait décidé de répondre le moins possible sur son téléphone portable, qu'elle gardait bien rangé dans sa valise.

Elle avait vécu à Manderley une grande partie de son enfance, seule avec sa mère Élizabeth, et ce jusqu'à ce qu'elle disparaisse la veille de son septième anniversaire, dans des circonstances encore inexpliquées.

Hormis quelques vieilles photos dont elle ne se séparait jamais, Claire n'avait que peu de souvenirs de sa mère, juste des impressions subtiles, des détails persistants, telles l'odeur de son parfum, la couleur pâle de ses yeux, cette chanson de Joan Baez qu'elle fredonnait certains soirs pour qu'elle s'endorme, la douceur de sa voix et du contact de ses mains sur son front…

Et des moments hors du temps, préservés, comme cette fois où, âgée de cinq ou six ans, elle se tenait allongée la tête calée contre le ventre de cette femme aux cheveux noirs à l'arrière d'une voiture, cheveux si longs que leurs pointes lui chatouillaient les joues. Elle ne se souvenait ni du conducteur ni de leur destination, juste qu'il faisait chaud cette nuit-là et que les lumières électriques d'une ville défilaient au-dessus de sa tête, les ombres urbaines se succédant en arabesques sur l'intérieur du toit de la voiture. Et elle se rappelait particulièrement comment la voix de sa mère qui parlait au conducteur résonnait en même temps dans son ventre où, dans la position où elle se trouvait, était posée son oreille d'enfant, réchauffée par la chaleur que diffusait son corps ; et à quel point elle se sentait bien, en sécurité, prête à s'endormir et rêver d'elle, guidée par les vibrations de sa voix rauque qui s'insinuaient dans son crâne, délicieusement lovée.

Elle ne pouvait pas l'avoir abandonnée. Les explications données par sa tante cachaient peut-être une histoire dont il ne fallait pas parler aux enfants, une histoire violente, insupportable, mais à laquelle elle préférait néanmoins croire, car, quelle qu'elle soit, elle ne remettait pas en cause l'amour que sa mère avait eu pour elle.

N'ayant jamais réussi à s'expliquer sa disparition, elle espérait secrètement que revenir à Manderley après toutes ces années apporterait enfin un début de réponse.

Certaines choses lui étaient revenues peu à peu en mémoire au fil de sa visite, comme le grand escalier en bois qui menait aux étages, les meubles du salon, le carrelage rouge et blanc de la cuisine ; et aussi cette odeur de menthe qui émanait des gros plants longeant la cabane à outils et qui lui avait rappelé la chaleur lourde des après-midi d'été et les petits scarabées aux reflets arc-en-ciel qui envahissaient leurs feuilles et qu'elle s'amusait à asperger d'eau pour les en déloger.

Claire avait été prise d'une sensation étrange en foulant la moquette de son ancienne chambre d'enfant, dont les fenêtres donnaient sur le jardin ensoleillé et parsemé de gros massifs de fleurs. Elle s'était rappelée du papier peint avec des animaux d'Afrique, ainsi que de la plupart de ses poupées qui étaient entassées dans une grosse malle rouge. Elle n'avait eu le droit d'emporter qu'une poignée de ses affaires quand elle était partie à Paris quinze ans auparavant, et tout cela l'avait patiemment attendue, resté intact dans l'atmosphère confinée d'une chambre d'enfant, au mépris du temps qui passe.

Elle s'était installée dans une petite chambre du deuxième étage, sobrement décorée et sentant bon le bois ciré. Le seul endroit de la maison où elle se sentait assez à l'aise pour dormir.

Ses premières nuits passées à Manderley s'étaient avérées plutôt pénibles, en partie à cause du silence environnant, de cette impression tenace de n'avoir personne d'autre de vivant à des kilomètres à la ronde. À Paris, Claire s'était habituée à écouter, allongée dans la pénombre de sa chambre, les bruits de la ville qui perduraient de l'autre côté de la fenêtre. Cela l'avait toujours rassurée de sentir, au moment où elle devait s'abandonner au sommeil, la vie qui se poursuivait dans la nuit, les bruits familiers des voitures, des gens qui marchaient sur le trottoir, de la pluie qui tombait sur les toits ou du métro aérien qui passait au loin ; ce monde qui continuait à tourner pendant qu'elle dormait et qui toujours l'attendait au réveil.

Toujours postée à la fenêtre du bureau, Claire alluma une lampe à abat-jour rouge posée sur une petite table en merisier. Lucas allait bientôt arriver. C'était au départ pour le guetter qu'elle s'était assise ici. Et c'était parce qu'elle l'attendait qu'elle était aussi nerveuse. Il l'avait appelée une demi-heure plus tôt pour la prévenir qu'il devait prendre de l'essence avant de la rejoindre.

Une demi-heure. Pourquoi était-il aussi long ?

Lucas et elle s'étaient rencontrés une semaine auparavant, par l'intermédiaire de Vanessa Lecointre, petite brune un peu enrobée dont elle avait fait la connaissance en se promenant à vélo aux alentours de la forêt. Vanessa était ce jour-là accompagnée de son petit frère Damien, et elles avaient vite sympathisé autour d'une glace dans un petit café du coin. Claire lui avait expliqué les raisons de sa présence, ce qui avait beaucoup intrigué Vanessa, qui vivait ici depuis toujours et espérait bientôt déménager à Paris. Elles étaient rapidement devenues proches, ce qui avait à la fois surpris et ravi Claire, qui n'avait en temps normal pas l'habitude de s'attacher aux filles de son âge.

Lucas était un ami du petit copain de Vanessa. Il avait un an de plus qu'elle et était étudiant en troisième année d'histoire à Montpellier. Il était revenu passer une partie de l'été chez ses parents qui habitaient à Annecy et travaillait un peu dans un petit théâtre tenu par son oncle.

C'était, en y repensant, la première fois depuis des lustres qu'elle laissait un garçon rôder aussi près de son cœur.

Une ombre passa devant ses yeux et la fit sursauter. Derrière la vitre se tenait Lucas. De son visage carré, la lumière de la lune n'illuminait que la bouche et le menton. Claire en resta interloquée. L'espace d'un instant elle avait cru voir quelqu'un d'autre, des traits familiers mais en même temps si *lointains*...

Elle ouvrit la fenêtre pour qu'il entre, un peu comme une adolescente qui ferait venir son amoureux en cachette dans sa chambre.

Ils se tenaient dans le salon, allongés l'un contre l'autre sur un vieux canapé en tissu. Claire gardait les yeux fermés et essayait de se détendre, pendant que Lucas l'embrassait dans le cou et caressait doucement ses hanches. N'ayant pas conscience de son trouble, il enleva son t-shirt, qu'il balança par terre, puis déboutonna son jean de la main gauche et le fit glisser à ses genoux. Seulement vêtu de son boxer, il se coucha à nouveau contre elle, le contact chaud de son torse lui donnant l'impression de sentir son sang pulser sous sa peau et irriguer sa chair.

Tout se passerait bien. Il la guiderait, elle se laisserait faire.

Elle tenta de ne pas penser à la pression de son érection contre son ventre, à la dextérité avec laquelle il dégrafait son soutien-gorge, aux petits bruits mouillés que faisait sa bouche pendant qu'il embrassait ses seins. Lucas remonta ses mains le long de ses bras et la tint fermement par les poignets contre le canapé, comme s'il voulait l'empêcher de bouger, dessinant avec sa langue de petits arcs de cercle sur sa peau tendue et parcourue de tremblements. Claire ouvrit les yeux et vit sa bouche collée à son ventre, ses dents blanches qui semblaient scintiller.

Prêtes à mordre.

Elle se redressa en manquant de lui donner un coup de genou au visage. Lucas, surpris, resta sans bouger, l'air un peu sonné, comme si elle l'avait giflé.

– Excuse-moi, Lucas, dit-elle en reboutonnant son haut. Je ne suis pas en forme en ce moment, ce n'est vraiment pas contre toi. Et puis ça me gêne avec Damien qui dort à l'étage…

– Tu gardes Damien ce soir ? Ici ?

Il se releva et enfila son t-shirt.

– Oui, il dort dans mon ancienne chambre au premier, Vanessa passera le chercher avant que ses parents reviennent. Tout s'est décidé à la dernière minute, elle voulait profiter de sa maison avec Raphaël sans avoir Damien dans les pattes. Mais bon, il est sympa, ce gosse, et ça fait une présence. Il y avait trop longtemps que cette maison n'avait pas vu d'enfants…

Claire rejoignit Lucas et plaqua ses mains sur son torse, puis elle se mit sur la pointe des pieds et l'embrassa sur les lèvres.

Lucas ne lui rendit pas son baiser, impassible.

– Bon, il commence à se faire tard, il vaut mieux que j'y aille. Je t'appelle demain en fin d'après-midi, d'accord ?

D'un coup perturbée par cette froideur dont il n'avait jamais fait preuve jusqu'à présent, elle se contenta de le dévisager.

Elle ne voulait pas qu'il parte, pas de cette façon…

Avant qu'elle puisse répondre quoi que ce soit, le téléphone se mit à sonner.

Elle le saisit et décrocha, surprise qu'on l'appelle à cette heure, et pas sur son portable. Personne n'avait ce numéro. D'ailleurs elle ne savait même pas que la ligne fonctionnait toujours.

– Allô ?

À l'autre bout du fil, on n'entendait rien d'autre qu'un petit grésillement.

– Allô ? répéta-t-elle un peu énervée.

Profitant de l'occasion, Lucas enfila sa veste et commença à marcher vers l'entrée, puis il ouvrit la porte et se retourna vers elle, tandis qu'à l'autre bout du fil l'interlocuteur raccrocha.

Sans un mot de plus, il disparut dans l'obscurité du dehors. Le combiné téléphonique à la main, Claire resta immobile à fixer le vide, puis elle raccrocha et courut le rejoindre.

Le perron était désert, tout comme le jardin et l'allée gravillonnée qui menait au portail, comme si Lucas avait disparu à mi-chemin dans un pan d'ombre.

Tout en avançant pieds nus sur les dalles de pierre, elle tendit l'oreille mais ne perçut pas le bruit de sa vieille 406. Il avait dû se garer le long de la route, mais elle avait du mal, en y réfléchissant, à comprendre pourquoi. Elle marcha dans la zone délimitée par l'éclairage de la lumière du porche et le chercha tout autour d'elle, s'attendant à ce qu'il surgisse en criant pour lui faire peur.

Mais rien ne se produisit. Lucas était vraiment parti.

Au-dessus de sa tête, un petit oiseau noir vola si bas qu'il faillit, en remontant, percuter une vitre du premier étage.

Claire rebroussa chemin, ferma la porte à clef et alluma la lumière des lampadaires du jardin.

Dans la cuisine, dont les fenêtres donnaient de l'autre côté de la maison, elle prit un peu de poulet dans le réfrigérateur ainsi qu'un reste de salade de riz.

Elle mourait d'envie de le rappeler pour s'excuser de son attitude et lui dire ce qu'il voulait entendre, afin qu'il revienne et la serre à nouveau dans ses bras. C'est elle qui avait insisté au téléphone pour qu'il passe ce soir, sachant pertinemment qu'il devait se lever tôt pour accompagner sa mère à Lyon. Maintenant il la prenait sûrement pour une allumeuse, une pauvre fille dont le cerveau ne tournait pas rond, incapable de savoir ce qu'elle voulait. Et il irait l'oublier dans les bras d'une des pétasses qui lui tournaient autour.

Mais dans ce cas il ne vaudrait pas mieux que tous les autres.

Tout en s'évertuant à faire le vide dans sa tête, elle mangea les bouts de blanc de poulet avec les doigts sans penser à les faire réchauffer au micro-ondes.

Son mémoire de recherche de master était posé sur la table basse. Il portait en grande partie sur un fait divers qui l'avait particulièrement fascinée dès la fin de son adolescence et qui avait eu lieu à la fin des années 1970 au Kansas : le meurtre de George et Loretta Greer, tous deux décédés dans l'incendie de leur maison, incendie provoqué par leur propre fils, Daryl Greer, alors âgé d'à peine dix-sept ans, et qui avait par la suite été également suspecté d'avoir violé et égorgé plusieurs jeunes femmes avant de mystérieusement disparaître dans la nature, et ce malgré la traque qui s'était enclenchée dans plusieurs États du Midwest.

Afin de mieux cerner sa personnalité, elle avait compilé des témoignages d'anciens lycéens ou de membres du corps enseignant, qui l'avaient à peu près tous défini comme un garçon assez secret, ne se mêlant que rarement aux autres. Néanmoins, il avait selon certains commencé à changer au cours des derniers mois de l'année scolaire, s'étant montré particulièrement violent avec certains de ses camarades de classe. Claire avait récupéré deux vieilles photos de lui sur un site spécialisé dans les tueurs en série : l'une où on le voyait assis à une table de jardin, un verre de limonade à la main ; l'autre où il se tenait debout face à sa maison, un épi de blé à la bouche, le verre de ses lunettes reflétant les rayons du soleil.

Elle avait d'abord voulu comprendre ce qui avait bien pu le pousser à commettre de tels actes. Il y avait bien eu des rumeurs selon lesquelles son père, qui dirigeait l'exploitation familiale, le battait depuis qu'il était gamin ; mais, si c'était vrai, cela ne pouvait pas tout expliquer. Tous les enfants battus par leurs parents ne prenaient pas ensuite la décision de les brûler vifs.

Dans un article publié dans un journal local en août 1979, Howard Mills, un psychiatre basé à Denver, avait expliqué que les pulsions perverses qui habitaient le sujet Greer deviendraient de plus en plus incontrôlables avec le temps, et qu'il continuerait sans aucun doute à commettre ces horreurs jusqu'à ce que les forces de l'ordre parviennent enfin à l'arrêter.

Mais ce n'était pas ce qu'il s'était passé. Et c'était bien là le cœur du problème, et ce sur quoi Claire avait fondé l'essentiel de son travail. Si ce psychiatre disait vrai, pourquoi n'avait-on plus jamais entendu parler de Daryl après ces quelques semaines sanglantes ? Pourquoi ne lui avait-on plus jamais imputé d'autres crimes ? S'il lui était arrivé quelque chose de grave, s'il s'était fait tuer ou s'il était mort dans un accident quelconque, on aurait au moins retrouvé son cadavre… Aurait-il alors réussi, contrairement à ce que pensait Howard Mills, à maîtriser ses pulsions ? À changer d'identité ? Reprendre peu à peu une vie normale et se faire oublier ? Était-ce seulement possible ?

Ces questions n'avaient cessé de l'obséder, et elle espérait secrètement en trouver les réponses avant de présenter sa thèse.

Peut-être que Daryl Greer vivait toujours quelque part aux États-Unis, sans que personne de son entourage puisse se douter de sa véritable identité ; lui qui aurait sans peine laissé l'adolescent furieux qu'il avait été devenir avec le temps une sorte de légende urbaine que l'on conterait dans certains endroits du Midwest, et dont certains parents se serviraient pour rappeler à l'ordre leurs enfants trop turbulents.

Sois sage, sinon Daryl Greer entrera par ta fenêtre cette nuit et t'emmènera avec lui.

Parallèlement à sa problématique principale, Claire s'était aussi intéressée aux époux Greer, motivée par le besoin de définir s'ils avaient, à un moment donné, compris ce qu'il se passait dans la tête de leur fils ; s'ils auraient pu l'empêcher de basculer ; si, au moment fatidique, ils avaient su que c'était lui qui avait mis le feu à leur maison et les avait pris au piège, cette maison dont elle avait pu voir les décombres sur quelques photos, perdue au milieu des champs de blé comme Manderley l'était ici parmi les arbres.

L'été dernier, elle avait profité d'un voyage à New York avec sa tante pour rencontrer Marshall Rowe, le propre cousin de Daryl, et fils unique d'Edna Rowe, la sœur aînée de Loretta. Par chance, Claire avait réussi à le contacter sur internet, et avait correspondu avec lui par mails avant de prendre l'avion. Marshall Rowe vivait au sud de Manhattan et travaillait au siège des Nations unies. Ils s'étaient rencontrés dans un bar près de SoHo, alors que sa tante était partie à une conférence sur le réchauffement climatique. Marshall, un grand type d'une cinquantaine d'années et au teint hâlé, lui avait d'abord fait promettre de ne surtout pas citer son nom dans son enquête, puis, après quelques gorgées de bière, il s'était progressivement détendu et lui avait parlé de tout ce dont il se souvenait de Daryl, notamment du dernier week-end qu'ils avaient passé ensemble, quand sa mère et lui étaient partis leur rendre visite à Emporia, huit mois avant le drame. Déjà à cette époque il s'était rapidement senti mal à l'aise au contact de son cousin. Quelque chose dans sa personnalité l'avait toujours dérangé sans qu'il sache vraiment quoi, et cela s'était considérablement accentué avec le temps. Daryl ne faisait de toute façon aucun effort pour aller vers les autres, toujours *ailleurs*. Le genre de mec capable d'exploser pour un rien, le genre de mec qui gardait un cadavre de chauve-souris plongé dans du formol sur son étagère. Au fil de ses souvenirs, Marshall lui avait aussi raconté qu'alors qu'ils s'étaient déshabillés pour dormir, il avait remarqué un gros bleu sur son avant-bras, et quand il lui avait demandé où il se l'était fait, Daryl lui avait simplement répondu que c'était dû à une mauvaise chute pendant un match de baseball, puis avait éteint la lumière. Marshall ne savait pas si George le battait comme certains l'avaient prétendu, Loretta n'avait jamais parlé de ses problèmes à sa sœur, malgré ses nombreuses tentatives de l'aider à prendre un peu l'air, de la détacher d'une vie qui, selon elle, l'empoisonnait peu à peu. Edna Rowe n'avait jamais réussi à apprécier George, un homme rustre, violent, dont la trop grande influence sur sa sœur les avait éloignées l'une de l'autre au fil du temps. Elle vivait toujours à St. Louis, seule dans sa grande maison de la banlieue résidentielle. Marshall l'appelait chaque dimanche pour prendre de ses nouvelles.

Tout en notant ces informations, Claire lui avait demandé s'il pouvait l'aider à contacter la sœur aînée de Daryl, Maddie, mais il lui avait sèchement répondu qu'il n'avait plus de contact avec elle, que la connaissant elle refuserait catégoriquement la moindre interview et qu'elle n'avait de toute façon jamais revu son petit frère après être partie de la ferme familiale, en 1972.

Elle avait aussi tenté de savoir si selon lui Daryl était toujours vivant, et Marshall avait clairement répondu par la négative ; qu'il était sûrement tombé sur plus fort que lui cet été-là, et que son cadavre avait dû pourrir quelque part, à l'abri du regard des hommes.

Et que c'était bien mieux ainsi.

Avant de partir, Marshall lui avait demandé ce qui pouvait bien pousser une belle fille comme elle à s'intéresser à une histoire aussi sordide.

Claire n'avait pas su quoi lui répondre.

Elle-même se le demandait, parfois.

Un bruit sourd se fit entendre au-dessus de sa tête et la tira de ses pensées, et qui venait de la chambre où dormait Damien.

Il était recroquevillé sur le lit quand elle y entra. La fenêtre était à moitié ouverte, les rideaux blancs se balançant sous l'effet d'un petit courant d'air. Claire marcha pieds nus sur l'épaisse moquette et la referma. Sur le sol, un pot de fleurs brisé en deux répandait des monceaux de terre noire sur la moquette.

Damien ne la quittait pas des yeux. Claire posa sa main sur son front.

– Que s'est-il passé, Damien ? C'est toi qui as ouvert la fenêtre ?

– Non, ce n'est pas moi, chuchota-t-il.

– Allez, recouche-toi, il est tard. Il faut te rendormir, sinon tu seras fatigué demain matin.

Elle le fit se rallonger et ramena la grosse couette sur ses épaules, mais il se débattit et la retira avec les pieds. Claire plaqua alors ses mains sur ses poignets.

– Non je ne veux pas, il va revenir ! hurla-t-il, visiblement apeuré.

Claire resta au-dessus de lui sans bouger, puis elle le lâcha et s'assit sur le bord du lit.

– Qui ça ? Qui va revenir ?

– Mais tu sais bien… Le croque-mitaine.

Elle ne put s'empêcher de frémir, tout en ayant la présence d'esprit de ne rien laisser paraître.

– Tu es un grand garçon, tu vas bientôt avoir douze ans, tu n'as plus l'âge de croire à ce genre de choses…

– Si ! Il existe ! Et dès que tu seras partie, il reviendra !

– Bon, écoute, je laisse la porte ouverte avec la lumière du couloir allumée, ça te va ? Et ici tu n'as rien à craindre, fais-moi confiance.

– D'accord, dit Damien en se rallongeant.

Claire le borda puis elle l'embrassa sur la joue.

– Tu peux quand même vérifier sous le lit ?

– Bon, comme tu veux, répondit-elle en soupirant, mais après je ne veux plus t'entendre de la nuit, tu as compris ?

– Oui, promis.

Elle s'agenouilla et dut se retenir pour ne pas pousser un cri de stupeur. On n'y voyait absolument rien, un noir d'encre qui semblait infini, comme si cette zone ouvrait sur une autre dimension, débordante de ténèbres. Intriguée, elle plissa les yeux, sans parvenir à distinguer quoi que ce soit, crut même sentir un léger filet d'air effleurer ses joues. Elle ferma les yeux et compta jusqu'à trois. Puis elle les rouvrit et vit avec soulagement une grosse valise en fer, deux ou trois livres et des moutons de poussière qui stagnaient sur la moquette éclairée par endroits par la petite veilleuse.

Elle essuya son front avec le poignet. Damien avait les yeux fermés et paraissait déjà sur le point de se rendormir.

Elle aurait voulu, à cet instant précis, le secouer jusqu'à ce que sa tête se décolle de son cou.

Dans le fond du couloir se trouvait la porte de l'ancienne chambre de sa mère, la seule pièce de la maison toujours fermée à clef. Claire avait essayé toute une matinée de l'ouvrir par divers moyens, puis elle avait téléphoné à M. Dupré, le gardien de la propriété, afin de savoir s'il avait un double. Il vivait de l'autre côté du parc et travaillait au service de sa famille depuis plus de trente ans, c'était lui qui avait appelé sa tante le jour de la disparition de sa mère, l'ayant fait venir en urgence de Paris pour venir la chercher. Mais lui-même ne savait rien. Il lui avait expliqué qu'il n'avait pas de clef et que cette pièce avait toujours été fermée à sa connaissance. C'était le seul endroit où elle n'avait pas encore pu entrer, et elle comptait bien appeler un serrurier dans la semaine pour en percer les secrets.

Elle y découvrirait peut-être enfin des objets ou des vêtements lui ayant appartenu. Depuis qu'elle était arrivée à Manderley, Claire n'avait vu de traces de sa mère nulle part, aucune photo, aucun objet personnel. Elle savait qu'elle avait vécu longtemps dans cette maison, qu'elle y avait grandi et y était restée pour l'élever. Pourtant c'était comme si tous signes de son passage dans ces murs avaient été consciencieusement effacés, comme si, après sa disparition physique, on avait voulu éliminer les souvenirs, tout ce qui était trop chargé de sa présence.

Dans la salle de bains de l'étage, elle ouvrit le robinet et se passa un peu d'eau froide sur le visage, puis elle regarda son reflet dans la glace accrochée au-dessus du lavabo, la lumière du néon faisant ressortir ses cernes. Ce qu'avait dit Damien dans la chambre l'avait frappée comme un coup de fouet. Elle s'était remémoré ce cauchemar de son enfance et où elle courait dans un couloir qui semblait ne pas avoir de fin, poursuivie par un monstre gigantesque qui cherchait à l'attraper pour la dévorer.

Jusqu'à son adolescence, elle n'avait jamais consenti à se coucher sans avoir disposé une foule d'objets divers autour de son lit, gardiens silencieux et colorés prêts à veiller sur son sommeil et à la protéger du monstre qui se cachait dans l'ombre des placards ou de dessous les sommiers. Elle avait aussi pris l'habitude de s'emmitoufler entièrement dans les draps, cocon de tissu d'où elle ne laissait dépasser que son nez pour respirer, et s'était souvent réveillée en pleine nuit en sentant une présence tout près d'elle dans le noir, mais sans oser bouger pour atteindre l'interrupteur de sa lampe, de peur qu'il n'attrape son bras avant.

Et le torde, le casse, le mange.

Dans ces cas-là, elle se rendormait figée dans sa terreur, et rouvrait les yeux en sursaut le lendemain matin, sa chambre réchauffée par la lumière du jour, à nouveau vide, assainie.

Mais à présent elle n'était plus une enfant. Avant de redescendre dans le salon, elle se rendit dans sa propre chambre, située à l'étage supérieur, récupéra son téléphone portable et constata que sa tante, qui devait être revenue de son voyage en Égypte, avait laissé un message sur son répondeur et lui demandait de la rappeler au plus vite. M. Dupré l'avait forcément prévenue qu'elle était ici, et Claire savait d'avance ce qu'elle lui dirait dès qu'elle l'aurait au bout du fil. Mot pour mot.

Prise d'un léger mal de crâne, elle décida de l'appeler plus tard et plongea son téléphone dans la poche de son jean. La nuit promettait d'être longue. Elle n'avait pas du tout envie d'aller se coucher, pas avant d'avoir l'esprit tranquille. Dans le salon, elle se rendit vers une bibliothèque qui recouvrait tout un pan de mur et qui contenait principalement des encyclopédies ou des manuels d'histoire. Elle saisit un ouvrage dont la jaquette en cuir lui sembla plus familière que les autres.

Il s'agissait d'un livre de contes, avec, au centre d'une couverture recouverte de tissu rouge, la peinture d'une petite maison en bois, à l'orée d'une forêt enneigée. En l'ouvrant, elle remarqua son propre nom, marqué en lettres grossières sur la page de garde. Elle s'en souvenait à présent, ce livre lui avait appartenu et contenait la plupart des contes qui fascinaient ou effrayaient les enfants. *Le Chat botté*, *Le Petit Chaperon rouge*, *Hansel et Gretel*…

Elle en tourna les pages et s'arrêta sur un dessin représentant un petit garçon recroquevillé dans son lit en hurlant. Du noir sous le sommier surgissaient deux énormes mains crochues, cherchant à le saisir par les pieds.

Le croque-mitaine.

Damien avait dû tomber dessus dans l'après-midi.

Rien de plus.

Elle posa le livre sur la table basse et se retourna alors en sursaut vers une des fenêtres, ayant cru voir quelque chose de blanc passer de l'autre côté de la vitre. Ne la quittant pas des yeux, elle se décala vers la cheminée et saisit un tisonnier.

On ne voyait personne à l'extérieur, mais seule une partie du jardin était éclairée. Et il était hors de question de trop approcher son visage de la vitre.

Était-ce Lucas ? S'amusait-il à l'effrayer ?

C'était peut-être lui qui avait réveillé Damien en essayant de rentrer par sa fenêtre… Mais dans ce cas-là, pourquoi se serait-il mis à escalader le mur pour atteindre l'étage ? Et comment ? Claire se précipita sur son téléphone pour l'appeler mais finalement se ravisa. S'il n'avait rien à voir là-dedans, il pourrait la prendre pour une déséquilibrée, ou croirait que c'était une manœuvre désespérée pour le faire revenir.

Car, et elle en eut des nausées rien que d'y penser, c'était peut-être quelqu'un d'autre.

Un intrus.

Et elle repensa à ces deux petits cercles qu'elle avait remarqués quand elle attendait Lucas dans la bibliothèque, et ils prirent dans son esprit bouleversé la consistance de deux verres de lunettes, les lunettes d'un homme accroupi à côté d'un arbre et que la lumière du porche faisait luire en s'y reflétant. Un homme qui, caché dans la nuit, savait qu'elle était à nouveau seule.

Il avait dû se débarrasser de Lucas avant qu'il ne rejoigne sa voiture. C'était pour cela qu'elle ne l'avait pas vu ni entendu démarrer.

Et maintenant il cherchait un moyen de rentrer dans la maison.

Tout était fermé mais il n'aurait aucun mal à casser une vitre. Il pouvait même être déjà à l'intérieur, prêt à lui bondir dessus dès qu'elle s'approcherait un peu trop près.

Peut-être que Manderley avait un habitant qui y vivait à l'insu de tous, et qu'il cherchait maintenant à se débarrasser d'elle.

Vivait-il dans la pièce fermée à clef ?

Elle en eut un haut-le-cœur. S'il surgissait à l'instant devant elle, le tisonnier ne servirait à rien. Tétanisée par la peur, elle serait incapable de faire le moindre mouvement pour se défendre.

Mais elle ne devait pas se laisser entraîner par ses idées noires, il fallait reprendre le dessus, repenser à ce que le Dr Minard lui avait répété sans cesse : savoir faire la différence entre les faits avérés et les dérives où pouvait mener son imagination, ne pas laisser son esprit la pousser trop loin de la réalité. C'était Michelle qui avait pris rendez-vous après avoir mis la main sur des dessins qu'elle cachait sous l'armoire de sa chambre et qui représentaient en grande partie des scènes morbides où une femme aux cheveux noirs se faisait dévorer par un monstre énorme. Des dessins impensables pour un enfant de cet âge, qui plus est pour une petite fille. Le Dr Minard, qui était bonne amie de Michelle, s'était occupée d'elle jusqu'à ses douze ans et reprenait parfois de ses nouvelles au téléphone. Elles avaient toujours eu de bons rapports, ce qui avait permis à Claire de ressentir à chaque consultation l'impression qu'au moins une personne s'intéressait vraiment à elle.

Michelle, à l'inverse, ne s'était occupée d'elle que par obligation envers sa sœur cadette, et n'avait jamais fait d'efforts pour lui prouver le contraire. Avant que Claire emménage chez elle, elle vivait seule depuis des années dans son grand appartement au cœur du VIIe arrondissement. Claire ne lui avait jamais connu de relations intimes ; sa tante semblait éviter tout contact avec les individus de l'autre sexe, donnant parfois l'impression d'avoir quelque chose de mort en elle, et qui de manière sournoise s'employait à pourrir les autres parties de son corps.

Claire avait à de nombreuses reprises tenté d'écouter leurs conversations à travers la porte, certaine qu'elles parlaient d'elle, de ses sautes d'humeur, de ses cauchemars, de ses dessins si affreux que Michelle les avait brûlés avec un briquet et jetés dans le vide-ordures.

Seulement un reflet sur la vitre, un simple effet de lumière vu au coin de l'œil.

Rien de plus.

Tous ces mois passés en compagnie de Daryl Greer lui avaient sûrement un peu détraqué le cerveau.

Damien dormait paisiblement en haut. Lucas était rentré chez ses parents et avait bien dit qu'il l'appellerait en fin d'après-midi. Ils se verraient peut-être à ce moment-là. Et elle l'inviterait à dormir avec elle.

Oui c'est ce qui arriverait. Et les angoisses de cette nuit ne seraient plus qu'un lointain souvenir.

Claire chercha à la télévision le programme le plus divertissant possible et tomba sur un jeu de télé-réalité où des candidats devaient manger des choses innommables pour gagner plusieurs centaines d'euros.

Elle se cala plus confortablement sur le canapé et ferma les yeux un instant, juste un instant.

La jambe nue et blanche d'un enfant qui sautait de son lit. Sous le lit le noir total. Puis un éclair de lumière froide ; une ombre qui se déployait en explosion lente sur les murs de sa chambre ; un couloir menant à une porte grande ouverte d'où s'échappait une faible lueur…

Claire se réveilla au moment où un bruit sourd résonna dans le plafond, mais beaucoup plus fort que la première fois, comme si un objet très lourd s'était écroulé sur le sol.

Et c'est alors que Damien hurla. Claire bondit du fauteuil et courut vers l'escalier en manquant de glisser sur le parquet.

Dans la chambre, le lit était défait, une grosse commode fracassée par terre.

Et Damien avait disparu. Sur la moquette, de grosses traînées sombres menaient vers le placard mural situé dans le fond de la chambre, un placard aux battants en bois peint en blanc et qui la terrifiait quand elle était petite, à l'intérieur duquel on ne voyait que du noir, le même que sous le lit un peu plus tôt. Claire appela Damien et recula sans quitter le placard des yeux, puis elle s'agrippa au chambranle de la porte de la chambre et courut dans le couloir, sa tête tournant de plus en plus au fur et à mesure qu'elle s'approchait de l'escalier.

Une boule amère se forma dans son ventre et remonta dans sa gorge à l'idée de ce qui avait pu arriver à Damien.

Pourquoi ne l'avait-elle pas cru ? Elle n'avait pas su le protéger et maintenant il était trop tard. Mais le protéger contre quoi ? Claire frémit à nouveau en laissant son esprit s'attarder sur ce que ses yeux avaient vu, ces traces noires sur le sol, les traces du monstre qui avait surgi de sous le lit. Mais les monstres n'existaient pas, elle n'était plus une enfant et sa tante lui avait assez fait la leçon quand elle hurlait dans sa chambre pour ne pas dormir seule.

Mais elle n'avait jamais hurlé en pleine nuit sans raison, et aucun adulte n'avait voulu le comprendre.

Et elle avait fait la même chose avec Damien.

Claire descendit l'escalier une marche après l'autre, essayant de ne pas tomber et se fracasser la tête contre le carrelage du hall.

Dans le salon, elle tituba vers le canapé et appela Lucas avec son téléphone portable. Sous le coup d'un violent vertige, elle dut poser sa main sur le mur pour tenir debout.

Lucas répondit au bout de trois sonneries, mais, avant qu'elle puisse dire quoi que ce soit, ses jambes se dérobèrent sous son poids et elle s'effondra sur le tapis en perdant connaissance.

La jambe nue et blanche d'un enfant qui sautait de son lit. Sous le lit le noir total. Puis un éclair de lumière froide ; une ombre qui se déployait en explosion lente sur les murs de sa chambre ; un couloir menant à une porte grande ouverte d'où s'échappait une faible lueur.

Une petite fille se tenait en plein milieu du couloir, marchant à pas de loup en direction de la porte d'où provenaient des cris et des coups sourds mêlés de grincements. Elle l'ouvrit et jeta un regard timide dans la chambre. Au centre de la pièce, une femme était allongée sur un lit à baldaquin, entièrement nue, de longs cheveux bouclés étendus sur le matelas. Au-dessus d'elle se mouvait un être monstrueux, nu lui aussi, et dont l'impressionnante musculature le faisait ressembler à un ours sans poils.

Tout en tenant la femme par les deux bras pour l'empêcher de s'enfuir, il approcha alors sa bouche de son ventre et, au contact de sa peau, serra fort les mâchoires.

La femme poussa un hurlement, un liquide sombre et visqueux commençant à couler de la blessure. Le croque-mitaine, la maintenant toujours contre le lit, pressa ses hanches contre les siennes, de plus en plus fort, faisant vibrer la chambre tout entière au rythme de ses coups.

Restée sur le pas de la porte, la petite fille poussa un cri à son tour. L'ogre se retourna alors vers elle et la fixa avec ses énormes yeux rouges et dont l'intérieur tournait comme des toupies. Et il ouvrit grand la bouche, laissant entrevoir ses dents innombrables et effilées, le bas de son visage recouvert du sang noir de la femme, et dont quelques gouttes tombaient sur le sol avec un son métallique.

La petite fille ferma la porte aussi fort qu'elle le put et courut dans le couloir. Derrière elle, les murs furent rapidement recouverts par l'ombre du monstre lancé à sa poursuite.

Et, avant qu'elle puisse atteindre son refuge, elle sentit dans le bas du dos la chaleur de son souffle.

Claire se releva en chancelant et mit un moment avant de se rendre compte où elle se trouvait.

Le cauchemar de son enfance. Et pour la première fois, cette clarté terrible. Cette scène qu'elle avait reproduite tant de fois dans ses dessins n'était pas issue de son imagination.

C'était un souvenir.

Caché dans le placard de son ancienne chambre, Damien commençait à s'impatienter. Quand Claire avait surgi dans la pièce, il avait attendu en se retenant de rire qu'elle s'approche assez près pour lui bondir dessus. Cela marchait à tous les coups avec sa grande sœur. Comme beaucoup d'enfants sensibles et peureux, Damien aimait faire peur aux autres. Mais cela ne s'était pas du tout passé comme il l'avait prévu et il commençait à avoir des fourmis dans les jambes à force de rester immobile.

Ne tenant plus, et conscient de sa bêtise, il décida d'aller chercher Claire pour s'excuser.

Elle se tenait dans le hall du rez-de-chaussée et fixait le mur face à elle. N'osant pas l'appeler, il descendit les marches puis glissa sa main dans la sienne.

Après un moment d'absence, Claire se rendit compte de sa présence à ses côtés, et s'agenouilla face à lui en le tenant par les bras.

– Écoute, Damien, dit-elle tout bas. On n'est pas en sécurité ici, il y a quelque chose dans cette maison qui nous veut du mal, tu le sais aussi bien que moi et il ne faut pas rester là… Je vais t'emmener dehors et tu vas m'attendre sagement, d'accord ?

Le petit garçon ne répondit pas. Il essayait de ne pas trop regarder Claire. Elle avait le visage tout rouge et ses yeux lui faisaient peur. Et puis elle le serrait fort, trop fort…

Alors il se débattit, et comme elle ne voulait pas le lâcher il cria.

Claire le gifla sèchement, ce qui le fit tomber sur le carrelage. Un peu sonné, Damien se releva et se précipita vers la porte d'entrée, qu'il réussit à ouvrir sans mal et courut sur la pelouse, le plus vite qu'il le put. Il savait par où aller pour retourner à sa maison. Et il était un grand garçon après tout, il arriverait à ne pas se perdre, il n'aurait pas peur.

Il atteignit les premiers arbres du fond du jardin, puis se faufila par un gros trou dans le grillage. Il emprunta ensuite le chemin de terre qui traversait une partie de la forêt mais s'arrêta une vingtaine de mètres plus loin, de plus en plus impressionné par un paysage qui pourtant en plein jour paraissait sans danger.

Mais la nuit, c'était complètement différent.

Il continua à avancer, les bras en avant pour ne pas se prendre de branches dans la figure.

Et il entendit alors un craquement juste derrière lui, juste avant qu'une main l'agrippe par le bras.

Il se retourna et hurla à s'en déchirer les poumons.

Et, en voyant le visage figé de Claire, il ressentit une peur qu'aucun ogre, vampire ou loup-garou n'aurait jamais pu lui procurer.

Claire regagna le jardin et s'adossa contre un tronc d'arbre, une main posée sur son ventre. Elle se cambra et vomit dans l'herbe, puis elle s'essuya la bouche avec le bras et continua à marcher vers la maison, remarquant, en relevant la tête, la silhouette d'un homme qui se tenait debout sur le porche.

À cause de la lumière de l'entrée, elle ne parvint pas à savoir qui cela pouvait être. L'homme, la voyant à son tour, fit un grand geste du bras et courut vers elle. Elle le reconnut avec soulagement quand il passa sous un des lampadaires. C'était Lucas. Mais il était revenu trop tard, beaucoup trop tard.

Arrivé à son niveau il la prit dans ses bras.

– Claire, tu vas bien ? demanda-t-il en reprenant sa respiration. Je suis venu aussi vite que j'ai pu… Dis-moi ce qui t'est arrivé !

À bout de forces, elle éclata en sanglots et se blottit un peu plus contre lui, respirant son odeur rassurante mêlée de sueur et de parfum Hugo Boss. Elle avait tellement espéré ce moment qu'elle aurait voulu que le temps se fige.

– C'est ici que ça a eu lieu, dit-elle d'une voix étouffée par le contact de son torse. Et moi j'avais tout vu… Elle est morte, Lucas, dans cette maison, ils m'ont tous menti depuis le début…

– Qui est morte ? De quoi tu parles ?

– Il est toujours là, et maintenant c'est moi qu'il cherche… Il a même voulu s'en prendre à Damien !

– Damien ? Mais putain, Claire, je ne comprends rien à ce que tu me racontes !

– Ne t'inquiète pas pour lui, il est en sécurité maintenant. Je ne lui aurais jamais fait de mal, il fallait juste qu'il parte de cette maison…

– Quoi, tu veux dire qu'il est là dehors quelque part ?

Claire tomba à genoux sur le sol et se cacha le visage des mains. Lucas, ne sachant pas quoi faire, s'assit à côté d'elle.

– Claire, où est Damien ? murmura-t-il à son oreille. Dis-moi juste ça, je t'en prie.

– Je t'ai déjà expliqué qu'il n'avait plus rien à craindre, s'il y a quelqu'un que tu dois protéger ici, c'est moi !

Elle posa son visage sur son épaule, effleura le sol de la main et saisit une grosse pierre au bout coupant.

– Il faudrait peut-être prévenir Vanessa, tu ne penses pas ? Je peux l'appeler si tu veux, elle saura quoi faire si Damien s'est enfui…

Elle ne répondit rien et serra la pierre jusqu'à ce que la pointe lui perce la peau et qu'un filet de sang chaud coule le long de son poignet. Elle plaqua alors sa paume blessée sur la bouche de Lucas, qui par réflexe la cogna au niveau de l'épaule et la fit basculer en arrière.

Il se releva et frotta sa main sur ses lèvres, voyant d'un air effaré le sang qui maculait le bout de ses doigts. Claire se releva à son tour, fascinée par son visage illuminé par la lune, le pourtour de sa bouche et une partie de son menton barbouillés de son sang. Mais ses yeux n'allaient pas avec le reste, elle ne pouvait pas y lire la froide détermination du prédateur qui habitait ses cauchemars.

– Tu peux t'en aller, maintenant, dit-elle en reculant de quelques pas.

Puis, sans laisser à Lucas le temps de répondre, elle s'éloigna sans un mot, sa silhouette, de plus en plus sombre, disparaissant progressivement dans celle de Manderley.

Damien se tenait recroquevillé contre un tronc d'arbre à deux mètres du sentier, la tête posée sur les genoux. Son corps frêle était parcouru de tremblements, sur son visage commençaient à se former des ecchymoses et ses mollets étaient écorchés. Quand Lucas surgit face à lui, il eut un petit mouvement de recul en remarquant le sang séché qui tachait son menton et le bas de ses joues.

– C'est rien, t'inquiète pas, je me suis juste blessé en tombant, dit Lucas en s'essuyant avec la manche de sa veste. On a l'air bien tous les deux avec nos tronches, hein ?

Damien éclata en sanglots et se jeta dans ses bras.

– Je ne voulais pas ce qui est arrivé, dit-il d'une petite voix. Je voulais juste jouer un peu, tu sais…

– Je sais, Damien, ce n'est pas ta faute. Mais c'est fini, je te ramène chez toi.

Lucas se releva en tenant Damien dans ses bras. Quand il rebroussa chemin, il crut voir certaines branches d'arbres s'écarter sur leur passage.

Elle avait son visage posé contre son ventre, l'observait parler au conducteur de la voiture, sourire et rire, et sa voix résonnait dans son oreille, la chatouillait. Quand elle lui demanda où elles se rendaient, sa mère répondit en caressant son front qu'elles partaient loin, très loin, là où personne ne les retrouverait, ensemble et pour toujours… Et Claire se sentit rassurée, ses joues et ses paupières réchauffées par les rayons du soleil qui passaient à travers la vitre.

Jusqu'à ce qu'une ombre immense les recouvre.

Jusqu'à ce que le visage de sa mère disparaisse et qu'il ne reste plus qu'une forme noire et vide qui cherchait à sonder son âme.

Sa tête lui faisait mal ; les formes autour d'elle ne cessaient de se mouvoir ; le plancher donnait l'impression de s'amollir sous la pression de ses pas. Les murs eux-mêmes avaient changé, leurs teintes semblaient plus vives, le plafond plus haut, comme s'ils s'étaient étirés.

La petite fille se tenait au milieu du couloir. Claire voulut l'appeler mais elle courut vers la chambre de sa mère, dont la porte était à présent grande ouverte.

La pièce était baignée de lumière, mais une lumière qui ne se reflétait sur aucune surface. Élizabeth était étendue sur le lit qui trônait en plein milieu. Un de ses bras, blanc et inerte, pendait dans le vide, son ventre n'était plus qu'un gouffre visqueux.

Claire détailla les moindres traits de son visage, ses deux yeux pâles et fixes, sa bouche entrouverte, ses cheveux si longs qu'ils ressemblaient à des coulées d'encre sur le matelas ; ce visage qu'elle ne reconnut que grâce à ses vieilles photos d'elle, et qui dans sa rigidité lui faisait maintenant peur. Mais elle l'avait retrouvée. Elle pouvait à présent la toucher, l'étreindre, lui donner son souffle pour la faire respirer à nouveau.

Un grondement sourd bouscula le silence, et qui dans sa démesure semblait venir de partout à la fois ; de la chambre, des terres environnantes, du ciel même, qui par-delà la fenêtre était d'un rouge irradiant.

La petite fille tourna le visage vers elle, ses larmes traçant des sillons scintillants sur ses joues.

– Il va revenir, dit-elle en chuchotant. Il ne faut pas qu'il nous attrape !

Claire balaya la pièce du regard et s'arrêta sur l'espace sombre se trouvant sous le lit. C'était par là qu'il venait, par là qu'il venait toujours. La petite fille se frotta les yeux avec la main et se précipita dans le couloir. Quand elles se frôlèrent, le temps sembla pour un court instant se figer. Claire la laissa s'éloigner sans chercher à la suivre. Cela ne servirait à rien, elle savait déjà ce qu'il se passerait de l'autre côté. Elle devait rester là et l'attendre *lui*. En finir une bonne fois pour toutes.

Elle prit la main de sa mère dans la sienne, et s'attarda sur sa blessure au ventre, cet endroit où les dents avides avaient déchiré la chair. Sa main était encore tiède. Mais plus pour longtemps. À nouveau elle était arrivée trop tard. Dans ses rêves d'enfant elle était toujours arrivée trop tard.

Une respiration rauque se fit alors entendre sous le lit, celle d'un animal affamé. Claire recula en poussant un cri au moment où deux bras énormes surgirent des ténèbres pour saisir le corps d'Élizabeth par les jambes et le projetèrent violemment sur le sol, la tête en avant, avec un affreux bruit d'os brisés.

Et, sans qu'elle ne puisse rien faire pour l'en empêcher, le cadavre disparut dans le noir. Claire s'adossa contre le mur et chercha à tâtons la porte de la chambre. Mais ne restait plus que ce mur crasseux et infini…

L'imposante silhouette du croque-mitaine se dressa alors face à elle, et emplit tout son champ de vision. Claire comprit avec résignation que de ce cauchemar-là elle ne se réveillerait jamais et se perdit dans ses immenses yeux rouges et dont l'intérieur tournait comme des toupies, laissant sans plus combattre son corps brûlant recouvrir ses hanches, recouvrir son ventre, recouvrir ses seins, son cou, le bas de son visage, ses yeux, ses souvenirs, ses espoirs, son âme tout entière…

Manderley, quinze ans plus tôt

En cette veille de son septième anniversaire, elle était confortablement allongée dans son lit son gros livre de contes à la main quand sa mère, Élizabeth, entra dans sa chambre en chantonnant, et s'assit près d'elle en faisant attention à ne pas plisser sa robe. Elle avait mis son parfum préféré et Claire s'en enivra en fermant les yeux.

Des roses, c'était à des roses qu'elle pensa, des roses que dès demain elle irait cueillir dans le jardin et mettrait dans ses cheveux.

Claire tourna les pages du livre jusqu'à tomber sur le dessin de petit garçon et du croque-mitaine. Sa mère, s'en rendant compte, fit une petite moue.

– Si tu lis trop ce genre de livres, tu vas encore en faire des cauchemars, tu sais que je n'aime pas ça…

Elle l'embrassa sur la joue et posa le livre sur la table de nuit. Elle était si belle ce soir. Elle s'était délicatement maquillé le pourtour des yeux, et ses boucles d'oreilles étincelaient sous la lumière de la lampe.

– Bon, il va être l'heure de dormir, ma chérie, on a plein de choses à faire demain, rappelle-toi.

Sous la porte de la chambre, une ombre glissa sur le sol et disparut derrière le mur.

– Il existe, tu sais, chuchota Claire. Le croque-mitaine… Ce ne sont pas des histoires.

Élizabeth fit comme si elle ne l'avait pas entendue et remonta la couette jusqu'à ses épaules.

– Tu peux rester avec moi encore un peu ?

– Non, il est tard, Claire, tu devrais déjà dormir depuis longtemps.

Claire se mit à pleurer. Elle y arrivait sans mal. Cela marchait à tous les coups. Sa mère, comme si elle y était totalement insensible, ferma la fenêtre de la chambre, qui était en cette nuit d'été restée entrouverte. Claire comprit que cette fois, même les sanglots n'arriveraient pas à la retenir.

– Je te laisse la veilleuse, d'accord ? dit sa mère debout face à elle.

Puis elle lui sourit une dernière fois et éteignit la lumière.

– Quand tu te réveilleras, tu seras une grande fille, ma chérie. Sept ans, c'est l'âge de raison, paraît-il…

Élizabeth se rendit vers la porte, et Claire ne la quitta pas des yeux, jusqu'à ce qu'elle la referme derrière elle.

Dans la pénombre de sa chambre, elle tendit l'oreille pour écouter le moindre bruit venant de derrière la porte et chercha sous l'oreiller le contact du gros couteau qu'elle y cachait pour la protéger des monstres qui restaient tapis dans le noir. À présent, ceux qui s'approcheraient trop d'elle, elle les couperait comme du papier, avant de les jeter dans la cheminée. Et elle les y laisserait brûler.

Entendant un rire, elle s'extirpa de la couette et entrouvrit la porte. Sa mère était debout à l'autre bout du couloir, face à sa chambre. Un homme massif et vêtu d'une veste marron se tenait contre elle et la mordillait dans le cou.

Claire se cacha dans l'ombre pour ne pas qu'ils la remarquent.

L'homme, dont elle ne voyait que la nuque, plongea la main sous la robe de sa mère. Élizabeth chuchota quelques mots à son oreille, et il la poussa dans la chambre en claquant la porte derrière eux.

La petite fille resta un moment sans pouvoir bouger. Elle ne pensait qu'à retourner dans son lit pour ne plus en ressortir. Et demain il ferait beau, tout serait oublié, et elle irait dans le jardin avec sa maman pour manger un gros bout de son gâteau d'anniversaire, assises ensemble sur une belle nappe étalée dans l'herbe.

Des coups sourds se firent entendre, mêlés à des grincements. Claire avança sur la pointe des pieds. Sa conscience lui hurlait de faire demi-tour mais elle devait savoir pourquoi elle lui avait menti, pourquoi elle avait laissé cet inconnu entrer dans leur maison.

Elle ouvrit doucement la porte, cramponnée à la poignée. Un cri silencieux s'échappa de sa bouche quand elle vit ce corps nu plaqué sur celui de sa mère en plein milieu du lit, la tenant par le cou et la faisant hurler.

Horrifiée, elle courut dans sa chambre et se cacha sous sa couette en fermant les yeux très fort, pour ne plus penser à ce qu'elle venait de voir. Des images qui pourraient ainsi disparaître, comme la pluie qui coulait le long de la fenêtre.

Demain tout serait passé. Demain sa maman viendrait la réveiller comme chaque matin pour prendre le petit déjeuner avec elle.

Et tout redeviendrait comme avant.

Elle pleura pendant de longues minutes, jusqu'à ne plus avoir de larmes. À peine réussit-elle à s'endormir qu'elle le rencontra en rêve au détour d'un couloir, alors qu'il surgissait de l'ombre pour l'attraper par les pieds et à son tour lui faire mal. Et elle courut le plus vite possible, dans cet espace étroit qui ne faisait que se rallonger, et atteignit enfin la porte de sa chambre à l'instant même où un souffle tiède effleura ses chevilles…

Elle se réveilla les membres figés par la terreur. Au rez-de-chaussée une porte claqua. À l'extérieur, des pas résonnèrent sur les graviers puis on entendit le bruit d'une voiture qui démarrait.

Encore ensommeillée, les yeux tournés vers le mur, elle entendit à nouveau des pas, qui cette fois se dirigeaient vers sa chambre, les pas feutrés de quelqu'un qui ne voulait pas qu'on l'entende. Son cœur s'emballa quand la porte grinça en s'ouvrant. Mais cette fois elle avait de quoi se défendre. Elle plongea sa main sous l'oreiller, prit le couteau par la poignée et le ramena contre sa poitrine.

Tu n'as pas à avoir peur.

Tu es une grande fille maintenant.

Claire serra le couteau de plus en plus fort et, l'entendant s'approcher d'elle dans le noir, elle ne pensa qu'à une chose, le frapper, le frapper pour de bon et le plus fort possible, cette fois tuer le monstre en plein cœur.

Une chouette, qui volait une dizaine de mètres plus haut, s'arrêta d'un coup, comme foudroyée, et chuta, son corps percutant le toit de Manderley.

Elle alla s'écraser dans un gros plant de menthe qui l'engloutit comme une bouche.

LOUISE

La lumière de la chambre numéro 11 venait tout juste de s'éteindre.

Louise Doucet, assise au volant de sa voiture, savait parfaitement ce que cette soudaine obscurité signifiait. Patrick, son mari depuis près de quinze ans, ne faisait plus l'amour que dans le noir.

Une fine pluie commençait à tomber sur le pare-brise et Louise actionna les essuie-glaces, ne sachant pas combien de temps elle devrait attendre. Elle avait une envie pressante de se rendre aux toilettes mais ne voulait pas courir le risque de le manquer quand il sortirait de la chambre avec cette femme ; d'ainsi voir l'expression de son visage quand il se retrouverait face à sa voiture garée sur le parking, et elle à l'intérieur.

Visualisant la scène, elle en fut presque effrayée. Car, au fond, elle ne savait pas de quelle façon il pourrait réagir. Elle avait peur de voir alors quelqu'un de totalement différent, de se rendre compte qu'elle ne l'avait jamais vraiment connu.

Que pouvait-il encore lui cacher ?

Il suffisait d'un rien pour qu'un monde s'effondre.

Louise était vendeuse dans un petit magasin de tissus du centre de Nantes. En milieu d'après-midi, elle avait été prise de violents vertiges et son employeur lui avait donné le reste de la journée pour se reposer. Aussitôt rentrée chez elle, elle s'était assoupie dans le canapé, et ce jusqu'à ce que Patrick la réveille en ouvrant la porte d'entrée, la nuit étant déjà tombée au-dehors. Il avait, se pensant seul, appelé cette femme de son téléphone portable sans allumer la lumière, pour lui dire qu'il la rejoignait au même endroit que d'habitude, qu'ils auraient deux bonnes heures devant eux avant le retour de sa femme. Après avoir raccroché, il était passé à côté d'elle sans la voir, comme si elle était devenue invisible. Il s'attendait tellement à ce qu'elle rentre à vingt heures, comme d'habitude, qu'il n'avait même pas remarqué sa présence alors qu'elle n'était qu'à trois mètres de lui.

Elle l'avait laissé ressortir de leur maison sans dire un mot, puis elle s'était rhabillée en hâte et l'avait suivi jusqu'à cet hôtel de la zone industrielle, où elle s'était garée de l'autre côté du parking, pour le regarder entrer dans cette chambre sans rien faire, honteuse d'une telle attitude. Rabaissée.

Le gardien de l'hôtel la fixait de derrière la fenêtre de son bureau. Louise lui fit comprendre qu'elle attendait quelqu'un puis il se rassit sur sa chaise, un journal à la main.

Oui, elle attendait, elle ne pouvait faire qu'attendre, elle qui n'avait pas assez de cran pour sortir et aller tambouriner à leur porte, hurler sa rage face à ces deux corps nus étendus sur le lit. C'était déjà assez insoutenable de ne pouvoir s'empêcher de les imaginer.

Deux garçons sortirent d'une des chambres du rez-de-chaussée. Ils semblaient n'avoir que seize ou dix-sept ans et marchèrent ensemble vers leurs scooters garés sur le trottoir, puis s'embrassèrent sur la bouche avant de partir chacun de leur côté. Louise les trouva attendrissants, pensa à son fils Antoine qui avait à peu près le même âge et espéra que si jamais il tombait amoureux d'un autre garçon, il ne se sentirait pas obligé de se cacher dans un hôtel pour le voir. Elle savait qu'on la pensait parfois vieux jeu, mais c'était seulement qu'elle n'arrivait pas à trouver les bons mots ni les bons gestes pour prouver le contraire. Et cela, personne ne faisait l'effort de le comprendre.

Mais de toute façon Antoine collectionnait les petites amies, le problème ne se posait pas.

Louise alluma l'autoradio et tomba sur un morceau de jazz qui ressemblait à du Coltrane. Dans le rétroviseur, elle détailla son visage dont le teint pâle était dilué dans les reflets du néon de l'hôtel, ses yeux cernés et irrités par les larmes, ses cheveux d'un blond cendré qu'elle portait, faute de mieux, en simple chignon.

Son ancienne voisine, Patricia Combes, avait été trompée par son mari pendant des mois, avec une jeune femme de vingt-deux ans à peine. Louise se rappela l'effet que cela avait eu dans le quartier quand cela s'était su ; de tous ces voisins qui depuis ne pouvaient s'empêcher de chuchoter quand elle entrait quelque part ou qui la fixaient sans honte dans la rue.

Hors de question qu'il puisse lui arriver la même chose.

Alors qu'elle était plongée dans ses pensées, la porte de la chambre s'ouvrit et Patrick, sa veste à la main, marcha d'un pas tranquille vers sa voiture. Louise ne le quitta pas du regard. Et, pour la deuxième fois de la journée, il passa devant elle sans la voir.

Elle en eut une soudaine envie de pleurer, de le rejoindre en courant et de le frapper sans s'arrêter, jusqu'à faire bleuir sa peau. Mais elle n'en fit rien, consciente que Patrick, à partir du moment où elle n'était pas où il avait l'habitude qu'elle soit, ne la remarquait même pas. Expulsée de leur vie totalement prévisible, elle n'existait plus à ses yeux. Quand cela avait-il commencé ? Pourquoi n'avait-elle rien vu alors que lui était toujours au centre de son existence ?

Elle le laissa disparaître sur la voie rapide. Il retournait tranquillement chez eux, déjà prêt à rentrer dans sa maison vide, s'installer sur le canapé et allumer la télévision. Il attendrait ainsi qu'elle revienne du travail, qu'elle l'embrasse sans trop poser de questions sur sa journée, et se rende ensuite dans la cuisine pour préparer le dîner.

Louise décida de rester encore un peu. Elle voulait l'attendre *elle*, voir à quoi elle pouvait bien ressembler. C'était étrange qu'elle ne soit pas sortie en même temps que Patrick… Que faisait-elle seule dans cette chambre ? Se rencontraient-ils souvent dans cet hôtel miteux ? Et depuis combien de temps ?

L'avait-il fait avec d'autres femmes ?

Ici ?

Chez eux ?

De plus en plus nerveuse, elle dut se retenir de klaxonner pour la faire sortir plus vite.

La maîtresse de Patrick avait une quarantaine d'années, plutôt mince, vêtue d'une veste marron et d'un jean. Louise fut tout d'abord étonnée en la voyant. Moins jeune qu'elle ne l'aurait pensé, elle était même tout ce qu'il y avait de plus banal, le genre de femme que l'on croise à chaque coin de rue sans la remarquer.

En un sens, elle aurait préféré qu'elle soit un peu plus attirante. Patrick ne pouvait fréquenter une femme aussi anodine sans avoir pour elle un minimum de sentiments ; une femme tellement anodine qu'elle pourrait lui foncer dessus avec sa voiture sans gêner personne.

Elle s'en voulut d'avoir de telles pensées. La femme passa à côté de sa voiture, et c'est à ce moment-là que leurs regards se croisèrent. Elle esquissa un sourire, et Louise sentit à travers ce sourire qu'elle savait de façade la peine qu'elle éprouvait, celle d'une femme sortant d'une chambre d'hôtel minable et laissée seule une fois de plus par l'homme qu'elle aimait.

Intriguée, Louise décida de la suivre jusque chez elle, dans une petite maison à Sainte-Luce-sur-Loire, à l'est de Nantes. Elle se gara un peu plus loin dans la rue et attendit qu'elle franchisse le seuil de sa porte pour sortir de sa voiture, puis elle traversa le jardin et se posta derrière la fenêtre de son salon, alors que la femme enlevait ses chaussures et s'affalait dans un gros fauteuil recouvert de tissu marron.

Pas de mari, pas d'enfants.

Mal à l'aise de jouer les voyeuses, Louise alla lire son nom sur la boîte aux lettres. Elle s'appelait Isabelle Palfray. A priori, elle vivait seule, songea-t-elle, se demandant pourquoi Patrick et elle se rencontraient dans un hôtel et pas ici.

Cela ne pouvait venir que de Patrick. Elle sentait d'instinct que cette femme aurait tout donné pour passer ne serait-ce qu'un moment avec lui dans sa propre maison. Louise n'arrivait même pas à lui en vouloir, en fin de compte. Cette Isabelle n'avait rien qui puisse la rendre jalouse ; Patrick ne la laisserait jamais tomber pour elle, c'était évident. C'était elle et elle seule qui dormait tous les soirs à ses côtés. Et après quinze ans de mariage, cela restait, du moins à ses yeux, le plus important.

Rien ne changerait aux yeux de tous les autres. À condition qu'elle oublie ce qu'elle venait de voir. Ce ne serait pas si difficile. Louise Doucet était depuis l'enfance prédisposée à l'oubli.

Garée face à sa propre maison, Louise resta de longues minutes à regarder les fenêtres allumées du rez-de-chaussée avant de se décider à l'affronter.

Patrick se tenait assis dans le canapé une bière à la main, la télévision branchée sur les informations régionales. Louise enleva son manteau, le rejoignit et l'embrassa.

Le col de sa chemise portait encore les traces du parfum qu'elle lui avait offert pour son anniversaire.

– Tu vas bien, ma chérie ? Tu as le teint pâle, dit-il en caressant sa joue.

– Oui, ça va, je suis juste un peu fatiguée, répondit-elle en évitant de trop croiser son regard.

À l'écran le présentateur évoqua la disparition d'un adolescent des environs, Olivier Granger, âgé d'à peine quinze ans. Le journaliste dépêché sur place expliqua que les enquêteurs commençaient déjà à relier cette affaire à d'autres disparitions suspectes survenues dans l'agglomération depuis l'été dernier, quatre garçons et deux filles qui avaient sensiblement le même âge, dont les portraits apparurent alors à l'écran, suivis par des images des battues qui avaient été organisées sans que la moindre piste viable ne soit privilégiée. Louise frissonna en pensant à Antoine, qui était parti dormir chez un ami dans le centre-ville de Nantes. Elle hésita à lui téléphoner pour être sûre qu'il allait bien, mais finalement se ravisa et se rendit dans la cuisine.

Elle ne voulait pas que Patrick se doute de quoi que ce soit, elle n'avait pas d'autre choix que de prendre sur elle et faire comme si de rien n'était. Elle sortit un reste de rôti du réfrigérateur et prépara des haricots verts en accompagnement, qu'ils mangèrent ensuite devant un film. Patrick, comme à son habitude, dévora sa viande avec entrain, concentré sur l'écran, ne semblant pas du tout gêné de se tenir face à elle après ce qu'il venait de faire une heure plus tôt. Il y était peut-être déjà habitué, pensa Louise, prise d'une douleur dans le ventre, c'était devenu comme une routine et cela devait faire longtemps qu'il ne se posait plus de questions à ce niveau-là...

Et c'était cela le pire, tout était comme d'habitude, une soirée ensemble parmi mille autres, et elle le détestait de rendre d'un coup si insupportable cette normalité à laquelle elle s'était attachée.

Que cherchait-il ? Est-ce qu'il aimait cette Isabelle ? Comptait-il partir vivre avec elle ? Il était peut-être à l'instant même en train de se demander comment il pourrait lui annoncer une telle nouvelle.

À cette idée, Louise avala de travers et but un peu d'eau.

Elle pensa à cette pauvre femme dînant seule dans sa maison sans charme, et se sentit un peu mieux. Du moins le temps de finir son repas.

Une fois la vaisselle terminée, elle prétexta une migraine pour aller se coucher tôt. Seule dans la pénombre de leur chambre, elle éclata en sanglots, elle qui avait attendu ce moment depuis qu'elle était rentrée, pour pouvoir enfin se libérer de toute cette tension.

L'air frais passant par la fenêtre caressa ses joues, chargé d'une odeur d'herbe mouillée. Elle avait tant besoin de respirer, respirer tout l'air de la rue jusqu'à en priver les autres habitants. Les faire étouffer en silence.

La pelouse de leur maison était éclairée par les petits lampadaires en fer forgé plantés de part et d'autre de l'allée. De l'autre côté de la rue, Marion Leroy se tenait debout près de la table de sa cuisine, un verre à la main.

Marion et elle étaient devenues de bonnes amies. Benjamin, son fils aîné, avait le même âge qu'Antoine, et Zoé, sa cadette, était un véritable petit ange et lui faisait presque regretter de ne pas, elle aussi, avoir eu de fille. Louise éprouva l'envie subite de courir chez elle et de tout lui raconter, histoire de se décharger de ce poids. Mais elle savait qu'elle n'en aurait pas la force. Hors de question que les autres sachent.

Sentant l'angoisse la prendre à nouveau, elle posa sa main sur sa poitrine et se concentra sur son souffle. Elle ne supportait plus de rester dans cette maison, il fallait qu'elle parte d'ici. Son sac à main était posé sur une chaise dans le fond de la chambre, elle le saisit et s'empara d'une paire de chaussures rangée dans le placard, ainsi que d'une petite veste noire. Ne voulant pas risquer de tomber sur Patrick, elle décida de sortir par la fenêtre, prise d'une envie de rire devant l'incongruité de la situation. Chez les Leroy, un homme qu'elle ne connaissait pas se tenait dans le salon. Marion, elle, était assise à la table de la salle à manger, visiblement énervée, et lui parlait en faisant de grands gestes de la main. Louise hésita à aller vérifier si tout allait bien, mais préféra rejoindre sa voiture et démarra en priant pour que Patrick ne se poste pas à la fenêtre, bien consciente qu'elle ne pourrait lui tenir tête très longtemps.

Les rues de son quartier étaient calmes, elle ne croisa quasi personne. Elle ne savait pas où aller en cette heure tardive, mais cela n'avait aucune importance. Elle n'avait qu'à rouler sans s'arrêter, mettre le plus possible de distance entre eux.

Ne surtout pas faire demi-tour.

Bientôt Patrick se rendra dans leur chambre et trouvera le lit vide, la fenêtre grande ouverte. Il pensera sûrement d'abord à un enlèvement, à cause de toutes les séries policières qu'il suivait sur le câble. Il ne pourrait admettre une seconde qu'elle ait pu partir sans le prévenir.

Après tout il l'avait bien cherché. Elle aussi pouvait encore le surprendre.

Louise roula ainsi jusqu'à La Rochelle, où elle avait vécu les vingt premières années de sa vie, et ce jusqu'à ce qu'elle rencontre Patrick à une soirée organisée chez des amis communs ; une ville qu'elle préférait cent fois à Nantes.

Elle s'arrêta dans un petit hôtel situé en bord de mer. La chambre était correcte même si un peu vieillotte. Elle s'allongea sur le lit tout en sachant qu'elle ne fermerait pas l'œil de la nuit, puis elle alla à la fenêtre, se rendant compte avec un pincement au cœur qu'elle n'était qu'à quelques pâtés de maisons de l'immeuble où elle avait vécu avec sa mère et sa sœur Béatrice.

Béatrice… Depuis combien de temps n'avait-elle ne serait-ce qu'entendu sa voix ?

À ce qu'elle en savait, elle habitait toujours en Normandie et se remettait doucement du drame qui avait frappé sa vie de plein fouet à la fin novembre : la mort de Serge, l'homme qu'elle fréquentait depuis quelques années, et dont le corps avait été laissé dans une ruelle, abattu d'une balle en pleine tête. Personne n'avait jusqu'à présent été arrêté pour ce crime, ni même suspecté, aucune piste ne s'était avérée concluante.

Quand Louise l'avait appris par leur mère au téléphone, elle n'en avait même pas été surprise, malgré le côté irréel d'une telle nouvelle. Elle avait rencontré Serge seulement deux ou trois fois, mais cela s'était avéré suffisant pour le suspecter de continuer à tremper dans les affaires louches qui lui avaient déjà valu un séjour en prison. Béatrice, une des dernières fois où elles s'étaient parlé, lui avait dit qu'elle savait qui était le responsable, mais qu'elle n'avait aucune preuve, et qu'elle ne cesserait pas de se battre tant qu'elle ne l'aurait pas fait tomber. Louise, inquiète, lui avait plusieurs fois proposé de venir passer quelques jours à Nantes pour se changer les idées, mais Béatrice avait toujours refusé. Elle semblait avoir une telle colère en elle, une colère qui avait peu à peu déformé la personne qu'elle avait connue et qu'elle se savait incapable d'affronter. Rapidement découragée, Louise n'avait pas insisté. Elles étaient toutes deux tellement différentes. Béatrice n'en avait toujours fait qu'à sa tête, avait toujours fui la moindre responsabilité. *Même celles qu'il était pourtant impossible de fuir.* Si elles n'avaient pas été sœurs, jamais elles n'auraient eu la moindre chance de se rencontrer, jamais elles n'auraient eu la moindre chance de s'apprécier. Béatrice était partie de La Rochelle seize ans auparavant et n'avait jamais caché à Louise ce qu'elle pensait de la vie qu'elle s'était choisie ; de ce conformisme dans lequel elle se complaisait ; de

Patrick, qu'elle avait toujours cordialement détesté, sans jamais faire le moindre effort pour le connaître…

Que lui dirait-elle alors, si elle l'appelait ce soir pour lui apprendre qu'il la trompait ?

En rirait-elle ? Partagerait-elle sa peine ? Trouverait-elle les bons mots ?

Que ce n'était pas si grave après tout. Que les hommes étaient tous les mêmes.

Que lui, au moins, respirait encore.

Louise s'en voulut de se sentir soulagée de se rendre compte à quel point cette épreuve était dérisoire face à celle que Béatrice avait traversée ; de celles que traversaient encore tous ces parents de la région dont les enfants disparaissaient sans laisser de traces…

Patrick ne l'avait pas encore appelée. Il devait toujours être devant la télévision. Lui non plus ne dormirait pas de la nuit, elle le connaissait assez pour le savoir et elle éprouva un plaisir coupable en pressentant l'angoisse qui le submergerait et ne le quitterait plus. Sa soudaine disparition le torturera, il passera toute la nuit et la journée du lendemain à tenter de la joindre et à demander à toutes leurs connaissances si elles savaient où elle pouvait bien être.

Pendant quelques heures, il ne pensera qu'à elle, seulement à elle.

Comme avant, simplement comme avant…

Quoi qu'il en soit, elle passera cette journée dominicale à profiter du soleil, à se promener le long de l'océan, à faire le point sur sa vie pour faire de petits rajustements sans pour autant en changer le cours. Elle achètera des magazines et prendra le temps de les lire sans être dérangée, les heures rythmées par les vibrations de son téléphone portable, qui restera bien calé au fond de sa poche.

Elle décrochera en début de soirée, restera calme et attendra qu'il la supplie, soulagé d'entendre à nouveau sa voix, de revenir.

– Depuis combien de temps vivez-vous ici ? demanda Walter à Martha Lamb en amenant un gros morceau de gigot à sa bouche.

– À peu près dix ans.

– Vous étiez où avant ?

– À Boise, dans l'est de l'État.

– Et pourquoi avoir déménagé ?

– Paul a commencé un nouveau travail ici, à Twin Falls. Nous avons acheté cette maison car nous voulions depuis longtemps habiter dans un endroit tranquille, avec un jardin.

Walter observa les mains de Martha, posées bien à plat sur la table, mais dont il percevait néanmoins les tremblements. Paul Lamb, assis face à elle, restait silencieux, la mâchoire serrée, un peu de sueur coulant le long de ses tempes. Walter sentait d'ici la rage qui le consumait de l'intérieur et qu'il essayait tant bien que mal de contenir.

Savourant le goût de l'agneau, il balaya du regard la pièce plutôt spacieuse, mais décorée de façon trop commune, sans caractère, à l'image de l'insipide banlieue résidentielle qui à l'extérieur s'étalait sur des kilomètres à la ronde.

Des cris d'enfants se firent entendre dans la rue. Les rideaux étaient tirés, aucun risque que des passants ne les remarquent. Walter se pencha sur le côté et fit signe à un des deux hommes postés dans l'entrée de s'approcher. Celui-ci, le visage carré et portant une veste en cuir marron, entra dans le salon et s'adossa contre le mur, ne quittant pas les Lamb des yeux.

– Et donc Scott est à son entraînement de base-ball, c'est ça ?

– Oui… Comme nous vous l'avons dit, il ne sera de retour que vers vingt et une heures trente. Il sait qu'il doit rentrer aussitôt, à cause de la tempête.

– En effet, j'ai entendu ça à la radio tout à l'heure, je ne tarderai donc pas trop dans les parages. Scott est votre fils unique ?

– Oui, répondit Martha, l'air de se demander où il voulait en venir.

Walter découpa un autre morceau de gigot et le trempa dans la sauce.

– Est-ce une habitude de ne pas l'attendre pour dîner ?

– Quand il a entraînement, on lui laisse son assiette au four. Paul aime manger devant les informations du soir.

– Je vois, dit Walter en jetant un coup d'œil à l'écran plasma fixé au mur. Une journaliste y interviewait en duplex un météorologue basé à Salt Lake City et qui conseillait aux habitants de l'Utah, de l'Idaho et du Wyoming de rester chez eux, à cause de vents pouvant atteindre les cent trente kilomètres/heure et de chutes abondantes de neige.

– Les choses évoluent de manière étrange, continua-t-il, mon propre père n'aurait jamais autorisé que son fils ne soit pas à table au dîner, mais j'ose croire que vous avez beaucoup d'autres moments à partager avec Scott pour pouvoir vous passer de ceux-là, n'est-ce pas, Monsieur Lamb ?

Paul Lamb ne répondit pas à la provocation, figé sur sa chaise, de la buée se formant sur le verre de ses lunettes. Martha, elle, regardait son mari avec l'air de se demander qui était cet être subitement silencieux assis face à elle, alors que des intrus les tenaient prisonniers à l'intérieur de leur propre maison. Martha était une assez belle femme, même si elle avait dépassé la quarantaine et que ses cheveux étaient un rien filasse. Walter devinait sous son chemisier blanc de petits seins fermes, un corps tendu, sans une once de graisse, le corps de quelqu'un qui ne s'était toujours pas décidé à renoncer.

– Mangez un peu, Madame Lamb, ce serait dommage de gâcher une viande aussi exquise… Vous êtes un vrai cordon-bleu, je ne regrette pas de m'être invité à votre table !

Martha se tourna légèrement face à l'homme qui se tenait adossé contre le mur de son salon. Elle avait sûrement remarqué que, tout comme celui posté devant la porte d'entrée, il portait une arme à sa ceinture et qu'il n'hésiterait pas à s'en servir si Walter en donnait l'ordre.

– Ah mais je ne vous ai pas présentés, dit Walter en passant sa main recouverte d'un gant sur son crâne rasé. Celui-là s'appelle Karl, et l'autre, qui surveille votre entrée, Hank. Je ne me déplace plus jamais sans eux depuis qu'un pauvre type m'a tiré dessus en pleine rue. Je sais que vous ne vous attendiez pas à ce genre de visite, mais il n'y a pas de raison de vous inquiéter. Une fois que Scott sera là on réglera certaines choses ensemble, puis je repartirai et vous pourrez reprendre votre petite vie tranquille, je vous le promets.

– Expliquez-nous au moins ce que vous lui voulez, fit Martha d'un ton suppliant. On est une famille sans histoires, je suis sûre que vous vous êtes trompé de personne !

– Oh, mais tout le monde a une histoire, Madame Lamb, et aussi étrange que cela puisse paraître, les nôtres se sont croisées, que vous le vouliez ou non.

– Putain, j'en étais sûr que ce petit con nous amènerait encore des ennuis ! s'exclama Paul en frappant la table du poing. Il a fait quoi cette fois ? Il vous doit de l'argent ? Vous êtes une sorte de dealer de drogue ? Il est hors de question qu'on paye quoi que ce soit, je vous préviens !

– Est-ce que je ressemble à un petit dealer de drogue de l'Idaho, Monsieur Lamb ? Et n'élevez pas la voix avec moi, je préfère que la discussion reste cordiale, si cela ne vous dérange pas…

– Vous n'avez pas à me dire ce que je dois faire ou pas dans ma propre maison, dit Paul en postillonnant sur la table, une petite lueur de défi dans les yeux.

– Et sinon quoi, Monsieur le responsable en ressources humaines ? Que se passera-t-il exactement ?

Paul Lamb le fixa sans un mot, au bord de l'implosion. Walter soutint son regard, le contraignant à baisser les yeux, à se coucher tel un bon chien devant son maître.

– C'est bien ce que je pensais. Et si cela peut vous rassurer, Scott n'a rien fait de mal, du moins pas en ce qui nous concerne. Si je m'intéresse à votre fils, c'est pour tout autre chose, pour une histoire qui remonte à bien des années en arrière. Scott a bien été adopté, n'est-ce pas ? Le 16 mars 1999 pour être précis.

Le visage de Martha se décomposa.

Elle ne s'attendait sûrement pas à ça.

– Martha ? Pouvez-vous répondre à ma question ?

– Oui, dit-elle d'une petite voix. Nous avons bien adopté Scott, mais je…

– Et de quelle façon avez-vous procédé ? Par les services sociaux ? Si je ne me trompe pas, il ne s'agissait pas d'une adoption normale, vous connaissiez sa mère, et c'est même elle qui vous a demandé de le prendre avec vous.

– Non mais attendez, vous voulez parler de Mary Beth ? demanda Paul, l'air ébahi. Cela fait dix-sept ans qu'on ne l'a pas revue ! Et d'abord comment êtes-vous au courant de tout ça ?

– Très bien, Monsieur Lamb, dit Walter en joignant les mains. À présent je veux savoir tout ce dont vous vous souvenez d'elle.

– Elle avait la vingtaine environ, très maigre, une gueule de camée. Elle habitait dans un petit deux-pièces de l'autre côté de notre rue quand nous vivions à Boise. Elle n'était pas du coin, elle n'avait emménagé que depuis quelques semaines quand Martha et elles se sont rencontrées dans la laverie située en bas de chez nous. Elles sont vite devenues amies. Mary Beth nous confiait Scott de temps en temps pendant qu'elle bossait. J'ai souvent répété à Martha de prendre ses distances avec elle, mais elle n'a jamais voulu m'écouter. Cette fille était malsaine, complètement parano… Et puis un matin elle nous a amené le gamin, comme d'habitude, et on ne l'a plus jamais revue.

– À quelle époque a-t-elle disparu ?

– C'était en 1998, pendant l'été…

– Vous pouvez être plus précis ? Je sais que ça fait longtemps, mais faites un effort pour vous en souvenir, c'est très important.

– Vers le début juillet, je crois, juste avant que je prenne mes vacances, oui, c'est ça, on devait partir à Tampa mais on a dû annuler…

Walter jubila en silence. C'était bien à cette période qu'il s'était rendu à Boise, plus de deux ans après que Mary Beth se fut enfuie de San Francisco. Un de ses associés faisant la route vers le Canada l'avait reconnue par hasard, alors qu'elle travaillait en tant que serveuse dans un bar du centre-ville. Même si cela semblait trop beau pour être vrai, il était parti pour l'Idaho aussi vite qu'il l'avait pu, ne voulant pas laisser passer cette infime chance de lui remettre la main dessus.

À peine descendu de l'avion, et ne disposant pas de plus d'informations que l'adresse du bar, il avait loué une voiture et l'avait attendue garé de l'autre côté de la rue pendant plusieurs heures, sans qu'elle daigne se montrer, comme si elle l'avait vu, comme si elle avait senti sa présence. Lassé d'attendre, il était entré dans le bar et avait interrogé ses collègues en se faisant passer pour un ami de longue date de passage dans les environs.

Tous l'avaient reconnue sur la photo qu'il leur avait tendue. Ils ne comprenaient d'ailleurs pas pourquoi elle n'était pas venue travailler, elle qui en temps normal était si ponctuelle. Personne ne savait où elle vivait, ni si elle avait des amis dans cette ville, sans parler de petit ami. Walter était resté deux jours à parcourir cette ville atroce de long en large, sans parvenir à l'attraper. Puis il était reparti, forcé de revenir en Californie pour ses affaires, gardant sa fureur intacte, se promettant de ne jamais arrêter les recherches, d'un jour la retrouver pour de bon.

– Vous êtes qui au juste ? demanda Paul. Et si c'est Mary Beth que vous cherchez, qu'est-ce que Scott a à voir là-dedans ?

Dans les yeux de Martha, la peur se mêla pour la première fois à ce qui ressemblait à du dégoût.

Elle savait. Elle avait compris qui il était.

Au-dehors, une rafale de vent percuta la vitre. La télévision montrait les premiers effets de la tempête de neige dans le centre de Boulder. Des rues vidées de leurs habitants et où on ne distinguait quasi plus rien sous le vent blanc.

Sans répondre à Paul, Walter se plaça derrière Martha, posa ses mains sur ses épaules et les serra, sentant sous l'épaisseur de ses gants son corps se tendre.

– Chère Madame Lamb, j'ai comme l'impression que Mary Beth vous a confié plus de choses qu'elle n'aurait dû le faire, n'est-ce pas ? Vous étiez amies, elle devait avoir besoin de parler à quelqu'un et si elle vous a laissé son fils, c'est qu'elle vous faisait un minimum confiance. Vous savez qui je suis et vous savez donc plus que n'importe qui ce qu'il pourrait advenir si vous ne vous montriez pas assez coopérative avec moi…

– Chérie, de quoi il parle ?

Martha ne répondit rien, pétrifiée sur sa chaise, son visage de plus en plus livide.

– Dites-le, Martha. C'est la moindre des choses que votre époux soit enfin mis au courant du pétrin dans lequel cette femme vous a embarqués !

Elle se frotta les yeux du plat de la main. Les mots semblaient aussi durs à sortir de sa gorge que des cailloux.

– C'est l'homme que Mary Beth fuyait, avoua-t-elle d'une voix atone. C'est le père de Scott.

Paul, ne s'y attendant pas, en resta bouche bée.

– Je comprends votre étonnement, Monsieur Lamb, dit Walter, l'air amusé. Moi-même je ne connais l'existence de Scott que depuis peu de temps et de façon totalement imprévue. Il y a à peu près un mois, j'ai découvert qu'une des filles que j'emploie me volait de l'argent, une fille à mon service depuis plus de vingt ans, si ce n'est pas malheureux… C'est en fouillant de fond en comble son appartement pour le récupérer que je suis tombé sur une lettre, qu'elle gardait bien rangée dans un classeur, une lettre datée de septembre 1999 et dont j'ai reconnu l'écriture. Je n'en ai d'abord pas cru mes yeux, puis je me suis rappelé que Jocelyn et Mary Beth étaient très amies à l'époque. Elle y restait bien entendu plutôt vague sur l'endroit où elle se terrait, elle disait juste habiter dans une petite ville du Midwest, toute seule depuis qu'elle avait dû laisser son fils à un couple d'anciens voisins après m'avoir aperçu à Boise. Elle venait d'apprendre qu'ils l'avaient officiellement adopté et éprouvait autant de soulagement que de tristesse. Elle parlait de partir le plus loin possible vers l'est afin de chercher un endroit où tout recommencer. Cette lettre, je l'ai lue et relue un nombre incalculable de fois, choqué d'apprendre que je l'avais loupée de très peu, et puis surtout par le fait qu'elle ait eu un fils, un fils qui ne pouvait être que de moi et qu'elle avait réussi jusque-là à me cacher. Mais en même temps, j'avais enfin quelque chose de tangible pour reprendre la chasse. Malgré un interrogatoire assez poussé, je n'ai rien pu tirer d'autre de Jocelyn, cette lettre est la dernière trace de vie qu'elle ait eue d'elle. Ma seule piste restait donc ce gamin. J'ai fait des recherches sur les adoptions d'un petit garçon de son âge dans votre région à cette période, et vous êtes la deuxième famille que je vois ce soir. Et puisque cette fois, j'ai trouvé ce que je cherchais, les choses vont être tout à fait simples. Je suis certain que Mary Beth est toujours vivante. C'est elle que je veux, elle et elle seule, et si vous me donnez la moindre information qui me permettrait de lui remettre la main dessus, je m'en irai dans l'instant et vous n'entendrez plus jamais parler de moi.

– Mais que voulez-vous qu'on vous dise de plus ? demanda Paul, ne tenant plus sur sa chaise. On n'a plus jamais eu de nouvelles d'elle après qu'elle nous a laissé Scott ! Ça fait seize ans, bordel !

– Elle n'a jamais essayé de revoir son fils par la suite ? De le contacter ? Elle n'a jamais envoyé de cartes postales ou de cadeaux pour son anniversaire ? J'ai du mal à croire qu'elle ne se soit jamais manifestée pendant toutes ces années… Surtout à partir du moment où elle se sentait un peu plus en sécurité.

– Peut-être mais ce n'est pas le cas, du moins à ce que je sache ! Déjà à l'époque elle était carrément à l'ouest, elle doit être morte depuis longtemps !

Paul Lamb fixa sa femme d'un air accusateur.

– Et toi, Martha ? Tu ne sais rien de plus, n'est-ce pas ? Ou tu m'aurais encore caché des trucs ? Putain, pourquoi tu ne m'as rien dit pour ce type !

– Paul, arrête, s'il te plaît ! cria Martha tout en sanglotant.

Il resta impassible, de grosses gouttes de sueur coulant sur son front.

Puis il bondit de sa chaise et courut droit vers la cuisine.

Walter attrapa le couteau à viande laissé près du gigot et le lança d'un geste vif dans sa direction, le percutant en plein dans le dos juste avant qu'il n'atteigne la porte. Martha hurla et bondit de sa chaise au moment où Paul s'écroula en avant sur le carrelage, le sang jaillissant de la blessure pour venir gicler sur le sol et le bas du mur.

Karl et Hank coururent vers Paul, qui se contorsionnait de douleur sur le sol, puis ils le saisirent par les épaules et le ramenèrent à table. Hank le força à se rasseoir sur la chaise pendant que Karl attachait ses mains en arrière avec des menottes. Paul se laissa faire sans lutter, la tête baissée, l'air prêt à s'évanouir. Karl plaqua ensuite un gros morceau de scotch brun sur sa bouche et jeta le couteau sur la table, juste sous les yeux de Martha.

Walter se rendit dans la cuisine. Cela sentait une légère odeur de brûlé, le four était resté ouvert. Dans le fond de la pièce, une porte vitrée donnait sur le jardin. Il la ferma à clef et retourna dans le salon, où Martha se tenait près de Paul, pressant une serviette contre le haut de son dos.

– Retournez à votre place, Martha, ordonna-t-il en la rejoignant. La blessure n'est que superficielle, il s'en remettra.

Martha s'exécuta sans discuter, pendant que Walter s'accroupissait face à Paul.

– Vous avez cru quoi, Monsieur Lamb ? demanda-t-il en lui donnant de petites claques. Que vous pourriez vous en tirer aussi facilement ? Vous vous croyez dans un film ? Vous voyez des caméras autour de nous ?

Paul le fixa les yeux mi-clos, l'air sur le point de perdre connaissance.

Et c'est à ce moment-là que quelqu'un sonna à la porte d'entrée.

Martha sursauta et leva le visage vers Walter, qui lui fit signe de ne plus dire le moindre mot. Il se rendit vers la fenêtre sans un bruit et tira un peu les rideaux pour jeter un coup d'œil à l'extérieur. Un homme en imperméable beige se tenait sur le trottoir, une petite fille dans les bras.

La sonnette retentit à nouveau. Walter sortit un .38 de sous sa veste et le pointa sur Martha.

– Allez-y, dit-il tout bas, et faites attention à ce que vous allez dire. Je serai juste derrière vous.

Essayant de ne pas trop regarder l'arme pointée sur elle, Martha marcha vers la porte à la façon d'un condamné qui monterait à l'échafaud, suivie de près par Walter qui tenait sa nuque pour cible. Elle se frotta les yeux et arrangea un peu ses cheveux, puis elle attrapa la poignée chromée et la tira, l'air du soir s'engouffrant dans le hall en amenant dans son sillage une odeur de chèvrefeuille et de goudron.

– Salut, Martha, fit une voix de femme, plutôt rauque. J'ai entendu du bruit en me promenant près de chez toi, je voulais juste être sûre qu'il n'y avait pas de soucis !

– Oui, ça va, Susan, ne t'inquiète pas. Paul a fait une mauvaise chute dans la cuisine mais il y a eu plus de peur que de mal…

– Oh je vois ! Tant mieux si ce n'est rien ! Je t'avoue que j'ai toujours des difficultés à me sentir tranquille depuis le cambriolage des Willis la semaine dernière… Enfin bref, on vient de passer chercher Lindsay à la danse et direction la maison, les vents seront extrêmement forts cette nuit, j'espère ne pas être bloquée par la neige avant d'aller au boulot…

Walter observa le visage de Martha, la façon dont elle s'évertuait à ne rien laisser paraître, à rester souriante, à l'écoute de ce que disait cette femme qui se tenait face à elle et qui était loin d'imaginer ce qui se tramait dans sa maison. À quoi pensait-elle à ce moment précis ? À son mari, blessé dans le salon ? À son fils qui ne tarderait pas à rentrer ? À courir, droit devant elle ? Tenter sa chance pour alerter les secours ? Mais elle devait aussi savoir qu'elle mettrait ainsi leurs vies à tous en danger. Il sentait dans son attitude résignée qu'elle avait compris que ce cauchemar ne devait pas quitter les murs de cette maison.

En un sens, il l'admira, elle n'était décidément pas faite du même bois que cette endive qu'elle avait épousée.

La femme n'arrêtait pas de jacasser. Walter pointa le canon de son arme vers la porte, à peu près à l'endroit où devait se trouver sa tête. Martha, s'en rendant compte, tressaillit.

– Je dois te laisser Susan, dit-elle en bafouillant un peu. Je vais aller voir comment va Paul.

– On se voit toujours demain soir pour dîner ?

– Oui, bien sûr. Nous serons là.

– C'est parfait alors ! Barricade-toi bien et passe le bonjour à Paul.

– Je n'y manquerai pas, dit Martha en fermant la porte, la lumière d'un petit lustre fixé au-dessus d'elle dessinant des arabesques rosâtres sur son visage.

– C'est bien, Martha, murmura Walter. Vous avez agi comme il fallait.

Il effleura ses joues des doigts. Martha ne fit aucun mouvement pour l'en empêcher ; elle maîtrisait parfaitement sa répulsion.

– Pouvez-vous m'emmener voir la chambre de Scott ? demanda-t-il en rangeant son .38 à sa ceinture. Je serais curieux d'en savoir un peu plus sur lui.

Bien consciente qu'elle n'avait pas le choix, Martha l'invita à la suivre jusqu'à l'escalier.

La chambre de Scott se trouvait au bout d'un petit couloir aux murs recouverts de papier peint beige ; assez grande, des livres et des vinyles empilés un peu partout, les murs recouverts d'affiches de films ou de groupes de musique. Walter jeta un coup d'œil au-dehors. À l'étage de la maison d'en face, un homme torse nu se tenait adossé contre un mur, et parlait à une femme assise sur un lit.

Un chien aboyait quelque part. Walter baissa les stores et se retourna vers Martha qui se tenait toujours sur le seuil de la porte.

Une photographie posée sur une étagère attira alors son attention, et il la saisit pour la voir à la lumière de la lampe.

Il l'avait aussitôt reconnue. Elle se tenait assise sur la pelouse d'un parc, exactement comme dans ses souvenirs, un petit garçon dans les bras, souriant tous deux à l'objectif.

– D'où vient cette photo ? C'est vous qui l'avez récupérée ?

– Oui… J'avais la clé de chez elle. Quand j'ai compris qu'elle ne reviendrait plus, j'ai pris cette photo avant que tout ne soit foutu à la rue. Je voulais que Scott connaisse au moins son visage.

– Et quand avez-vous su qu'elle ne reviendrait pas ? Si vous avez adopté Scott, vous deviez forcément être certaine qu'elle ne chercherait plus à le reprendre, non ? Ne me faites pas croire que vous n'avez plus jamais eu de nouvelles d'elle par la suite, Martha. Je ne suis pas stupide.

Martha prit une profonde inspiration, puis elle s'assit sur le lit.

– Je n'en ai jamais parlé à Paul, mais Mary Beth m'a appelée le soir même. Elle était paniquée, elle disait qu'elle vous avait vu l'attendre face au bar où elle travaillait. Elle se cachait dans un motel en dehors de la ville et n'a pas voulu me dire où, même après que j'ai proposé de venir la chercher. Elle m'a alors demandé de garder Scott avec nous, de ne surtout pas passer chez elle et qu'elle reviendrait le reprendre plus tard, quand les choses se seraient calmées. Je n'ai plus eu de nouvelles d'elle pendant une ou deux semaines, puis un matin j'ai reçu une lettre. Elle y écrivait qu'elle était persuadée que Scott resterait en danger tant qu'il serait à ses côtés. Elle voulait qu'on s'en occupe comme si c'était notre propre fils, qu'on fasse en sorte qu'il puisse avoir la vie qu'elle savait ne plus pouvoir lui offrir. Elle était au courant que Paul et moi avions tout fait pour avoir un enfant, sans résultat, et que nous songions à en adopter un. Elle y avait joint les papiers signés de sa main pour faciliter les démarches… Je n'ai jamais plus eu de nouvelles d'elle par la suite. Un ami de Paul qui travaillait pour les services sociaux de la mairie nous a aidés à faire passer le dossier plus vite et à pouvoir garder Scott avec nous en attendant la décision. Et depuis je l'ai élevé comme mon fils…

– Et qu'avez-vous dit à Scott quand il a commencé à poser des questions ?

– Je n'ai jamais pu lui avouer que sa mère l'avait abandonné, ni dans quelles circonstances. J'ai juste dit qu'elle était très malade, qu'elle nous l'avait laissé car elle savait qu'on s'en occuperait comme de notre fils. J'aimais tellement ce gosse. Vous ne pouvez pas savoir toutes les nuits que j'ai passées sans arriver à dormir, à m'angoisser à l'idée qu'elle débarque un jour pour le reprendre. Plus les années se succédaient et plus cette simple idée me devenait intolérable. J'étais devenue légalement sa mère mais je ne pouvais pas savoir de quelle façon il réagirait si elle réapparaissait un jour. J'en ai par moments presque souhaité qu'elle soit morte, c'est atroce de dire ça, je le sais bien, mais Scott est mon fils, il est tout ce qu'il me reste… Et personne ne pourra rien y changer, personne…

– Pourquoi est-ce que votre mari a parlé de drogue tout à l'heure ? Scott a eu des soucis ?

– L'année dernière il s'est fait prendre en train de fumer de l'herbe aux abords du lycée. Ce n'était pas grand-chose, mais les flics ne rigolent pas avec ça ici. Il a échappé de peu à la maison de correction. Depuis il s'est mis au sport, il a repris une bonne hygiène de vie. Il n'y a jamais retouché. Paul n'a pas l'air de le croire, depuis il fouille sa chambre chaque semaine. Il n'a jamais réussi à le comprendre, de toute manière…

Le chien au-dehors continuait à aboyer. Le vent soufflait de plus en plus fort, faisant vibrer les vitres.

– Scott ne sait rien de sa vie d'avant, continua Martha, il ne vous aidera pas plus que nous. Mary Beth n'a été pour lui qu'une jolie jeune femme le tenant dans ses bras sur une photo et qu'il a parfois idéalisée quand il en avait assez que je sois toujours sur son dos. Il n'a plus aucun souvenir d'elle. Je vous assure que c'est une perte de temps...

– J'ai bien peur que vous n'ayez pas tout à fait compris mes intentions... Je ne suis pas venu ici simplement pour lui parler mais pour récupérer ce qui m'appartient. Dès ce soir je le ramène avec moi, à San Francisco.

– Non ! cria Martha en se levant. Ne faites pas ça, je vous en supplie ! Vous n'avez pas le droit !

Walter se leva à son tour. Martha, paniquée, chercha autour d'elle de quoi se défendre. Il la saisit fermement par le cou et la frappa en plein milieu du visage, si fort que son crâne percuta le mur, et il dut la retenir pour éviter qu'elle ne s'écroule sur la moquette, alors que du sang commençait à couler de son nez, tachant son chemisier.

– Oh si, j'en ai le droit, chuchota-t-il à son oreille en saisissant son sein gauche à travers sa robe.

Encore sonnée, Martha n'osa pas faire le moindre geste pour le repousser.

– Depuis quand votre mari ne vous a-t-il pas baisée, Martha ? demanda Walter en pressant son autre main contre son entrejambe. Je ne parle pas d'un petit va-et-vient pour accomplir le devoir conjugal, mais de vous faire ça bien comme il faut... Je ne suis pas sûr qu'il soit ce genre de type, je me trompe ? Un peu tapette sur les bords, non ? Vous voyez, s'il me prenait l'envie de vous baiser là, maintenant, contre ce mur, rien ni personne ne pourrait m'en empêcher, je prendrais en vous ce que je voudrais, je laisserais de vous ce que je voudrais. C'est une simple question de pouvoir, c'est ainsi que notre société fonctionne. Ce soir je repartirai avec mon fils, que vous le vouliez ou non, je ne vous laisse pas le choix, je ne vous demande aucune permission, vous ne faites dorénavant plus partie de sa vie.

Walter la lâcha, et elle tomba à genoux sur la moquette, puis il s'empara du cadre laissé sur le lit, le reflet de son crâne nu y surplombant les silhouettes de Scott et Mary Beth.

– Qu'allez-vous faire de nous ? demanda Martha, de la salive rougie dégoulinant de sa bouche, d'un coup si laide qu'il éprouva l'envie de lui défoncer le nez avec la pointe de sa chaussure.

Sans un mot, il la saisit par le bras pour la forcer à se relever et la traîna dans le couloir.

Paul Lamb, toujours ligoté à sa chaise, s'agita en les entendant redescendre l'escalier et s'arrêta de bouger quand il vit le visage défait de sa femme, peinturluré de larmes et de morve rougie.

Walter posa la photo sur la table puis força Martha à retourner à sa place. Il alla ensuite chercher une autre paire de menottes dans le sac et l'attacha de la même façon que son mari.

– Paul, je suis désolée, eut-elle le temps de dire avant que Walter ne plaque un gros morceau de scotch brun sur sa bouche.

Les époux Lamb se regardèrent sans un mot. Vingt ans de mariage pour en arriver à ce gouffre duquel aucun des deux ne pouvait aider l'autre à sortir. Walter savait qu'il ne pourrait plus rien tirer d'eux, mais il n'avait jamais vraiment cru qu'ils le mèneraient à elle après toutes ces années.

Cela aurait été trop facile. Il n'avait que faire de la facilité. Heureusement, il avait tout prévu. Il allait maintenant pouvoir passer à la deuxième phase de son plan. Et, à cette idée, il sentit l'excitation monter d'un cran, le sang irriguer un peu plus son bas-ventre.

Il enleva un de ses gants et effleura la base du cou de Martha des doigts, y sentant son cœur battre au galop. De son autre main il prit le couteau laissé sur la table, marcha d'un pas dansant vers Paul et plaqua la lame sur sa gorge. Cédant à la panique, celui-ci secoua la tête de droite à gauche. Il le maintint par la nuque pour l'empêcher de bouger et fit un clin d'œil à Martha qui les observait les yeux écarquillés.

Et, sans un mot, il lui trancha la gorge d'une oreille à l'autre.

Martha assista à la scène comme si ses yeux voyaient quelque chose que son cerveau se refusait à comprendre. Puis elle hurla, le sang de son mari continuant à jaillir de sa gorge pour se répandre sur tout le bord de la table.

Walter tira alors la tête de Paul Lamb en arrière, déchirant encore plus dans ses chairs. Sous le choc de cette vision, Martha perdit aussitôt connaissance.

Il fit le tour de la table pour la rejoindre, arracha le scotch collé à sa bouche d'un geste sec et tapota ses joues afin de la réveiller. S'ils n'étaient pas pleinement conscients, cela gâchait un peu son plaisir. Martha émergea peu à peu en gémissant et mit un moment avant de réaliser ce qu'elle avait sous les yeux, cette gorge grande ouverte, ce regard fixe, tout ce rouge sombre et visqueux tachant la chemise qu'elle avait repassée la veille.

Walter, derrière elle, l'attrapa par ses cheveux, fins et doux, qu'il entortilla entre ses doigts, tenant sa tête bien droite, la forçant à voir son mari réduit à l'état de cadavre.

– Je vous en prie, l'implora-t-elle en hoquetant. Je ne veux pas mourir, par pitié…

– Et pourquoi donc, Madame Lamb ? Pensez-vous que votre vie vaille à ce point la peine d'être préservée ? Pourquoi vous ferais-je ce cadeau ? Si seulement cela servait à quelque chose, si seulement cela vous donnait un petit coup de fouet pour partir de cette banlieue minable, quitter ce boulot minable… Après tout, à présent que je vous ai débarrassée de ce tâcheron, vous pourriez enfin penser un peu à vous… Cela faisait trop longtemps que vous subissiez cet homme que vous n'aimiez plus, je me trompe ? Je veux vous l'entendre dire, Martha, dites-moi que c'est ce que vous voulez !

– Oui, c'est ce que je veux ! Je ferai tout ça, je vous le jure !

Walter resta silencieux, comme s'il prenait le temps de réfléchir.

– Donc promettez-moi une chose. Si je vous épargne vous oublierez tout, vous ne direz rien sur ce qu'il s'est passé, vous ne chercherez jamais à revoir Scott, vous vendrez cette maison et toute cette merde qu'elle contient et vous ferez exactement ce que vous avez toujours eu envie de faire, juste pour voir si c'est encore possible. Je peux vous faire confiance là-dessus, Martha ?

– Je vous le jure… Par pitié, fit Martha d'une voix brisée.

Leurs regards se croisèrent dans la glace accrochée au mur face à eux, et Walter perçut dans le sien ce qu'il avait voulu y trouver : de l'espoir, cette soif de vivre, comme une flamme surgissant des ténèbres, vacillante mais déjà prête à briller de plus en plus fort.

Sans plus attendre, il pressa la lame du couteau sur sa gorge et l'ouvrit d'un geste sec sur toute sa longueur. Et, dans les yeux de Martha, l'espoir se changea en incompréhension, en expression de la douleur la plus infâme.

Pauvre petite sotte.

Walter pressa son érection contre le dossier de la chaise tout en contemplant dans le reflet de la glace le regard bleu de Martha Lamb se figer.

Puis il jeta le couteau sur la table et vérifia sa montre.

Vingt et une heures trente. Parfaitement dans les temps.

Il rejoignit ses hommes dans le hall d'entrée, avec l'agréable sensation du travail bien fait.

– Tenez-vous prêts, dit-il en ouvrant la porte. Il ne devrait plus tarder.

Il boutonna sa veste, s'assit sur les marches et alluma une cigarette. Dans le ciel, les nuages défilaient si vite qu'ils paraissaient glisser sur une plaque de glace. La rue était entièrement vide, les volets des maisons tous déjà fermés. Il avait presque envie de rester ici et attendre de voir les arbres plier, les toitures se détacher sous l'assaut du vent rageur. Un semblant de vie sauvage dans cette morne plaine bétonnée.

Des bruissements d'ailes se firent entendre au-dessus des toits. Des chauves-souris. Il en vit deux ou trois passer devant la lune gibbeuse, fuyant l'orage. Ces saletés le terrifiaient quand il était gamin et que, vivant dans la ferme de ses parents au Kansas, il devait marcher au-dehors quand la nuit était déjà tombée, se cachant la tête avec ce qu'il pouvait, de peur qu'elles ne fondent sur lui pour tirer ses cheveux, griffer son visage, crever ses yeux.

Cela faisait longtemps qu'il n'avait pas repensé à cette période de sa vie qui paraissait à présent si lointaine, et qui avait précédé son arrivée à San Francisco à dix-neuf ans à peine, cette période où il s'appelait encore Daryl Greer ; les virées nocturnes à travers la campagne avec son ami Samy, les soirées improvisées dans des granges ou des terrains désaffectés où ils se rendaient éméchés et où ils se battaient la plupart du temps, les putes qu'ils se tapaient dans des bouges de Kansas City grâce à l'argent que leur rapportait leur petit trafic de cannabis au lycée… Et bien entendu ce fameux soir où tout avait basculé. Comment s'appelait-elle déjà ? Anna. Oui, c'était ça, Anna Warren. Cette pure beauté qui travaillait à la bibliothèque de son lycée et qui portait à longueur d'année des minijupes faites pour affoler les étudiants. Samy, un soir où ils se partageaient une vieille bouteille de whisky de son père, avait prétendu qu'il savait où elle habitait, dans une maison située près de l'ancien château d'eau. Ils s'y étaient rendus en voiture, chacun avec un bon gramme d'alcool dans le sang. Anna était seule et se tenait dans son salon, allongée sur son canapé dans un déshabillé rose et plongée dans un magazine. Elle avait laissé la porte de la cuisine ouverte, comme la majorité des gens de la région à cette époque. C'était Samy qui s'était jeté sur elle le premier, et l'avait frappée plusieurs fois en plein visage pour lui faire passer l'envie de hurler. Ils l'avaient ensuite baisée à tour de rôle à même le sol, puis Walter, dans un état d'excitation extrême, avait sorti son couteau à cran d'arrêt de la poche de son pantalon et lui avait tranché la gorge d'un geste net. Il n'avait jamais pu oublier cette déflagration qu'il avait ressentie dans tout le corps, ce sentiment de plénitude, ce vertige.

Depuis cette époque, beaucoup de personnes étaient mortes de ses mains, mais il n'avait jamais réussi à revivre une émotion aussi forte, aussi pure. *Le charme des premières fois.* C'était aussi à ce moment-là, alors qu'ils revenaient à leur voiture un peu groggy, qu'il avait compris qu'il était temps pour lui de se jeter à corps perdu dans le vaste monde.

Mais tout cela après un immense feu de joie, tout cela après le plaisir de voir son ordure de père et sa salope de mère brûler à l'intérieur de cette maison de malheur, de savoir, tout en admirant la voracité des flammes qu'il avait fait naître, qu'après cela plus rien ne pourrait plus jamais se mettre sur son chemin. S'il en avait eu le temps, il aurait aussi foutu le feu à la totalité de cette exploitation minable où son père avait eu le vain projet de l'y enterrer à son tour, réduit en poussière tout ce qu'il avait tenté de construire de ses mains de petit homme faible pendant toutes ces années qui n'avaient servi à rien, ces mains qui pour lui, et ce depuis sa plus tendre enfance, n'avaient été que promesses de coups et de traces cuisantes sur la peau.

Une voiture blanche s'arrêta face à la maison. La portière arrière s'ouvrit et un jeune homme portant un bonnet de laine s'en extirpa, fit un au revoir de la main à la conductrice, et remonta l'allée, un sac de sport en bandoulière.

Remarquant Walter, il ralentit le pas, devant se demander qui était cet homme au crâne rasé assis sur le perron de sa maison. Walter en eut le souffle coupé. C'est d'abord elle qu'il vit dans ses traits, dans son regard bleu clair fixé sur lui. Puis il se rendit compte qu'il lui ressemblait aussi, qu'il avait sa mâchoire, son nez…

Eux deux mêlés dans un visage d'adolescent.

– Bonsoir, dit le jeune homme en arrivant à son niveau. Je peux vous aider ?

– Non, ce ne sera pas nécessaire. Je suis un ami de tes parents, j'étais juste sorti fumer.

– Ah d'accord, je ne savais pas qu'ils avaient un invité ce soir. Bah donc, moi, c'est Scott.

– Walter, répondit-il en lui serrant la main. Tu rentres de ton entraînement de base-ball, c'est ça ?

– Ouais, c'était plutôt une grosse journée, je suis claqué. Je crois que même la tempête n'arrivera pas à me réveiller cette nuit.

– Tu veux tirer une ou deux lattes ? demanda Walter en lui tendant sa cigarette.

Scott, l'air surpris, jeta un coup d'œil en direction de sa maison.

– C'est un piège tendu par mon père ?

– Non, pas du tout, et promis je ne dirai rien, répondit Walter en levant sa main droite.

Scott s'assit à son tour et saisit la cigarette pour la porter à ses lèvres.

– Ils sont toujours à table ?

– Oui, toujours, on s'est un peu trop gavés du succulent repas que nous a préparé ta mère, je suis le seul à avoir eu la force de me lever.

– Ah, ça tombe bien, j'ai une faim de loup, dit Scott en enlevant son bonnet, se passant la main dans ses cheveux bruns et mi-longs.

Walter ne put s'empêcher de l'admirer. Il était encore plus beau que lui à son âge. Il devait déjà faire tourner toutes les têtes.

– C'est la première fois que je vous vois, non ? Vous habitez dans quel coin ?

– Je suis de San Francisco.

– La chance ! Ça va, vous n'avez pas trop l'accent californien !

– C'est quoi pour toi, l'accent californien ?

– Oh je ne sais pas, je disais ça comme ça. Vous restez ici pour la nuit ?

– Non, je repars bientôt, je faisais juste un détour par chez vous… D'ailleurs on ferait mieux de rentrer, il commence à faire vraiment froid.

Scott acquiesça et écrasa le mégot sur le sol.

– Vas-y, je te rejoins, dit Walter en humant la douce odeur du soir.

– O.K., répondit Scott avant de se lever et de se rendre à la porte.

Il le laissa disparaître dans le noir du hall et se retourna vers la rue, des bruits de lutte se faisant entendre à l'intérieur de la maison, puis il se leva et entra à son tour en allumant la lumière. Hank tenait Scott par-derrière, pendant que Karl lui enfonçait une seringue dans le cou. Scott ne le quittait pas des yeux, ne comprenant pas ce qu'il se passait, puis il cessa peu à peu de lutter et perdit connaissance.

– Allez le mettre à l'arrière de la voiture, ordonna Walter à Hank et Karl. J'ai une dernière chose à faire ici avant de partir.

Il retourna dans le salon et plaça bien en évidence la photo de Mary Beth et Scott sur le corps de Martha Lamb.

Le tableau, ainsi, était parfait.

Une fois que cette tempête serait calmée, quelqu'un retrouverait les corps. Une amie, la femme de ménage, un membre de la famille, cette Susan qui s'inquiéterait que ses invités ne soient pas venus pour dîner. La police investira rapidement le quartier, la nouvelle se propagera à la vitesse de la foudre. Radio, télévision, internet. Un couple sans histoire, sauvagement exécuté dans sa maison de ce petit coin tranquille de l'Idaho, leur fils disparu, peut-être même suspecté ; le genre de crime sauvage qui faisait frémir les foules. Et s'il avait de la chance, où qu'elle soit, Mary Beth l'apprendrait. Elle y verrait sa signature, saurait qu'il avait leur fils, et, s'il la connaissait autant qu'il le pensait, elle sortirait de sa tanière, et reviendrait à San Francisco pour l'arracher à ses griffes.

Et il serait alors prêt à l'accueillir.

Walter éteignit la lumière et sortit de la maison. Il huma une dernière fois l'odeur du chèvrefeuille qui pullulait sous les fenêtres, puis il monta à l'arrière de la voiture et dit à Hank, assis au volant, de démarrer.

Son fils était allongé en fœtus sur la banquette. Avec ce qu'ils lui avaient donné, il dormirait jusqu'au matin. Walter saisit son bras et le menotta à la poignée de la porte. C'était son propre sang qui coulait dans ses veines, il ne devait pas le sous-estimer.

Hank s'engagea sur un large boulevard dont les arbres ployaient de plus en plus violemment sous le vent. Walter regarda à l'extérieur défiler toutes ces maisons cloîtrées dans l'attente, déjà impatient de ce moment où, après tant d'années, il parviendrait à nouveau à atteindre un cœur qu'il était prêt à broyer de ses mains.

MARTIN

Une expression de terreur déforma le visage de Martin Boyd.

Assis contre le mur du salon, il reprenait peu à peu sa respiration, le regard perdu dans l'ombre et cherchant une issue, son corps affaibli maintenu bien droit par peur de vomir tout l'alcool qu'il avait bu depuis son retour dans cet appartement. À ses pieds, la rose blanche laissée sur le parquet, certains de ses pétales arrachés, et, la frôlant des doigts, cette main inerte, qui dans l'obscurité ambiante paraissait d'une identique pâleur ; ce corps mort, étendu sur le dos et qui n'était déjà plus tout à fait Charlotte, la femme qui avait partagé les vingt dernières années de sa vie.

Sa robe était déchirée au niveau des hanches. Il écarta les quelques mèches de ses cheveux collées sur son front et ses joues, faisant mieux apparaître les traces des coups qu'il lui avait portés avec une violence dont il ne se serait jamais cru capable auparavant. Son visage était par endroits atrocement gonflé ; sa peau violacée, comme prête à craquer ; un peu de sang, échappé de son nez et de sa bouche, figé en flaque sur le sol. Elle était presque méconnaissable, elle dont il se demandait s'il l'avait vraiment connue, elle qui avait à présent le visage de son âme sale.

Dans la salle de bains, Martin ouvrit le robinet et se rinça la bouche sous l'eau froide. Le lavabo, bouché par la bonde, se remplit rapidement ; il y plongea le visage en fermant les yeux, baigné de silence liquide.

Il réfléchit à la situation tout en fixant le téléphone posé sur un petit meuble en acajou. Un seul appel et il ne pourrait plus empêcher le monde de se déchaîner contre lui. Il lui faudrait, pour se défendre, raconter ce qu'il avait vu dans ce bar, comment il était revenu totalement désespéré, cette demi-bouteille de whisky qu'il avait vidée en l'attendant assis sur le canapé.

On le comprendrait peut-être. Un homme trahi qui avait été pris de quelques minutes de folie. Un simple crime passionnel.

Mais il ne pouvait pas courir ce risque, pas tant qu'il en avait le choix. Personne ne savait encore ce qu'il avait fait. Charlotte ne méritait pas qu'il gâche le reste de sa vie pour elle ; sa mort n'avait pas atténué la haine qu'il éprouvait toujours ; les mots qu'il n'avait pas eu le temps de dire, ces mots qui avaient si vite cédé leur place aux coups lui restaient encore en travers de la gorge, quitte à y pourrir.

Il devait d'abord se débarrasser du corps et ensuite la déclarer disparue. Il appellerait ses beaux-parents pour savoir s'ils avaient eu de ses nouvelles, jouerait l'inquiétude, donnerait sa peine en spectacle. Il dirait que Charlotte était déprimée depuis quelque temps, qu'elle lui avait plusieurs fois parlé de partir une petite semaine à l'étranger afin de tout remettre à plat. Et il ajouterait qu'il avait également pensé que ce serait une bonne solution ; c'est pourquoi il ne comprenait pas qu'elle ait fait le choix de disparaître sans prévenir personne.

Il se souvint de cette histoire sordide qu'il avait entendue sur Sky News la semaine précédente, ces deux cadavres de femmes qu'on avait déterrés dans une forêt à une trentaine de kilomètres de là, et ce à trois semaines d'intervalle. La police était sur la piste d'un tueur en série en raison des similitudes entre les deux meurtres, mais l'enquête pataugeait toujours. Deux femmes battues à mort et cachées sous la terre. L'occasion était trop belle. S'il ne faisait pas d'erreur, ils n'y verraient que du feu.

Et à supposer, bien entendu, qu'ils la retrouvent un jour.

Martin ouvrit la porte de leur appartement et s'engouffra dans le couloir de l'immeuble, aux murs d'un turquoise sale et où étaient accrochées des peintures sous verre de paysages anglais plus ternes les unes que les autres. L'escalier était vide, leur seul voisin présent à cette période de l'année, M. Duncan, avait plus de quatre-vingts ans et ne sortait pratiquement jamais de chez lui. Ne voulant plus perdre de temps, il saisit le corps de Charlotte puis le tira en priant de ne croiser personne. Ils habitaient au premier étage et il le descendit par l'escalier, sans précaution particulière, ayant l'impression d'en briser les os à chaque fois qu'il cognait contre les marches. Au rez-de-chaussée, il la traîna jusqu'à la porte qui menait à un parking privé situé derrière l'immeuble, puis la laissa dans un petit couloir qui sentait l'humidité et dont les murs étaient constitués de toute une gamme de gris sales.

Il ne devait pas trop penser à ce qu'il était en train de faire, sinon il n'aurait plus le courage de rien, et se hâta vers sa voiture, une Audi grise garée au niveau d'un petit mur de briques. Les immeubles alentour étaient silencieux, très peu de fenêtres encore allumées. Il se gara juste à côté de la porte de l'immeuble, puis il ouvrit le coffre et retourna dans le couloir, d'où il traîna à nouveau le corps. Arrivé derrière la voiture, il le saisit par les épaules et le fit basculer dans le coffre. Il descendit ensuite dans leur cave et en revint avec une grosse bâche en plastique et une pelle de travaux qu'il cala sur la plage arrière.

La petite rue où ils vivaient paraissait déserte. Il était vingt-deux heures passées, la plupart des promeneurs devaient guetter le feu d'artifice sur la plage.

Il aurait dû attendre le milieu de la nuit pour sortir, mais en même temps qui le reconnaîtrait ? Qui se rappellerait de lui ? Il ne fréquentait personne dans ce patelin, contrairement à Charlotte.

Sur le trottoir de droite, un couple se promenait en direction de la plage. La femme était trop grosse à son goût et un peu vulgaire, le genre de vulgarité qui l'excitait quand il était adolescent ; l'homme avait l'air un peu plus âgé et se cramponnait à elle comme à une bouée.

Ne les quittant pas des yeux, il faillit alors percuter un chien-loup noir qui s'arrêta au beau milieu de la rue, son corps efflanqué illuminé par la lumière des phares ; puis il bondit sur le côté et s'engouffra dans une petite ruelle baignée du velouté rouge d'un néon de drugstore.

Une centaine de mètres plus bas, il arriva sur une large place pavée où plusieurs pubs avaient installé leurs terrasses. Au premier étage d'un petit immeuble sur sa droite, un homme torse nu jeta un mégot de clope incandescent dans la rue avant de refermer la fenêtre.

La mer sombre s'étalait au bout de la rue comme un gros trait de gouache. Les premières explosions du feu d'artifice se firent entendre, le ciel prenant des teintes rouges, jaunes, bleues…

Charlotte et Martin Boyd venaient à Hatham Cove depuis huit ans. Martin était éditeur à Londres et Charlotte artiste peintre. Ses tableaux, qui commençaient à avoir une certaine renommée, avaient récemment été exposés dans une galerie d'art de Notting Hill. Ils vivaient en temps normal dans un appartement du quartier de Kensington et avaient acheté celui-ci car Hatham Cove était la ville natale de Charlotte. Elle avait vécu jusqu'à la fin de son adolescence dans un grand corps de ferme que ses parents possédaient un peu plus loin dans les terres. Son père, banquier à la retraite, souffrait depuis cinq ans de sclérose en plaques et sa mère avait plus que jamais besoin de sa compagnie. Elle était leur fille unique et leurs rapports avaient toujours été pour le moins conflictuels, ce qui avait poussé Charlotte à partir très tôt de la maison pour intégrer une école d'arts plastiques à Londres. Elle ne leur avait plus donné de nouvelles pendant longtemps, murée dans sa fierté, mais la distance, et surtout les années, avaient peu à peu resserré leurs liens. Et elles avaient appris à oublier et à ne garder que l'essentiel.

Martin accéléra en gardant les yeux rivés sur les lignes blanches de la route qui parcourait tout le littoral. Le ciel, sur sa droite, se teintait encore des couleurs du feu d'artifice.

Malgré ses efforts, il ne pouvait effacer de son esprit le visage de Charlotte, son expression quand, un peu plus tôt, elle avait ouvert la porte de leur appartement en tenant cette rose blanche à la main comme si c'était le plus précieux des trésors, son visage arborant un sourire qu'il savait ne pas lui être destiné, et qui l'avait transpercé comme une lame.

Une petite demi-heure plus tard, Martin s'arrêta le long d'un chemin menant à la falaise et vérifia que personne d'autre ne se trouvait dans les parages. Les premiers arbres d'une forêt se découpaient à une quarantaine de mètres de là. Il ne pouvait rouler plus près. Il fallait donc y traîner le corps.

Il leva les yeux au ciel et remarqua les lumières clignotantes d'un avion de ligne qui survolait la mer et pensa aux passagers assis à l'intérieur et qui partaient sûrement pour la plupart en vacances sur le continent. Ne le perdant pas de vue, il imagina qu'avec la seule force de sa volonté, il puisse arriver à le faire exploser, réduire à néant leurs projets, changer leurs corps prêts à se déverser sur les plages plombées de soleil en des fragments sanguinolents qui retomberaient, cernés par les débris métalliques de l'appareil, en pluie dans la mer.

Martin ouvrit le coffre et en extirpa le cadavre de Charlotte. Il étala ensuite la bâche en plastique sur le sol et y fit rouler le corps avec le pied, puis il cala bien fermement la pelle dans la bâche avant de la refermer, saisit le cadavre par les bras et le tira sur l'herbe mouillée.

Arrivé aux premiers arbres, il dut la soulever par la taille pour éviter de trop buter sur des souches ou de grosses racines.

Estimant s'être enfoncé assez loin, il s'arrêta dans une petite clairière.

Tout autour de lui, le vent venant du large faisait bruisser les feuilles des arbres comme des dizaines de bâtons de pluie.

Et maintenant il allait devoir creuser.

La terre était assez meuble, sa pelle s'y enfonça sans mal. Quand le trou lui parut suffisamment profond, il s'accroupit, déroula la bâche et arracha les vêtements de Charlotte. Les autres cadavres avaient été découverts entièrement nus, il n'avait pas le choix.

Il caressa ses hanches du bout des doigts, surpris par le contact déjà froid de la peau, cette rigidité inhumaine, une chose morte. Il retira sa main avec dégoût et s'adossa contre un gros chêne, des filets de lumière lunaire passant au-dessus de lui à travers les branches des arbres.

Un craquement de bois sec se fit entendre quelques mètres plus loin. Martin sursauta et balaya les lieux de sa lampe torche mais sans rien voir, la lumière électrique n'arrivant pas à percer les ténèbres qui stagnaient entre les troncs d'arbres. Il se rapprocha un peu de la zone d'où était venu le bruit et perçut à nouveau des craquements au sol, comme si quelqu'un ou quelque chose s'éloignait en courant.

Un animal quelconque, pensa-t-il.

Il se rassit face au corps et resta de longues minutes sans bouger le moindre membre. Et, les traits de son visage ne trahissant aucune émotion, il le poussa dans la fosse d'un violent coup de pied ; vit comme au ralenti la main de Charlotte se cogner contre le rebord et disparaître.

Et il commença à la recouvrir de terre noire et grasse.

Quand il eut fini, il saisit la bâche et les vêtements de Charlotte, vérifia qu'il n'avait rien oublié, puis fit demi-tour pour rejoindre la falaise. Il arriva à se repérer sans trop de difficulté et marcha de plus en plus vite, les bras en avant pour ne pas risquer de se prendre de branches dans la figure. Au moment où il atteignit la lisière, il s'arrêta net, ayant cru voir au loin une silhouette pâle évoluer parmi les arbres, aussi légère qu'un voile, comme si l'esprit de Charlotte, débarrassé de son corps, s'échappait à son tour de cette forêt.

Ou bien elle le cherchait *lui*, le poursuivrait sans relâche jusqu'à ce qu'il la rejoigne de l'autre côté.

Il jeta la pelle, la bâche et les vêtements dans le coffre, puis il se rendit vers le bord de la falaise et y alluma une cigarette en protégeant la flamme du briquet de ses mains.

Au loin, le ciel paraissait plus noir qu'un ciel de nuit ne devait l'être.

De retour à sa voiture, il sentit sa tête tourner violemment et posa sa main sur la vitre. Il n'avait pas mangé de la journée, tous ces efforts l'avaient exténué. Il avait juste besoin de s'allonger, de se reposer quelques minutes avant de partir.

Le bruit de la pluie qui tambourinait sur le toit le réveilla. Il était plus de deux heures du matin. Martin n'en revenait pas de s'être assoupi aussi longtemps. Mais il était tellement fatigué, il ne se sentait plus le courage de reprendre la route, il voulait juste dormir encore un peu, ne plus penser à rien.

Il se recouvrit de son manteau comme d'une couverture, puis se laissa aller sous le cocon de chaleur qui commençait à se former.

Les immeubles anonymes se perdaient dans un ciel qui prenait par endroits des teintes carmin, traversé çà et là de nuages d'orage si gonflés qu'ils paraissaient prêts à exploser. Martin se posta contre un mur en brique sale et jeta un coup d'œil dans la rue adjacente. Il n'aurait pas dû être ici. Pourtant il fallait qu'il sache.

Charlotte se tenait face à une imposante porte métallique en compagnie du jeune homme blond. Légèrement penchée, elle prenait appui sur son épaule pour remettre sa chaussure à talon. La porte s'ouvrit sur une femme noire obèse et habillée d'une robe bleue recouverte de paillettes et qui les voyant leur fit une étrange révérence, les laissant ensuite entrer dans l'immeuble.

Martin traversa la rue et remarqua que le chien-loup noir se tenait en plein milieu du trottoir, ses yeux braqués sur lui et ayant la même couleur que le ciel.

Le couloir était recouvert de tentures pourpres, des coups sourds résonnant un peu partout dans les cloisons. Sur sa gauche une femme rousse vêtue d'un bustier et de porte-jarretelles noirs se tenait dans l'embrasure d'une porte ouverte sur une petite pièce parfaitement ronde, où il remarqua un vieil homme allongé à même le sol.

Dans le fond du couloir, une autre porte était entrouverte, d'où s'échappait une lueur de la même couleur que les yeux du chien-loup. Il se retrouva dans une vaste chambre dont le carrelage noir et blanc était recouvert d'eau. Charlotte se tenait assise sur un petit fauteuil aux accoudoirs dorés. Elle ne portait que ses sous-vêtements et enlevait de façon lascive un de ses bas, ses longs cheveux cachant en grande partie son visage.

Le jeune homme était allongé nu sur le lit. Elle le rejoignit et l'embrassa en pressant ses seins contre son torse.

Elle savait que Martin la regardait. Elle savait à quel point il souffrait de la regarder.

Dans ses yeux, provocation, frisson, amusement.

Il faisait si froid à l'intérieur de la voiture que son haleine y formait de petits nuages de vapeur. Encore sous l'effet de son rêve, Martin se rallongea et suivit du regard des filets d'eau couler sur la vitre avant de refermer les yeux.

Et c'est au moment où il commençait à se rendormir qu'une des portières claqua.

Une jeune femme blonde était assise à l'avant, et cherchait en toute hâte quelque chose sur le tableau de bord, sûrement la clef de contact, qu'il avait gardée dans sa poche. Ne la trouvant pas, elle poussa un juron et frappa le volant des mains.

Martin se redressa sans un bruit et leurs regards se croisèrent dans le rétroviseur. Prise de panique, elle bondit hors de la voiture en attrapant un gros sac qu'elle avait laissé sur le siège avant. Il l'interpella au moment où elle s'apprêtait à s'enfuir sous la pluie, et elle se retourna vers lui, tremblante de peur et de froid.

– Je suis désolée… Je ne savais pas que vous étiez là, mon scooter est tombé en panne et je dois prendre le train pour Londres le plus vite possible. Il n'y a personne sur cette putain de route et quand j'ai vu votre voiture j'ai cru que c'était ma chance, je suis vraiment trop conne…

Il ne sut quoi répondre. Que devait-il faire ? Tout cela paraissait à présent tellement absurde… Pourquoi était-il resté ici autant de temps au lieu de retourner à l'appartement et répéter son rôle ? Maintenant cette fille pourrait dire l'avoir vu près de l'endroit où était enterrée Charlotte.

Pris d'un mauvais pressentiment, il scruta les environs, au cas où un complice se serait caché quelque part. Si elle n'était pas seule et qu'ils en profitaient pour voler sa voiture, il ne pourrait, ironie du sort, jamais porter plainte.

La jeune femme, elle, attendait patiemment qu'il lui dise quelque chose, avec un mélange d'espoir et de détresse dans les yeux. Elle semblait si fragile, une flammèche soufflée par le vent. Martin comprit qu'il ne pouvait décemment pas la laisser ici, et lui fit signe de monter.

– Je retourne à Hatham Cove. Je peux vous laisser à la gare.

– Oui, ça sera parfait, répondit-elle en posant son sac sur ses genoux, merci beaucoup, je ne me voyais pas du tout marcher jusque là-bas… Au fait, je m'appelle Kate.

– Martin, dit-il en démarrant.

Il rejoignit la route et prit la direction de Hatham Cove, remarquant que la jeune femme tenait fermement la poignée de la porte, comme si elle avait peur qu'il ne la jette dehors au premier virage.

Charlotte Boyd, en ce dernier soir de sa vie, observait les passants qui couraient sur la place pour se protéger de l'averse, déjà anxieuse à l'idée de devoir bientôt rentrer chez elle, retrouver Martin encore muré dans son silence et repasser une soirée identique à la précédente. Elle commanda un deuxième verre de vin rouge à Tom, le patron du bar, et posa le livre qu'elle était en train de lire sur la table.

Elle était partie en fin de matinée pendant que Martin dormait, pour aller lire au bord de la mer. Elle avait ensuite déjeuné dans un petit restaurant près du port, puis s'était rendue à une exposition organisée par une sculptrice de la région. Il ne l'avait pas appelée, pas une seule fois. Charlotte s'était, à plusieurs reprises, retenue de le faire pour lui proposer de la rejoindre. Mais qu'est-ce que cela aurait changé ? S'ils n'arrivaient plus à se parler chez eux, ce n'était pas pour subitement y parvenir à l'extérieur…

Tom lui apporta son verre de vin. Ils bavardèrent un peu, puis il retourna derrière son comptoir pour essuyer une pile d'assiettes.

L'année dernière, elle lui avait offert certains de ses premiers tableaux et il n'avait pas tardé à les accrocher aux murs, ce qui au bout du compte la mettait un peu mal à l'aise, surtout quand elle surprenait des clients les contempler, en parler sans qu'elle entende ce qu'ils en pensaient. Mais elle savait que Tom ne les avait pas mis ici pour la flatter, il les aimait vraiment.

Dans l'après-midi, elle avait marché le long de la falaise et avait retrouvé l'endroit où ils avaient campé trois ans plus tôt pour assister aux feux d'artifice. Elle s'était assise sur une grosse pierre blanche et, face à la mer, elle avait repensé à leur première rencontre à Londres. Elle rejoignait alors l'appartement qu'elle partageait avec sa meilleure amie sur Charing Cross Road quand elle avait été happée par son regard au coin d'une rue. Elle s'était arrêtée d'un coup, le cœur un peu plus lourd dans sa poitrine. Martin, lui, avait continué à marcher sur le trottoir et s'était retourné vers elle quelques mètres plus loin, avant de se rendre dans une petite librairie.

Charlotte était entrée dans la librairie à son tour et avait pris le premier livre qui lui était tombé sous la main. Elle avait éclaté de rire en se rendant compte que Martin, debout de l'autre côté de la table, tenait son exemplaire à l'envers, ayant eu la même idée qu'elle. Rapidement détendus par la situation, ils s'étaient échangé des banalités, avant de partir ensemble prendre un café dans un petit pub situé sur le trottoir d'en face.

Ils ne s'étaient dès lors plus jamais quittés.

Et maintenant…

Vingt ans après, ils n'étaient même plus capables de rester l'un en face de l'autre pour simplement parler. Charlotte savait que l'un d'eux devrait partir, ne serait-ce que pour quelques jours, mais elle se sentait incapable de le laisser. Martin était le genre d'homme à se désagréger et disparaître si on le laissait seul une minute de trop.

Et elle, sans lui à ses côtés…

Mais elle avait de l'espoir, cela l'aidait plus que tout à tenir. Il lui suffisait de repenser à leurs moments partagés durant toutes ces années pour se convaincre qu'ils ne pouvaient être les derniers.

Un jeune homme aux cheveux blonds et vêtu d'une veste en cuir poussa la porte du bar. C'était Andrew, le fils de Tom. La dernière fois qu'elle l'avait vu, il avait à peine quatorze ans.

Andrew enleva sa veste, posa des sacs de courses contre le comptoir et s'assit sur un tabouret. La voyant, il la salua, l'air de se demander où il l'avait déjà croisée.

– Charlotte, tu te souviens d'Andrew ? demanda Tom derrière le bar.

– Bien entendu que je me souviens de lui, répondit-elle en le rejoignant pour aller l'embrasser.

– Tiens, Andrew, puisque tu es là je te laisse les commandes une petite demi-heure, fit Tom en jetant son torchon sur l'évier. J'ai des courses à faire en ville pour ta mère. Occupe-toi bien de Charlotte en mon absence…

Tom attrapa sa veste et sortit du bar en se protégeant de la pluie avec une casquette.

– S'il pleut comme ça ce soir, ils risquent d'annuler le feu d'artifice, dit Andrew debout face à la vitre. Ce serait dommage, je suis venu en ville exprès pour ça, ma mère m'y emmenait tous les ans quand j'étais petit.

– Ta mère va un peu mieux ?

– Un peu, oui, hier elle a réussi à se lever et à faire quelques pas dans le jardin. Mais ça devient de plus en plus rare. Ça m'angoisse un peu de me dire que je vais bientôt partir étudier à Londres, j'ai l'impression de l'abandonner au plus mauvais moment. Et puis rien que l'idée de ne pas être là si les choses tournent mal…

– Il ne faut pas que tu te tortures l'esprit, tu ne pourrais rien faire de plus ici. Et ta mère ne le voudrait pas…

Andrew acquiesça, puis il se servit une pression et ils allèrent à la table de Charlotte.

– Tu seras logé où à Londres ? Tu vas prendre une chambre universitaire ?

– Je compte habiter avec ma copine, elle est étudiante en deuxième année de musicologie. Je pars demain matin par le premier train pour aller visiter des appartements.

– Oui, c'est bien, tu te sentiras un peu moins seul. Cette ville est si grande, la première fois que j'y suis allée je me perdais tout le temps.

– C'est un peu ce que j'attends, vivre dans un endroit que je ne connais pas aussi bien que les quatre murs de ma chambre.

– Oui, je vois ce que tu veux dire, fit Charlotte en riant.

Andrew finit sa bière en quelques gorgées. Elle se souvenait qu'il était né quelques mois avant Jules. Si l'oxygène n'avait pas un jour manqué dans les poumons de son fils, ce serait peut-être avec lui qu'elle serait assise à une table en train de parler de son avenir.

– Vous savez, mon père m'a souvent parlé de vous, il dit que vous êtes une grande artiste. Je dois vous avouer que je n'y connais pas grand-chose en peinture mais j'aime beaucoup ce tableau-là…

Il montra du doigt un tableau peint dans les tons bleus et qui représentait une femme debout, tenant contre elle un enfant nu.

– Il me fait penser à ma mère, elles ne se ressemblent pas du tout physiquement mais je sais qu'un jour elle m'a tenu comme ça dans ses bras, et avec la même expression dans le visage.

Andrew posa son verre sur la table et essuya une trace sur la vitre avec le doigt.

– Sinon, vous retournez bientôt à Londres ?

– La semaine prochaine. Je dois m'occuper de ma prochaine exposition.

Dans le fond du bar une jeune femme éclata d'un rire très sonore, avant d'embrasser un homme plus âgé qu'elle sur la bouche.

– Vous lisez quoi ? demanda Andrew en montrant du doigt le livre posé sur la table.

– *La Douce*, de Dostoïevski.

– Ah oui, ma mère m'a déjà parlé de cet écrivain, elle a lu plusieurs de ses romans, je crois, faudra un jour que je m'y mette.

– Oui, tu devrais… Celui-là, c'est plutôt une nouvelle, rien à voir avec ses grands romans, pourtant ça reste d'une telle complexité… Il y a dedans un passage qui m'a toujours marquée et que j'ai relu tout à l'heure, où le narrateur se réveille en pleine nuit et voit sa femme, qui d'ailleurs est bien plus jeune que lui, pas plus de seize ans je crois, se tenir debout près du lit, un revolver à la main. Cela fait des mois qu'il fait vivre à cette pauvre fille un véritable enfer, elle est complètement désespérée, et maintenant il se retrouve dans cette situation absurde, intenable. Bien entendu il pourrait se lever et la désarmer, mais il garde son sang-froid et décide de refermer les yeux. Toujours immobile dans son lit, il l'entend se rapprocher, sent le contact du métal froid sur sa tempe, et puis il rouvre les yeux par réflexe, et alors leurs regards se croisent enfin et, contre toute attente, il les referme, ne bouge pas, attend.

Il sait qu'elle l'a vu, qu'une lutte atroce la déchire. Il a peur bien sûr, mais il veut par cet acte lui prouver qu'il n'est pas un lâche, espérant peut-être qu'ainsi elle change d'avis à son sujet. Après de longues minutes de torture mentale, il rouvre les yeux et constate avec soulagement qu'elle est partie…

Charlotte chercha le passage, qu'elle avait souligné au stylo noir.

– Et il dit ensuite cette phrase incroyable : *Je me suis levé, j'avais gagné ; elle, elle était vaincue, à tout jamais…* Cette pauvre jeune femme finit par se suicider en se jetant par la fenêtre. La première fois que je l'ai lu, j'étais adolescente, je pensais naïvement qu'il était improbable qu'un couple en arrive là, à ce sadisme, ce combat quotidien et silencieux…

Charlotte ne put retenir quelques larmes. Gêné, Andrew posa sa main sur la sienne.

Et, devant cette attention qu'elle n'avait pas pu trouver ailleurs en cette journée d'été, elle lui parla de sa peine, de l'homme avec qui elle partageait sa vie, de cette angoisse qui peu à peu la gagnait à l'idée de vivre seule…

À un moment, comme si elle savait qu'elle était allée un peu trop loin dans la confidence, Charlotte s'arrêta de parler, espérant que ses paroles n'avaient pas eu un effet déraisonnable chez ce jeune homme à peine sorti de l'adolescence.

– Pardonne-moi de te raconter mes histoires, dit-elle en caressant affectueusement sa joue. Toi, tu as encore tout à construire, surtout ne gâche pas cette chance.

Debout de l'autre côté de la place, Martin faillit de rage frapper le mur de son poing. Charlotte l'aurait peut-être aperçu si elle avait tourné la tête, si elle avait senti son regard posé sur elle, ce regard qu'elle avait souvent tenté de peindre pour arriver à en saisir toutes les nuances. Cela faisait déjà un certain temps qu'il se tenait caché derrière le mur, à essayer de comprendre ce qu'ils pouvaient bien se dire. Il était passé ici par hasard, après avoir fait quelques courses pour préparer le dîner, et l'avait vue dans ce bar, discutant avec un jeune homme deux fois plus jeune qu'elle. Il avait eu la nausée quand il avait posé sa main sur la sienne, et quand Charlotte avait caressé sa joue.

Il suffit d'un rien pour qu'un monde s'effondre.

Martin s'adossa contre le mur, le corps comme pétrifié, avec la sensation qu'une masse chaude lui remontait par la gorge.

Puis il s'en alla sans jeter un regard de plus vers sa femme, laissant ses courses étalées sur les pavés.

Un peu plus tard, le soleil à peine couché, Charlotte sortit du bar en croisant une marchande de fleurs qui, dans son élan, manqua de la bousculer, puis elle ferma les boutons de son manteau et marcha en direction de la vieille ville.

Entendant quelqu'un courir derrière elle, elle se retourna et vit que c'était Andrew, qui, la rejoignant, lui tendit une énorme rose blanche. Elle la saisit par la tige, un peu surprise. Les roses blanches avaient toujours été ses fleurs préférées, du moins depuis cette fois où Martin lui en avait offert un énorme bouquet une semaine après leur rencontre.

Andrew l'embrassa sur la joue et lui souhaita bonne chance, avant de retourner vers le bar. Charlotte, la rose à la main, faillit le rappeler pour lui donner son numéro de téléphone afin qu'ils se voient à Londres, mais elle se ravisa en se rendant compte à quel point c'était une idée stupide, presque blessante envers une femme qui agonisait en silence dans sa chambre.

Elle se retourna en humant le parfum de la rose, puis continua d'avancer pour rejoindre son appartement, où elle espérait tant que Martin l'attende, prêt à discuter, et qu'il dissipe ensuite toutes ses craintes par la seule force d'une étreinte.

Tout autour d'elle, le monde, par son silence soudain, semblait déjà retenir son souffle.

Assis sur un des bancs du belvédère de Hatham Cove, Martin observait Kate qui se tenait au bord de la falaise un écouteur de son iPod dans l'oreille, le regard braqué sur l'horizon, comme guettant les bateaux.

Il était six heures et quart, autour d'eux le jour se levait à peine.

Kate lui avait demandé de la déposer ici, car elle voulait revoir ce panorama une dernière fois avant de partir pour de bon. Elle s'y était souvent promenée quand elle était plus jeune avec sa mère. Le premier train partait dans une heure à peine, et Martin avait décidé de rester avec elle pour être sûr qu'elle ne risque rien. Et puis sa compagnie lui permettait de penser à autre chose, de mettre tout ce qui allait se passer par la suite en suspens.

Elle avait un peu évoqué les raisons de son départ pendant le trajet. Elle avait perdu ses deux parents dans un accident de voiture survenu près d'Exeter un an auparavant et vivait depuis dans une famille d'accueil. Kate n'avait jamais réussi à s'y sentir chez elle et en vérité jamais fait d'efforts pour. Elle était persuadée que ses deux parents à présent morts, elle n'avait plus rien à faire ici, dans ces terres froides et grises, et rêvait depuis longtemps d'aller en Californie, où avait vécu sa mère jusqu'à l'adolescence. Elle s'était préparée depuis des semaines et avait décidé de rester tout d'abord quelque temps à Londres chez une amie et de se dégoter un petit boulot pour payer son billet d'avion. Possédant la double nationalité, elle comptait se débrouiller une fois arrivée là-bas.

Elle avait attendu qu'ils dorment tous pour prendre son scooter, et, s'il n'était pas tombé en panne, elle serait assise dans un café à attendre son train. Elle semblait parfaitement savoir ce qu'elle faisait et n'agissait pas sur un coup de tête. Sa jeunesse lui permettait de croire que tout quitter de façon si brusque changerait les choses. Tout comme Charlotte, une vingtaine d'années auparavant.

Martin alluma une cigarette. Kate le rejoignit et s'assit à ses côtés.

– Tu n'as pas peur que tes tuteurs te fassent rechercher ? Tu as quel âge, seize, dix-sept ans ?

– Je viens d'avoir dix-sept ans. Je leur ai laissé une lettre où je leur explique un peu les choses. Je pense qu'ils seront soulagés en fait, on ne s'entendait pas très bien et je leur ai plutôt mené la vie dure. Et puis ils ont assez de leurs propres gamins. Je les appellerai quand je serai installée, comme ça, ils verront que je peux me débrouiller seule.

– Tu sais où tu vas travailler à Londres ? Il faut que tu gagnes bien plus que le prix du billet pour partir dans de bonnes conditions.

– Non, pas vraiment, mais en même temps ce ne sont pas les petits boulots qui manquent. L'important, c'est de me faire du fric le plus vite possible, au pire je vendrai mon cul, j'ai une de mes copines qui le fait, tu verrais tout ce qu'elle gagne ! Quand j'y pense, ça ne doit pas être si compliqué.

Martin écarquilla les yeux, se demandant s'il avait bien entendu.

– Martin ! Je plaisante ! dit Kate, presque vexée qu'il l'ait crue. Et toi, tu as des enfants ?

– Non… Enfin si, j'ai eu un fils, il s'appelait Jules, mais il nous a quittés alors qu'il n'avait que trois mois.

– Oh, je suis désolée…

– Ne le sois pas, c'était il y a longtemps. Il aurait à peu près ton âge s'il avait vécu…

Disant cela, il saisit une grosse pierre et la jeta dans le vide.

Jules.

Il se surprit d'en avoir parlé aussi ouvertement, le sujet étant devenu, au fil des années, presque tabou entre Charlotte et lui. Martin n'était pas du genre à ressasser les anciennes blessures, et puis cet enfant, il n'avait pas vraiment eu le temps de le connaître, et même si, il le savait, elle n'avait pas passé un seul jour sans souffrir de son absence, sans penser à ce petit être encore protégé au creux de son ventre puis si fragile dans ses bras, sans, après sa mort, le chercher de façon plus ou moins consciente dans le visage et les attitudes des enfants et plus tard des adolescents qu'elle croisait. Trois semaines plus tôt, un soir où il était entré dans son atelier pendant qu'elle était partie chez une amie, il était tombé sur la dernière toile de la série qu'elle avait commencée un an après la mort de Jules, et qu'elle enrichissait depuis à chacun de ses anniversaires. Dix-sept toiles au total, représentant Jules tel qu'elle avait aimé l'imaginer à chaque âge d'une vie qu'il n'avait pu continuer, les seules de ses œuvres qu'elle gardait précieusement pour elle et qu'elle ne consentirait jamais à offrir aux regards des autres.

Charlotte avait pendant longtemps refusé de faire un nouvel enfant, trop persuadée que ce qu'elle avait perdu était irremplaçable. Puis, quand les années passant l'envie s'était à nouveau fait ressentir, son ventre avait refusé de leur faire ce cadeau.

Peut-être que tout aurait pu être différent entre eux si on leur avait laissé une seconde chance.

– Tiens, écoute ça, dit Kate en lui donnant un des écouteurs.

Il le mit dans son oreille et reconnut les premières mesures de *There Is a Light That Never Goes Out*.

– Tu aimes les Smiths ? demanda Martin.

– De plus en plus, c'est mon ex qui me les a fait découvrir et j'adore cette chanson.

– Je les ai vus en concert à Londres en 1986 avec mon grand frère pour la sortie de *The Queen Is Dead*, j'avais environ ton âge, depuis il ne se passe pas une semaine sans que j'écoute au moins un de leurs morceaux.

– Oui, c'est vrai que tu as connu les années 1980, toi, fit Kate l'air compatissant.

Martin éclata de rire, et se garda de dire que, s'il le pouvait, il y retournerait sans hésiter.

Kate sourit et chantonna les paroles :

– *Driving in your car, I never want to go home, because I haven't got one, anymore...*

– Tu es plutôt douée, dit Martin, réellement surpris.

– Beaucoup moins que ma mère, mais on va dire que je me débrouille. J'ai jamais pris de cours de chant et ici c'est plutôt mort question musique. Quand j'arriverai en Californie, la première chose que je ferai sera de chercher un petit groupe sympa pour pouvoir vraiment débuter. Je ne rêve pas de devenir célèbre, ça, je m'en fous, juste pouvoir me produire chaque soir devant des gens différents. J'ai passé des heures et des heures à m'exciter toute seule dans ma chambre en faisant semblant de chanter sur une scène, à imaginer toutes ces personnes debout face à moi, et qu'à un moment de leur vie ma voix puisse les toucher. D'ailleurs c'est comme ça que mes parents seraient tombés amoureux l'un de l'autre, un jour où ma mère chantait dans un parc de Londres. Mon père se promenait dans le coin avec des amis et la voix de ma mère l'a figé dans son élan et lui a fait oublier tout le reste. Il s'est approché le plus possible de la scène, et alors leurs regards se sont croisés et il s'est passé un truc de dingue entre eux, comme une décharge électrique. Et depuis ils ne se sont plus jamais quittés. Ils m'ont raconté cette histoire après un dîner un peu arrosé, je ne sais pas trop si dans la réalité ça a vraiment été aussi romantique... Quoi qu'il en soit, tu vas penser que je suis cruche, mais depuis je suis certaine qu'un jour il m'arrivera la même chose...

Kate tourna le visage vers Martin, qui avait le sourire aux lèvres.

– Ne te moque pas, hein ! dit-elle en le poussant par l'épaule. À mon âge j'ai encore le droit de croire à toutes ces conneries...

À ton âge, on a encore tous les droits, pensa-t-il en rangeant son paquet de cigarettes dans la poche de son manteau, ce qui fit tomber son portefeuille dans l'herbe.

Une photo en dépassait et Kate la saisit aussitôt. Elle représentait Martin et Charlotte enlacés, tous deux fixant l'objectif. Martin sentit une boule se former dans sa gorge. Elle avait été prise à Paris, sur le pont des Arts. Il l'y avait emmenée en week-end à peine cinq mois après la mort de Jules.

– C'est ta femme ? Elle s'appelle comment ?

– Charlotte, murmura-t-il.

– Elle est super-belle !

Bien sûr qu'elle était belle, la plus belle femme qu'il ait jamais rencontrée, une beauté à présent figée, froide, salie par la terre. Broyée par ses propres mains.

L'émotion qui le frappa à cet instant fut trop soudaine pour qu'il puisse la contrôler. Il détourna le visage à temps pour que Kate ne le voie pas éclater en sanglots.

Ses mains serrant son cou le plus fort qu'il le pouvait, ivre de rage, laissant sans regrets toutes traces de vie s'écouler de son regard.

Elle ne s'était pas débattue, pas une seule fois. Elle s'était contentée de le fixer droit dans les yeux, comme si tout cela n'avait plus la moindre importance.

Peut-être ne pensait-elle pas qu'il puisse aller jusqu'au bout. Peut-être était-ce la seule chose qu'elle attendait.

– Désolée si j'ai fait une gaffe, dit Kate en rangeant la photo.

– Non, ce n'est pas du tout ça, ne t'inquiète pas.

– C'est juste que j'ai beaucoup parlé de moi et que je ne sais pas grand-chose à ton sujet en fin de compte…

– Et que veux-tu savoir ?

– Bah, par exemple, tu fais quoi dans la vie ?

– Je suis éditeur, à Londres.

– Ah oui, c'est sympa ! Bon, je ne suis pas une très grande lectrice, mais ça doit être cool comme boulot ! Tu as édité des best-sellers ?

– Non, pas vraiment, je suis plutôt spécialisé dans les livres d'art.

– Ah d'accord, dit Kate, déçue. Et tu es venu faire quoi ici ?

– Me reposer, prendre le temps de lire, d'écrire.

Le corps de Charlotte qu'il balançait dans la fosse, puis qu'il recouvrait de terre.

– Non, en fait je voulais dire ici, au bord de la falaise en pleine nuit. Tu as des insomnies ? Je t'avoue que quand je t'ai vu dans ta voiture, j'ai eu peur que tu sois ce tueur en série dont parlent les infos. Cette histoire est carrément flippante. Je suis sûre que ce mec habite tout près, si ça se trouve je l'ai déjà croisé...

– Et pensant cela, tu es quand même montée avec moi ?

– Bah ouais, je n'avais pas trop le choix de toute manière, je ne me voyais pas faire trente bornes à pied en pleine nuit. J'ai eu tort ?

Elle le regarda fixement, comme étudiant sa réaction. Martin se demanda ce qu'elle attendait de lui au juste. Qu'il avoue qu'il avait bien tué ces pauvres filles ? Histoire de lui procurer ce petit effroi dont étaient friands les adolescents ? Et s'il lui disait ce qu'il avait vraiment fait à Charlotte, qu'elle était en présence d'un meurtrier mais pas de celui auquel elle pensait, comment réagirait-elle ?

Il ne pourrait supporter qu'elle le voie de la même façon que sa femme lors des dernières secondes de sa vie.

– Bon, on ferait mieux d'y aller si tu ne veux pas louper ton train, dit-il, après avoir vérifié l'heure sur sa montre. Mais je peux aussi te raccompagner chez ta famille d'accueil si tu veux, ça ne me dérange pas.

– Non, je n'ai pas changé d'avis. Ce n'est pas vraiment le moment de changer d'avis, tu ne crois pas ?

Martin acquiesça, puis il se leva et l'aida à se lever à son tour.

Dans la petite gare de Hatham Cove, il profita du fait que Kate soit partie acheter son billet pour tirer deux mille livres à un distributeur automatique, qu'il ajouta aux quatre cents qu'il avait déjà dans son portefeuille.

Il la rejoignit sur le quai et glissa la liasse dans la poche de sa veste.

– Tiens c'est pour t'acheter ton billet d'avion quand tu arriveras à Londres. Ne perds pas de temps, continue sur ta lancée si c'est réellement ce que tu souhaites.

– Martin, je ne peux pas accepter...

– On ne refuse pas un cadeau, répondit-il en sortant un petit papier de son portefeuille. Cela me fait plaisir de pouvoir faire ça pour toi. Je te marque là-dessus le numéro de téléphone et l'adresse d'une très bonne amie à moi qui s'appelle Camilla. Elle vit seule dans une grande maison à Pasadena depuis que ses enfants sont partis à l'université. Dis-lui bien que tu viens de ma part et explique-lui ton histoire, elle sera ravie de te loger le temps nécessaire. Je la préviendrai par texto. Je sais que tu ne veux rien devoir à personne, mais c'est important que tu connaisses quelqu'un de confiance là-bas, que tu aies un vrai point de chute. C'est la seule chose que je te demande, tu l'appelles en sortant de l'aéroport, promis ?

– D'accord, dit Kate en prenant le papier, je le ferai... File-moi ton adresse mail, je t'écrirai pour te donner des nouvelles. Et puis je te rembourserai quand j'aurai des thunes, je te le promets.

– T'occupe pas de ça, c'est sans importance, crois-moi.

Kate prit sa main dans la sienne et la serra.

– J'ai peur, tu sais, j'ai vraiment peur...

– Je sais. C'est normal d'avoir peur. Mais c'est comme tout, ça passera, et plus vite que tu ne le crois.

Et puis tu auras intérêt à penser à moi quand tu chanteras ta première chanson sur scène.

Kate se mit à rire, puis elle l'embrassa sur la joue.

Et ses lèvres dérivèrent jusqu'aux siennes.

Surpris, Martin recula de quelques pas. En queue de train, le contrôleur siffla pour signaler le départ. Kate monta les marches tout en ne le quittant pas des yeux et lui dit une dernière fois merci avant que les portes ne se ferment. Martin se rendit compte que des larmes coulaient le long de ses joues, mais elle détourna vite le visage pour les lui cacher.

Il regarda le train s'éloigner, se rêvant à l'intérieur, libre de tout laisser derrière lui et d'espérer que l'horreur qu'il avait commise ne le rattrape jamais.

Il retourna dans la salle des pas perdus, il remarqua Tom, l'ami de Charlotte qui possédait un bar en centre-ville et qui revenait à son tour du quai, comme s'il venait lui aussi d'y accompagner quelqu'un. Il lui signala sa présence mais celui-ci se dirigea sans le voir vers la sortie d'un pas pressé.

Martin décida d'aller marcher un peu avant de rentrer dans son appartement vide. Y retourner serait une torture. Tout ce qu'il devrait faire par la suite, une torture encore plus grande.

Il descendit l'avenue menant à la mer et longea la plage alors que des coureurs faisaient leur footing matinal, puis il continua sa route en empruntant un petit chemin qui menait au sommet de la falaise et retrouva l'endroit où, trois ans auparavant, ils étaient partis avec Charlotte pour camper et contempler les feux d'artifice. Ils avaient ce jour-là passé toute l'après-midi au lit, puis ils étaient sortis en début de soirée avec une bouteille de vin rouge et un panier rempli de nourriture. Ils avaient dormi sur place et s'étaient réveillés juste avant que les premiers rayons du soleil n'effleurent leurs visages, émerveillés par les teintes pastel d'un ciel renaissant.

Cette femme maintenant enterrée comme un vulgaire animal. Sa bouche remplie de terre, sa peau étouffée. À quoi bon tous ces moments partagés ensemble, si c'était pour en arriver là.

Martin s'assit sur une grosse pierre blanche. Des dizaines de mouettes criaient dans un ciel fait pour être peint ; au loin se dessinait la forme embrumée d'un cargo qui voguait vers la France. Il envoya comme promis un texto à son amie Camilla, pour la prévenir qu'une jeune femme prénommée Kate viendrait peut-être la voir un jour de sa part, et lui demander de l'héberger pour un temps si elle le pouvait.

Il rangea son téléphone et remplit ses poumons de l'air iodé venant du large, les plants d'herbes alentour frémissant sous le vent froid.

Il sentit sa présence avant de la voir vraiment. Et quand il tourna la tête, son visage s'illumina.

Charlotte était là, assise juste à côté, scrutant la mer. Sa beauté intacte. *Comme avant.* Martin ne put rien faire d'autre que la regarder, n'osant pas s'avancer vers elle et ainsi rompre le charme. Elle paraissait si paisible. Savait-elle qu'il était là, tout près ?

Il frôla du bout des doigts sa peau humide, une mèche de cheveux. À peine eut-il envie de lui demander pardon qu'elle était déjà partie. Le vide qu'il ressentit alors devint infiniment plus profond que celui qui s'étalait à ses pieds.

Le regard braqué vers l'horizon, il se leva de façon résolue. Prêt à atteindre l'autre rive.

Une fois là-bas, tout faire pour la retrouver.

Martin souffla un grand coup en fermant les yeux. Puis il marcha droit devant lui, sans s'arrêter, vers le bord de la falaise.

Cent mètres en dessous, le bruit des vagues se fracassant.

CLÉMENT

Cent mètres en dessous, le bruit des vagues se fracassant.

Clément Brécourt ouvrit péniblement les yeux et discerna à travers ses cils encore un peu collés le bleu sale de la mer qui s'étalait à perte de vue. Un air vif lui fouetta le visage et chassa les dernières somnolences. Il se rendit compte qu'il avait les bras attachés par des cordes, ainsi que les chevilles. Ne comprenant rien à ce qu'il se passait, il s'agita pour se libérer mais les liens étaient beaucoup trop serrés. Il roula alors sur le côté, avec l'impression de ne plus avoir de forces, ses muscles tout engourdis, comme si on l'avait drogué.

Drogué.

Cela expliquait pourquoi il n'avait aucun souvenir de comment il était arrivé ici, ni de qui l'avait ligoté de cette façon, ni pourquoi.

Le ciel était d'un terne éclat, mais qui suffisait pourtant à lui brûler les yeux. Il tourna le visage vers les terres et remarqua sa propre voiture, garée à une vingtaine de mètres de là. Le coffre était ouvert, une femme se tenait à côté et fouillait à l'intérieur. Il ne pouvait discerner les traits de son visage. Le simple fait de se concentrer sur sa silhouette brouilla sa vision et lui fit mal dans tout l'arrière du crâne.

Voyant qu'il était réveillé, la femme ferma le coffre et marcha dans sa direction, un gros sac de sport noir à la main.

– Putain, mais vous êtes qui ? demanda Clément d'une voix enrouée. Qu'est-ce que je fous là ?

Sans un mot, elle jeta le sac à ses pieds. Elle avait dans les quarante ans, des cheveux noirs et raides détachés sur les épaules, vêtue d'une veste marron et d'un jean. Clément aperçut une petite cicatrice sous son œil droit, qui ressemblait à la marque laissée par une lame de couteau. Il ne l'avait jamais vue auparavant, et il n'oubliait jamais un visage.

– Mais répondez-moi, bordel ! cria-t-il en se débattant à nouveau. Je ne sais pas ce que vous voulez, mais vous faites une putain d'erreur !

La femme alluma une cigarette, s'amusant à faire craquer les jointures de ses gants en cuir.

– C'est ta copine ? demanda-t-elle en lui tendant une petite photo d'identité qu'elle avait prise dans son portefeuille.

– Oui, répondit-il un peu surpris.

– Comment elle s'appelle ?

– Chloé.

– Joli prénom pour une jolie jeune fille… Vous êtes ensemble depuis longtemps ?

Autour d'eux aucune habitation, aucune route d'où un passant pourrait les voir.

Perdus au milieu de nulle part.

– Je t'ai posé une question, Clément, je te conseille de ne pas trop perdre de temps à me répondre.

– Un an.

– C'est du sérieux alors. D'ailleurs, puisqu'on en parle, jusqu'où serais-tu capable d'aller, toi, par amour ?

Clément resta silencieux, se demandant où elle voulait en venir.

– Tu ne veux pas répondre ? Ou tu n'en sais rien ? Parce que moi, si tu me posais la question, je te dirais que je serais capable de faire n'importe quoi…

Elle lui montra une autre photographie, usée et en noir et blanc.

– Pour Serge, et sans regrets.

Sur la photo, elle était enlacée avec un homme qu'il reconnut aussitôt.

Serge Zariski.

Il baissa les yeux, avec l'impression d'avoir reçu un coup de massue derrière la nuque.

– Tu n'as toujours rien à me dire ?

Maintenant il savait à quoi s'en tenir. Il devait prendre le temps de réfléchir à la meilleure chose à répondre. Elle connaissait forcément ses liens avec Serge, sinon elle n'aurait jamais pris le risque de l'emmener ici, cela ne servait à rien de nier.

– Écoutez, si c'est au sujet de ce qui est arrivé à Serge, je ne suis au courant de rien !

Elle le gifla avec une telle force qu'il en tomba à la renverse, ses coudes nus se cognant sur des cailloux d'un rouge sanguin.

– Ne joue pas à ce petit jeu avec moi, je risque de ne pas être très patiente.

– Quoi ? Vous voulez que je vous dise quoi ? Que c'est moi qui l'ai buté ?

– Mais je le sais que c'est toi ! Et maintenant c'est le moment de payer pour ce que tu as fait, j'espère juste que tu seras toujours conscient quand ta jolie petite gueule ira s'écraser en bas !

Sous le choc, il se débattit à nouveau, mais en vain. Son corps était prisonnier, mais pas sa voix. Il hurla à l'aide, le plus fort possible ; le vent captura son cri pour l'emmener loin au-dessus de la mer.

– Ne perds pas ton temps, dit-elle en appuyant la pointe de sa botte sur son torse. Il n'y a jamais personne qui passe par ici depuis que la route est barrée.

Clément, épuisé, sentit les larmes monter et détourna le visage. S'il arrivait à se libérer, c'est elle qu'il ferait pleurer.

– Serge m'avait tout raconté, continua-t-elle. Tes trafics, tes petites magouilles, le sang que ton oncle et toi avez sur les mains. Tu sais tout comme moi qu'il avait prévu de te dénoncer aux flics. Maintenant, quand je te vois, je me demande pourquoi il avait autant peur de toi…

Elle s'agenouilla à côté de lui, un air de dégoût sur son visage.

– Ce que tu ne sais pas, c'est qu'on avait prévu de partir tous les deux, de tout quitter, cela faisait des semaines qu'on se préparait. Et puis un soir j'ai reçu ce coup de téléphone qui a tout foutu en l'air… L'enquête a été tellement bâclée que je n'ai plus aucun espoir que tu payes pour ce que tu as fait. Et ça, je ne peux plus l'accepter.

Elle se pencha et saisit une grosse pierre noire et très aiguisée.

– Tu sais ce qu'est la vraie douleur, Clément ? En as-tu au moins une seule fois dans ta vie fait l'expérience ?

Tétanisé, il ne put quitter la pierre des yeux, grelottant sous le vent froid qui venait du large. Elle était folle, il n'arriverait jamais à la raisonner. Il devait pourtant trouver un moyen de parvenir à s'échapper.

La femme souleva son t-shirt jusqu'aux épaules et promena la pointe de la pierre le long de son torse. Et, avant qu'il ait pu dire quoi que ce soit, elle leva le bras et le frappa en plein dans le ventre.

Clément hurla et se recroquevilla sur le côté. La douleur, transperçante, odieuse, lui donna l'impression qu'elle continuait à le frapper, et il cracha un peu de salive qui se mêla aux cailloux.

Encadrée du bleu du ciel, la femme éclata de rire, un rire éclaboussant de sales promesses. Elle le saisit fermement par le menton et plaça son visage juste au-dessus du sien, comme si elle cherchait à se contempler dans ses larmes.

– Ce n'était que physique, dit-elle en s'asseyant sur lui tout en le maintenant serré entre ses cuisses. Cela ne peut pas se comparer avec ce que j'endure depuis des mois par ta faute, tu peux me croire. Pourtant c'est la seule douleur que je peux t'infliger…

Clément n'osa tout d'abord plus faire le moindre geste, la laissant écarter les paupières de son œil droit et lui mettre la pointe de la pierre juste au-dessus de l'iris. Puis il secoua la tête en hurlant, et le saisit par les cheveux pour le forcer à rester immobile.

– Tu n'as toujours rien à me dire ? demanda-t-elle en gardant la pointe de la pierre sur son œil.

– O.K., putain ! Oui, je savais que Serge avait décidé de foutre sa merde, mais ce n'est pas moi qui l'ai buté ! Je n'étais même pas là, je suis arrivé bien après !

La femme ne réagit pas, visiblement surprise.

– Tu te fous de moi, c'est ça ?

– Non, je vous jure que c'est la vérité !

– Alors dis-moi qui l'a tué !

– Je ne peux pas !

– Tu n'as pas le choix, Clément ! ce serait vraiment dommage que tu payes pour quelqu'un d'autre, non ?

Il comprit que s'il ne crachait pas le nom maintenant, elle ne le laisserait jamais tranquille.

– Arnaud, dit-il sans oser lever les yeux vers elle. Arnaud Costa.

– Ton associé ?

– Oui.

– Tu as au moins une preuve de ce que tu avances ?

– Non, bien entendu que je n'ai rien, vous pensez qu'il a filmé la scène, ou quoi ?

– Son numéro est dans ton répertoire ? dit-elle en lui tendant son smartphone.

– Oui.

– Eh bien, on va l'appeler. Tu te débrouilles comme tu veux, mais je veux l'entendre de sa bouche.

– Mais sérieux, comment voulez-vous que je fasse ! Il va forcément flairer l'embrouille !

Elle le gifla avec le dos de la main.

– Comme aux enfants, pas de « mais ».

Sa joue se mit à chauffer, il se vit la gifler à son tour. Et lui ne s'arrêterait pas.

La femme chercha le bon numéro dans le répertoire de Clément et appela en mettant le haut-parleur.

Pas de sonnerie. On tomba directement sur le répondeur.

Elle essaya une autre fois, sans succès.

– Pas de chance, hein, fit-elle en raccrochant.

– C'est Arnaud, je vous jure que c'est Arnaud ! Il devait juste l'amocher avant que j'arrive, mais les choses ont dégénéré et quand je les ai rejoints, il était déjà trop tard ! J'avais prévu de filer un bon paquet de thune à Serge pour qu'il la ferme, j'étais à peu près sûr qu'il accepterait. Il m'a toujours été très utile, je ne voulais pas que ça se finisse de cette manière !

La femme jeta la pierre dans l'herbe. Elle semblait totalement abattue, comme si toutes ses certitudes venaient de voler en éclats. Clément se surprit à la plaindre. Mais il comprit aussi qu'il avait une vraie chance de s'en tirer.

– Je ne pouvais pas dénoncer Arnaud. Sinon je risquais de tomber moi aussi pour tout le reste. J'étais coincé.

– Et tu l'as laissé dans cette ruelle, comme un chien.

– Je sais. Je suis désolé. Vous me croyez, n'est-ce pas ?

– Arnaud… Pourquoi n'y ai-je pas pensé avant… J'étais sûre et certaine que c'était toi… Putain, je suis trop conne.

– Il n'est pas trop tard, détachez-moi maintenant, et on oubliera toute cette histoire…

– Te détacher ? Après tout ce qu'il vient de se passer, tout ce que je sais sur toi ? Tu me crois vraiment aussi conne ?

– Et donc vous allez faire quoi ? Me balancer à la mer alors que je n'ai rien fait ?

– Non, bien sûr que non, il n'en a jamais été question de toute manière…

Elle prit alors un petit magnétophone caché dans sa poche et soupira.

– J'avais simplement prévu de te pousser à bout, puis de t'enregistrer pendant que tu avouerais tout et me rendre à la police. Tu vois à quel point j'étais à côté de la plaque…

Elle jeta le magnétophone dans le vide. Clément chercha les mots qui pourraient la mettre définitivement de son côté. Mais ses pensées étaient trop embrouillées, il n'arrivait pas à se concentrer.

– Tu n'as jamais eu envie de fuir tout ça ? demanda-t-elle d'une voix plus douce. De tout laisser tomber ? Serge était tellement cabossé par la vie, c'était le seul moyen qu'il avait à sa disposition pour garder la tête hors de l'eau, mais toi ? Tu n'as jamais manqué de rien, ce n'est pas une simple question de pognon, on ne peut pas tout résumer à ça, n'est-ce pas ? Je t'ai beaucoup étudié, le cliché du petit gosse de riche trop habitué à tout se faire servir sur un plateau d'argent. Et c'est ce qui est le pire. Toi, tu avais le choix. Toi, tu avais les bonnes cartes en mains dès le départ. Mais tu aimes trop que les gens soient à ta botte… Au bout du compte je te plains. Tu t'es toi-même construit les quatre murs qui t'entourent, Clément, ne l'oublie jamais…

Elle se releva alors, une seringue remplie d'un liquide clair à la main. Avant que Clément n'ait le temps de se défendre, elle l'attrapa par les cheveux et lui enfonça l'aiguille dans le cou.

Il poussa un cri, ses yeux plongés dans les siens, tout ce qui l'entourait commençant déjà à se troubler.

– Et un petit conseil, lui chuchota-t-elle à l'oreille. N'essaie pas de me retrouver, je ne serais pas aussi indulgente la prochaine fois…

B.

Avec la dose qu'elle lui avait administrée, il dormirait au moins deux heures. Largement le temps nécessaire. Béatrice prit un gros cutter dans son sac de sport et coupa les liens qui maintenaient ses bras et ses chevilles attachés. Une fois qu'elle eut fini, elle pressa la lame sur son cou, prête à lui trancher la gorge.

Cela serait au fond si facile.

Trop facile.

Elle jeta les cordes, la seringue et le cutter dans le sac.

Un voilier blanc voguait au loin, ressemblant à celui qu'avait acheté Serge pour fêter le quatrième anniversaire de leur rencontre, et avec lequel ils étaient partis tant de fois avec l'envie commune de ne plus jamais revenir. L'été dernier, ils avaient accosté sur une petite île rocheuse à une trentaine de kilomètres au sud de la Bretagne et étaient tombés par hasard sur une petite maison en pierre construite face à la mer et visiblement abandonnée depuis des années. Ils y avaient passé la nuit, prêts à tout plaquer pour venir s'y réfugier.

Ses murs de pierre les auraient-ils vraiment tenus à l'abri ?

Une onde frémissante lui parcourut le corps. Elle le savait tout près d'elle, comme à chaque fois qu'elle se sentait trop seule pour arriver à tenir le coup. Peut-être admirait-il à son tour le voilier qui s'éloignait, se souvenant de tous ces instants heureux, tous ces projets avortés. En se concentrant, elle eut l'impression d'apercevoir sa silhouette se tenir au bord de la falaise, en équilibre précaire, incapable de la quitter totalement et de basculer de l'autre côté. Elle tendit alors la main dans sa direction, sentit l'air frais caresser ses doigts.

Puis la présence disparut. À nouveau le vide infâme.

Béatrice essuya du bout des doigts les quelques larmes qui perlaient au coin de ses yeux. Il était temps, elle ne pouvait plus reculer.

Elle s'assura de ne rien avoir oublié, puis elle marcha vers la voiture de Clément et en ouvrit à nouveau le coffre.

C.

Ses forces revenaient peu à peu. Ses poignets et ses chevilles n'étaient plus attachés.

Elle était partie. Il était seul.

Libre.

Clément se releva en chancelant et vérifia en balayant la campagne du regard que cette folle n'était pas cachée quelque part, prête à surgir.

La portière de sa voiture était restée ouverte, les clefs sur le contact. Ne voulant pas trop chercher à comprendre, il s'assit sur le siège avant et démarra.

Il reconnut assez rapidement l'endroit où il était, à peine à une vingtaine de kilomètres d'où il habitait. Il alluma l'autoradio et roula cramponné au volant, vérifiant parfois dans le rétroviseur que personne ne le suivait.

Et elle ? Comment était-elle partie ? Avait-elle une voiture qui l'attendait quelque part ? Comptait-elle rejoindre la ville à pied ?

Il appuya sur l'accélérateur et imagina la voir marcher sur le bas-côté de la route et la faucher à plus de cent kilomètres/heure.

Son sang, ses os, ses dernières pensées répandues sur le bitume.

De retour dans sa grande maison de béton qui surplombait la mer, il s'enferma à double tour et enclencha l'alarme.

D'abord il devait savoir qui elle était, comprendre.

Il prit son téléphone portable et appela un de ses hommes. Après plusieurs sonneries dans le vide, une voix masculine répondit.

– Driss ? C'est Clément. Tu es seul ? Écoute, c'est à propos de Serge Zariski… Putain, laisse-moi parler ! Il avait une nana, je veux que tu me donnes toutes les informations possibles sur elle, son nom, où elle habite… Tu te démerdes comme tu veux mais je veux ça au plus vite… N'en parle à personne, je compte sur toi… Tiens-moi au courant. Bye.

Il composa un autre numéro. Après quatre sonneries, il tomba sur le répondeur de Chloé.

– Ma puce, c'est moi… Je voulais m'excuser, je comprends que tu ne souhaites pas me répondre… J'avais juste besoin de te parler, d'entendre ta voix, rappelle-moi. Je t'aime.

Il raccrocha et jeta le portable sur le canapé. Il réessaierait un peu plus tard.

Une fine pluie mouillait peu à peu la baie vitrée. À cause de la brume qui venait du large, le ciel commençait au loin à se confondre avec la mer.

Chloé lui en voulait sûrement toujours depuis l'autre soir, encore trop blessée dans son orgueil de jeune fille de bonne famille. Alors qu'ils fêtaient son anniversaire, il avait trop bu et l'avait giflée devant tous leurs amis, lassé du ton insolent qu'elle prenait quand elle était avec ses copines. Elle était partie de chez eux sans le prévenir, et se terrait depuis chez sa mère. La dernière fois qu'elle avait fait ce genre de crise, elle n'avait plus donné de nouvelles pendant au moins une semaine.

Mais elle reviendrait. Elle ne savait que trop bien tout ce qu'elle risquait de perdre si elle le quittait.

Clément se rendit dans sa salle de bains, enleva son t-shirt et passa ses doigts sur l'ecchymose en forme de poire qu'il avait au ventre et qui prenait par endroits des teintes violacées, puis il avala deux antidouleurs, se déshabilla et prit une douche brûlante.

Une serviette nouée à la taille, il alluma sa télévision et se rassit dans le canapé, ne pouvant s'empêcher de penser à elle. Il savait qu'il avait eu énormément de chance sur ce coup-là. Si elle avait réussi à lui soutirer des aveux et à les filer aux flics, ils ne se seraient pas gênés pour rouvrir l'enquête et le faire tomber, pour cela et tout le reste.

Mais comment avait-elle fait pour entrer dans sa maison ? Depuis combien de temps avait-elle manigancé son coup ? Et pourquoi se donner autant de mal, courir tous ces risques pour battre en retraite aussi facilement ?

Clément se servit un verre de vodka et monta le son de la télévision. Il aurait toutes les réponses quand il la retrouverait, et l'embarras du choix dans ses façons de les obtenir.

Plus profonde serait la douleur, plus éclatante serait sa joie.

Il s'enfonça dans le canapé et se remémora Zariski agenouillé les poignets attachés dans cette ruelle près du port, le suppliant de le laisser en vie pendant qu'il s'amusait à faire des ronds sur son front avec le bout de son silencieux.

Ce traître qui avait cru pouvoir lui planter un poignard dans le dos.

Il se souvenait de chacun de ses gestes, de chacune de ses sensations, de cette excitation extrême qu'il avait ressentie quand il avait appuyé sur la gâchette.

Il avait veillé à ce que tout se passe exactement de la même façon que lorsque, un peu plus de deux ans auparavant, Walter Kendrick avait froidement exécuté l'un de ses hommes devant ses yeux.

C'était son oncle Victor qui lui avait proposé de l'accompagner à San Francisco, afin de rencontrer cet entrepreneur avec lequel il avait conclu de nombreuses affaires lors de ses précédents voyages aux États-Unis. Clément faisait à cette époque partie de sa garde rapprochée, son oncle ayant voulu lui apprendre les bases du métier avant de lui donner de plus hautes responsabilités. C'était la première fois qu'il se rendait dans ce pays qui le fascinait depuis qu'il était tout gamin, et qu'avec son père ils avaient pris l'habitude de se regarder tous les films de John Ford, Sidney Lumet ou Sam Peckinpah qui passaient à la télévision.

Une berline noire les avait attendus à la sortie de l'aéroport pour les amener jusqu'à cet immeuble situé au sud du Tenderloin, où le maître des lieux les avait reçus dans son immense appartement situé au dernier étage ; d'un luxe tapageur, outrancier, paon faisant la roue devant ses visiteurs.

Victor, pendant le vol, lui avait longuement parlé de Walter Kendrick ; de sa réputation dans le milieu ; de l'empire qu'il s'était construit au mépris de toutes les lois en vigueur ; de la terreur qu'il faisait régner dans ses rangs avec une main de fer dans un gant de fer.

À peine entré dans son bureau qui dominait la ville, Clément avait été particulièrement impressionné par le charisme de Walter ; cette aura électrique qui émanait de lui ; ce regard glacé qui devait inciter les plus faibles à vite détourner les yeux. Après qu'ils eurent échangé une franche poignée de main, un de ses hommes l'avait accompagné dans un petit salon, le temps que Victor et lui discutent affaires. Clément s'était assis sur un canapé en cuir et avait joué sur son smartphone tout en détaillant les tableaux accrochés aux murs.

Victor et Walter l'avaient rejoint une heure plus tard en riant comme s'ils étaient de vieux amis, et Walter les avait ensuite emmenés dîner dans un restaurant qui dominait la baie, puis dans une boîte de nuit lui appartenant à quelques rues de Chinatown, où il avait organisé en leur honneur une petite réception privée.

Tout en profitant du champagne et de la coke à profusion, Clément avait passé une grande partie de la soirée à admirer à quel point Walter polarisait toutes les attentions, tous les désirs, toutes les jalousies ; un roi en son royaume.

Quand il était rentré dans sa chambre d'hôtel, en plein milieu de la nuit, deux très jeunes femmes l'attendaient couchées nues sur son lit, cadeau spécial de Walter. Sa vision et ses gestes encore un peu altérés par l'alcool, il s'était déshabillé et les avait rejointes en s'allongeant sur le mince morceau de matelas qui restait libre entre leurs deux corps offerts.

Le lendemain matin, il avait accompagné son oncle dans la zone industrielle d'Oakland afin de visiter des entrepôts et tester différentes marchandises. Walter les avait rejoints en début d'après-midi en compagnie d'un de ses associés, spécialement venu de Los Angeles pour l'occasion, un grand blond à l'accent russe et avec qui il n'avait échangé qu'un bref regard. Tous trois s'étaient assis à une table dans le fond du hangar pour discuter affaires, puis, quand le Russe les avait quittés, Walter leur avait proposé de le suivre jusqu'à un vieil immeuble en brique qui paraissait désaffecté. Au troisième étage, un homme était ligoté à une chaise, le visage penché en avant et déformé par de nombreux hématomes. Walter leur avait alors expliqué qu'il s'appelait Michael Gibbs, qu'il travaillait pour lui depuis plus de quatre ans mais que cela ne l'avait pas empêché de le doubler.

Walter lui avait donné de petites claques pour le réveiller. L'homme avait alors relevé la tête tout en ouvrant les yeux, des larmes coulant entre les boursouflures de son visage ravagé.

Sans plus attendre, il lui avait tiré une balle en plein milieu du front, ce qui avait secoué Clément d'une déflagration si intense qu'il en avait senti ses joues s'enflammer, ses jambes trembler à se cogner, comme après un putain d'orgasme.

Deux des hommes de Walter avaient attrapé le cadavre par les bras pour l'emmener dans une autre pièce. Son arme à la main, Walter s'était mis à siffloter avec entrain, puis il s'était retourné vers eux le regard plein d'une ardeur toxique, afin de vérifier sur leurs visages que son avertissement étant parfaitement clair.

Encore un peu sous le choc, Clément avait tourné la tête vers son oncle, qui avec son flegme habituel lui avait fait un simple clin d'œil, avant que Walter le prenne par l'épaule et leur propose d'aller partager un dernier verre avant de se quitter.

Comme si de rien n'était.

En y repensant, Clément était persuadé que toute cette scène avait été parfaitement calculée, peut-être même bien avant qu'ils n'atterrissent sur le sol américain.

Mais le message avait été reçu. Bien plus qu'espéré.

Sur le vol du retour, il avait vite compris que quelque chose d'important s'était passé en lui, comme une clarté ; que s'il y travaillait dès maintenant, cette quarantaine d'heures irréelles deviendrait un jour sa propre réalité ; que ce ne serait plus tout à fait le même homme qui foulerait à nouveau les terres françaises, tendu vers un seul but.

Et maintenant, deux ans plus tard, son tour était enfin venu de montrer à tous sa puissance. Tuer Serge avait été un passage obligé, attendu, *message parfaitement envoyé à tous ceux qui pensaient pouvoir le trahir*, mais il restait encore tant de chemin à parcourir pour arriver à la stature d'un Walter Kendrick, et même si ce foutu pays ne lui permettrait jamais de vivre une aussi fulgurante ascension.

Son oncle commençait à se faire vieux. Un jour ce serait lui qui prendrait la relève, il le savait.

Dès lors plus rien ni personne ne pourrait se mettre sur son chemin.

Il leur apprendrait à tous à le craindre.

La pluie se mit à tomber de plus en plus fort, résonnant sur le puits de lumière ouvert dans le plafond.

Bientôt il connaîtrait l'identité de cette pute, et lui raconterait en détail comment il avait, sans le moindre remords, explosé la tête de son mec.

Avant de lui tirer une balle entre les deux yeux.

Clément regarda son reflet dans une glace accrochée sur le mur d'en face, et fit semblant d'appuyer sur la détente.

Un bruit sec sur sa droite le fit sursauter. Un simple volet qui claquait contre la fenêtre à cause du vent.

Son cœur se mit à battre à une cadence folle.

Un cœur apeuré.

Il saisit un verre vide posé sur la table et, de rage, le jeta contre le mur.

B.

Allongée sur son lit, elle admirait le ciel à travers la petite fenêtre de sa chambre tout en fumant sa première cigarette de la journée. Le plus gros de ses affaires était déjà rangé dans la camionnette qu'elle avait achetée chez un concessionnaire d'occasions. Il ne lui restait maintenant plus qu'à faire ses dernières valises et elle pourrait prendre la route.

Pour ne plus jamais revenir.

Elle irait d'abord voir son amie Sonia à Paris, puis elle descendrait dans le Sud rendre visite à sa mère. Depuis le temps qu'elle le lui promettait... Ensuite l'Espagne, l'Italie, l'Afrique... N'importe où pourvu que ce soit une terre de soleil, une terre étrangère.

Béatrice écrasa le mégot dans le cendrier, puis elle se prépara un café bien serré dans la cuisine.

La tasse à la main, elle s'adossa contre le réfrigérateur, et écouta par la fenêtre ouverte les bruits de l'immeuble résonner dans la petite cour.

Il était près de dix heures du matin, Arthur n'allait pas tarder à arriver au lieu de rendez-vous. Béatrice descendit le boulevard Mendès-France, qui coupait en deux ce quartier où elle avait l'impression de vivre depuis une éternité. Mais ce matin tout semblait différent, les scènes qu'elle voyait, pourtant si familières, ne se répercutaient pas de la même manière dans son cerveau ; elle se sentait comme en décalage, comme si un fragile équilibre s'était brisé depuis les événements de la veille, que cette banalité quotidienne ne lui serait dorénavant plus accessible.

Mais à quoi pouvait-elle s'attendre après tout ? Que son monde continue de tourner de la même façon ?

Elle acheta le journal dans un tabac qui faisait l'angle avec la rue Victor-Hugo. En sortant, elle remarqua un homme brun qui se tenait de dos au bord du trottoir et crut, l'espace d'un court instant, qu'il s'agissait de Clément. Mais elle comprit avec soulagement que c'était quelqu'un d'autre. Elle était idiote, elle n'avait pas à avoir peur. Personne ne savait où elle vivait. Serge y avait veillé pour la protéger de toute cette vie dans laquelle il se savait être le seul à pouvoir plonger.

Et bientôt elle partirait. Et il ne pourrait plus jamais l'atteindre.

Mais seulement si tout se passait comme prévu.

Son angoisse s'atténuant peu à peu, elle continua à descendre le boulevard tout en sachant au fond d'elle qu'elle ne serait vraiment rassurée que quand des centaines de kilomètres la sépareraient de cette ville.

Elle se rendit dans le petit square situé à une trentaine de mètres de là. Des enfants s'amusaient dans une aire de jeu que la municipalité venait d'aménager. Un avion de tourisme volait haut dans le ciel. Béatrice leva la main et en suivit la traîne de fumée blanche des doigts.

Elle feuilleta le journal jusqu'à tomber sur une demi-page consacrée à une nouvelle disparition d'adolescent dans la banlieue de Nantes ; un garçon du nom de Nathan Fargue, âgé de dix-sept ans à peine. Béatrice avait déjà entendu parler de cette histoire et pensa à son neveu Antoine, qui vivait là-bas et avait sensiblement le même âge. Tout en parcourant l'article, elle pensa à tous ces parents qui espéraient encore qu'il ne s'agisse que d'une succession de fugues, aucun corps n'ayant été retrouvé pour le moment. Mais elle, qui avait côtoyé de profonds précipices, savait d'instinct qu'il s'agissait d'autre chose, d'une situation qu'on ne pouvait décemment regarder en face ; elle savait que ces adolescents ne reviendraient jamais chez eux, ni dans ce monde ; que chacun leur tour ils avaient rencontré un diable à la croisée des chemins.

Béatrice revit le corps de Serge, froid et terne, étendu sur une table à la morgue. Au moins un corps bien présent pour porter le deuil. Au moins une tombe pour pouvoir venir le pleurer.

Elle eut envie d'envoyer un texto à Antoine pour lui demander de rester sur ses gardes, mais elle n'en fit rien, sachant qu'à son âge il ne la prendrait de toute façon pas au sérieux. Ce gamin lui ressemblait tellement par certains côtés. Elle se souvenait encore de cette fois où il l'avait appelée quelques jours après la mort de Serge, et comment, du haut de ses seize ans, il avait comme personne d'autre su trouver les mots pour la faire à nouveau sourire.

Lui non plus, elle le savait, ne suivrait pas un chemin gentiment tracé par d'autres…

Contrairement à Louise, sa pauvre sœur, qui lentement se flétrissait dans son bocal…

Peut-être pourrait-elle faire un détour vers Nantes afin d'au moins leur dire au revoir. Mais à quoi bon après tout. Cela faisait des mois que sa sœur et elle ne s'étaient pas parlé, qu'aucune des deux n'en avait éprouvé ni l'envie ni le besoin. Et puis elle ne supporterait pas de sentir son regard condescendant posé sur elle, de subir cette pitié à peine voilée.

Un monde les séparait dorénavant, infranchissable, et dont les frontières ne méritaient même plus d'être franchies.

Béatrice balança le journal sur le banc, vit Arthur marcher au niveau d'une grosse fontaine en pierre et leva le bras pour qu'il la remarque. Il l'embrassa et s'assit à côté d'elle. Il avait les traits tirés, l'air de ne pas avoir dormi de la nuit.

– Tu es toujours décidée ? demanda-t-il en ouvrant sa veste.

– Oui, toujours.

Il acquiesça et lui tendit une petite enveloppe marron.

– Tiens, tu as tout là-dedans, nouveau passeport, nouvelle carte d'identité…

– Merci, dit-elle en la rangeant dans son sac. Merci pour tout.

– Je t'avoue que je ne comprends toujours pas pourquoi tu en as besoin, si tu as des problèmes, tu peux me le dire, tu sais, il y a peut-être d'autres solutions.

– Non, j'avais prévu de partir depuis longtemps, je veux juste éviter qu'on puisse me retrouver, c'est tout.

– Ce n'est pas par rapport à Clément Brécourt ? Tu n'as rien fait d'idiot, hein ? Il est trop dangereux, tu le sais, et ça ne ramènera jamais Serge.

– Je sais, Arthur, je sais. J'en ai définitivement fini avec lui, fais-moi confiance.

– Tu pars quand ?

– Bientôt.

– Je ne vais pas te demander de me dire où, ni que tu m'envoies une carte postale. Tu prends bien soin de toi, d'accord ?

Arthur, sans attendre de réponse, l'embrassa sur la joue, puis il se leva et marcha vers la sortie du parc.

Béatrice inspira un grand coup, son visage chauffé par le soleil.

Il avait eu l'air de s'inquiéter pour elle. Comment aurait-il réagi si elle lui avait tout dit ? De quelle façon l'aurait-il alors regardée ?

Personne ne devait savoir. Et elle-même devrait dès à présent tout faire pour oublier.

Elle ne voulait plus penser à ce qu'elle avait fait sur cette falaise.

Serge, ne me regarde pas de cette façon...

Bientôt toute cette histoire ne serait qu'un mauvais souvenir. Un jour elle oublierait. Et c'était Clément le seul responsable. Lui et personne d'autre.

Elle s'appellerait dorénavant Caroline Mazurier. A priori elle n'en aurait pas besoin longtemps, mais Serge lui avait au moins appris la prudence.

Clément essaierait sûrement de la traquer, elle l'avait assez étudié pour le savoir, il n'accepterait jamais de s'être aussi facilement laissé blesser dans son orgueil. Le laisser en vie avait peut-être été une erreur qu'elle paierait un jour ou l'autre. Mais elle ne pouvait plus revenir en arrière.

Elle ne pouvait toujours pas supporter l'idée qu'il ait cru la berner aussi facilement en accusant Arnaud. Mais elle n'avait pas eu le choix, et bientôt il saurait, et il serait déjà trop tard.

Béatrice rangea l'enveloppe dans son sac et remonta l'allée, déjà prête à s'enfermer dans son appartement pour ne plus en sortir, s'allonger sur son lit avec de la musique, lire un peu et dormir d'une traite jusqu'au lendemain matin. Puis, à son réveil, prendre la route, et laisser le bitume défiler de plus en plus vite sous les roues.

Debout à côté d'un manège, un petit garçon blond la regardait avec insistance, un ballon rouge à la main, le pourtour de la bouche recouvert de confiture. Béatrice eut une envie subite de presser le bout de sa cigarette sur la surface du ballon pour le faire éclater, ainsi sentir à distance son petit cœur bondir, les larmes si facilement couler.

Elle détourna le regard et pressa le pas. Après tout elle ne devait pas trop prendre goût à faire pleurer les petits garçons.

C.

Assis à l'avant de sa voiture garée face à ce petit immeuble du centre-ville, Clément attendait patiemment le bon moment pour sortir de l'ombre et frapper. Driss l'avait appelé une heure plus tôt avec un nom et une adresse. Béatrice Valois, 34, rue Michelet. À peine avait-il raccroché qu'il s'était rendu en ville dans un état de transe, la nuit commençant à tomber.

Les lumières de l'appartement étaient éteintes. Il ne pouvait savoir si elle était chez elle et si elle était seule. Mais au final cela importait peu. Il se sentait d'une humeur propice au défoulement après cette journée bonne à être jetée.

Clément n'avait pas pu fermer l'œil de la nuit et avait passé des heures à essayer de connaître son identité et à donner des coups de pression à Driss pour qu'il se dépêche de son côté. En milieu d'après-midi, de plus en plus nerveux à force de rester enfermé à attendre, il avait fait un saut chez les parents de Chloé pour s'expliquer avec elle, les yeux dans les yeux. Sa mère l'avait sèchement envoyé paître à l'interphone et lui avait dit de ne plus jamais revenir tout en le menaçant d'appeler les flics.

Les flics.

Il préférait ne pas penser à ce que cette petite pute avait dû raconter. Cette fois, il ne la laissera pas revenir aussi facilement, juste pour lui apprendre.

Son ventre continuait à le faire souffrir. Mais ses blessures étaient cachées par ses vêtements et les coups n'avaient pas laissé de marques durables sur son visage. Si les autres apprenaient sa mésaventure, combien de moqueries il aurait à subir une fois le dos tourné, combien de regards en coin, de rires étouffés à son passage…

Encore heureux qu'elle ne l'ait pas filmé avec son téléphone pour balancer la vidéo sur YouTube.

Clément tâta le flingue qu'il avait bien calé dans la poche de sa veste, puis il sniffa deux rails de coke en faisant attention à ce qu'aucun flic ne passe dans la petite rue.

Une femme tirant un chariot de marchandises s'arrêta devant la porte d'entrée de l'immeuble et en composa le code. Il la suivit en arborant son plus beau sourire.

Au troisième et dernier étage, il posa son oreille sur sa porte. N'entendant aucun bruit à travers le bois verni, il crocheta la serrure avec son passe-partout et la fit céder au bout d'une poignée de minutes. Son flingue à la main, il se dirigea d'abord vers la chambre, excité à l'idée de la surprendre en train de dormir.

Mais le lit était vide.

Il se rendit ensuite dans le salon, où, comme dans le reste de l'appartement, ne subsistaient que quelques meubles.

S'il l'avait manquée, il s'en était fallu de peu.

Clément remarqua alors une feuille de papier posée sur la table basse. Il frémit en lisant le mot qui y était écrit au feutre noir, à lui adressé.

Il n'arrivait pas à le croire. Cette pute continuait à le provoquer. Mais d'un certain point de vue cela lui plaisait, il était bien d'humeur à s'amuser un peu. Elle voulait jouer, ils allaient jouer. Il y passerait des jours, des semaines peut-être, mais il finirait bien par la retrouver, et au moment où elle s'y attendrait le moins, histoire que les choses se remettent à leur place une bonne fois pour toutes.

Il roula une dizaine de minutes puis se gara près du port, afin de faire un saut dans le petit bar où il se rendait de temps en temps avec Arnaud, et s'installa sur une banquette dans le fond de l'établissement, différents clients parlant et dansant au son d'un morceau de Kavinsky.

Une jeune femme était seule à sa table et lui sourit en croisant son regard, de façon franche, sans ambiguïté. Elle semblait avoir à peine vingt ans, un visage fin et les yeux en amande, vêtue d'un haut rouge très moulant. Tout dans son attitude lui faisait comprendre qu'il était le bienvenu à sa table.

Elle s'appelait Alice, de plus près, elle paraissait plus jeune que ce qu'il avait pensé au départ. Tout en sirotant un mojito, elle lui avoua qu'elle l'avait déjà croisé en soirée mais qu'elle n'avait pas osé l'aborder car elle savait qu'il était en couple. Clément l'informa sans tarder que c'était du passé, même s'il savait pertinemment que ce n'était pas le cas.

Ils s'échangèrent quelques banalités autour de leurs verres, puis il l'invita à continuer la soirée chez lui.

Alice fit le tour de la voiture, puis elle s'assit à l'avant, de fines gouttelettes de pluie scintillant dans ses cheveux et sur le haut de sa poitrine. Clément se pencha vers elle et l'embrassa. Ses lèvres avaient un délicieux goût de cerise. Il traça trois lignes sur un boîtier de CD qui traînait dans la boîte à gants et le lui tendit. Elle en sniffa un de façon un peu maladroite, comme si c'était la première fois qu'elle en prenait. Clément sniffa les deux autres puis il démarra et remonta la rue tout en pensant à ce qu'ils feraient une fois rentrés chez lui. Chloé était plutôt du genre consensuel au lit et il ne s'était pas tapé d'autres nanas depuis des semaines ; il allait enfin pouvoir se défouler un peu.

Galvanisé par la coke, il appuya sur l'accélérateur, à peine sorti de la ville.

Alice, qui était restée silencieuse jusque-là, lui demanda de ralentir en prétextant qu'elle ne se sentait pas bien. Clément se mit à rire et roula de plus en plus vite, s'amusant de cette expression d'effroi qui déformait ses traits.

Que croyait-elle ? Qu'elle avait son mot à dire ? Ne savait-elle pas qui il était ?

Si seulement c'était la femme de Zariski qui était assise à côté de lui, les mains liées. Il irait encore plus vite, puis il pilerait d'un coup, sa ceinture de sécurité bouclée, et il regarderait son corps faire un bond en avant et passer à travers le pare-brise.

Clément ricana et jeta un coup d'œil vers Alice, qui avait le visage de plus en plus livide. Tout en tenant le volant d'une main, il lui donna de petites claques sur les joues. Il fallait qu'elle reste en forme, sinon elle ne servirait plus à rien. Une fois rentrés elle prendrait encore un peu de coke, histoire qu'elle ne lui claque pas entre les doigts et que son corps reste vif.

Alors qu'il prenait un virage de façon un peu trop serrée, Alice se pencha d'un coup et se vomit dessus. Clément, s'en rendant compte, s'arrêta sur le bas-côté en pestant. Il fit le tour de la voiture, ouvrit la portière et l'en extirpa en la tirant par le bras.

Cette conne en avait foutu partout.

Alice fit quelques pas sur le bord de la route, puis elle se cambra et vomit à nouveau. Hors de lui, Clément la gifla avec une telle force qu'elle tomba sur le sol à genoux, pris par l'envie de serrer son cou pour la forcer à se relever et à nouveau la frapper, *juste pour lui apprendre, leur apprendre à toutes qui il était.*

Elle se releva toute seule, puis elle attrapa son sac à main laissé dans la voiture et se mit à courir droit devant elle en direction de la ville.

Cette idiote mettrait une bonne heure pour retourner chez elle.

Clément cracha sur le bitume, puis il se rassit dans sa voiture, et de rage en frappa le volant.

La lumière de sa chambre était allumée. Son arme à la main, il claqua la portière et remonta l'allée en courant. L'alarme fonctionnait toujours. Il monta au premier étage et vérifia que Chloé n'était pas venue pendant son absence pour récupérer le reste de ses affaires. Mais sa penderie était encore pleine. Pas rassuré pour autant, il fit le tour de chacune des pièces, prêt à tirer sur le moindre intrus qui passerait dans son champ de vision, et dont la cervelle irait repeindre les murs pour se mêler aux ombres des arbres du jardin qui s'y balançaient.

N'ayant rien trouvé de particulier, il se rendit sur le balcon et contempla les reflets de la lune flotter sur la mer, alors qu'au loin l'orage grondait.

Puis il s'affala sur le canapé, se mit un porno et se branla devant.

Chloé était assise sur le canapé, sa peau aussi blanche que du calcaire. Au-dessus d'eux, un soleil irradiant transperçait les murs de ses rayons quand surgit l'ombre d'un oiseau immense qui recouvrit le ciel, faisant tomber dans son sillage de gros morceaux de nuages qui s'écrasèrent dans la mer.

La sonnerie de l'interphone le réveilla d'un coup. Clément manqua de tomber du canapé où il s'était endormi et fit rouler du pied une bouteille de vodka vide sur le parquet.

Six heures trente du matin.

On sonna à nouveau. Personne ne venait chez lui sans avoir téléphoné avant. Et surtout pas à cette heure.

Il ouvrit la porte et fit face à deux hommes, qu'il sut aussitôt être des flics.

Les stups ? Le pensaient-ils assez stupide pour entreposer de la marchandise chez lui ?

– Monsieur Clément Brécourt ? demanda celui de droite, le crâne dégarni et portant des lunettes en écailles, je vous informe nous sommes ici pour effectuer une perquisition à votre domicile, suite à un homicide.

Clément, face à eux, en resta éberlué.

Un homicide ? Était-ce la femme de Zariski qui l'avait dénoncé malgré tout ? Mais elle avait balancé le magnétophone dans le vide, elle n'avait rien de concret à leur donner.

L'enquêteur fit signe à deux autres hommes d'entrer et Clément comprit à leur accoutrement qu'ils faisaient partie de la police scientifique.

Que pensaient-ils trouver chez lui ? Il s'était débarrassé de l'arme avec laquelle il avait tué Serge depuis longtemps…

– Pourriez-vous me donner les clefs de votre voiture ? demanda l'enquêteur.

Sans chercher à comprendre, Clément les prit dans sa veste et les lui tendit. L'enquêteur les donna à son tour à un des techniciens de la scientifique.

– Vous êtes seul ? demanda l'enquêteur en allant vers le salon.

Clément répondit que oui et observa à travers la fenêtre celui qui avait récupéré les clefs ouvrir le coffre de sa voiture.

Il devait avant tout rester impassible, ne pas leur donner l'impression qu'il craignait quoi que ce soit.

Un des techniciens de la scientifique s'approcha de la cheminée, saisit un tisonnier et l'aspergea d'un produit chimique. Clément eut l'impression de l'avoir déjà vu quelque part mais ne se souvenait pas où. L'enquêteur le rejoignit alors et regarda le tisonnier avec un petit sourire aux lèvres.

– Monsieur Brécourt, dit-il en se tournant vers lui, il est 6 h 43 et je vous informe que vous êtes dès à présent placé en garde à vue pour le meurtre de Mlle Chloé Lefranc. Vous avez le droit de faire appel à un avocat ou de demander l'assistance d'un médecin… Je vais maintenant vous demander de bien vouloir nous suivre…

Clément, sous le choc, ne put prononcer le moindre mot. Un des flics le prit alors par le bras et il se débattit, ce qui en ameuta un autre, qui le plaqua contre le mur, alors qu'à l'extérieur l'homme de la scientifique recueillait des choses à l'intérieur du coffre de sa voiture et les mit dans des petits sachets en plastique.

On le conduisit dans une salle d'interrogatoire, où il attendit plus de trois heures, jusqu'à ce que l'enquêteur s'installe de l'autre côté de la table, un carton à la main.

– Est-ce qu'on va enfin m'expliquer ce qu'il se passe, demanda Clément en maîtrisant son exaspération.

– Monsieur Brécourt. Pouvez-vous me préciser où vous vous trouviez le 22 mai aux alentours de seize heures ?

Clément tenta de réfléchir, et se revit au bord de la falaise, les bras et les jambes attachés, la femme de Zariski espérant le faire craquer sous la menace.

Mais il savait d'avance qu'il ne pouvait pas en parler. Il ne pouvait pas leur permettre de faire le moindre lien entre lui et Serge.

– J'étais chez moi toute la journée, répondit-il avec aplomb.

– En êtes-vous bien certain, toute la journée ?

– Mais bien sûr que j'en suis certain, putain !

– Quelqu'un de votre entourage pourrait-il le confirmer ?

– Non, je viens de vous dire que j'étais seul !

– Et quelqu'un de votre entourage se serait-il servi de votre voiture ce jour-là ?

– De ma voiture ? Absolument pas ! Pourquoi cette question ?

– Quand avez-vous vu la victime pour la dernière fois ?

Trois jours plus tôt, quand je l'ai violemment giflée devant tous nos amis.

L'enquêteur posa trois grandes photos sur la table. Clément se pencha pour voir ce dont il s'agissait et se redressa brusquement, pris d'une soudaine nausée.

– Le corps a été découvert avant-hier par un promeneur au pied de la falaise, quelques minutes après qu'elle ait été poussée dans le vide. Nous avons effectué les analyses sur les pneus de votre véhicule. On vient de me transmettre le rapport et, je vous le donne en mille, les traces que nous avons retrouvées sur les lieux concordent parfaitement... De plus nous avons la confirmation que vous avez utilisé votre téléphone à proximité du lieu de l'homicide à quinze heures quarante-cinq ce jour-là...

Clément, ne répondit pas, n'écoutant déjà plus ce qu'il disait, tentant d'éviter de regarder les photos de Chloé posées sur la table.

Son corps désarticulé dans une position absurde. Le nez fracassé, la bouche grande ouverte d'où s'était échappée une bouillie de dents et de sang qui avait en partie séché sur sa peau.

Son visage que la beauté avait déserté, jetée aux ordures.

– Pouvez-vous expliquer la présence de traces de sang et de cheveux dans le coffre de votre véhicule ? Des tests sont en cours mais il est plus que probable qu'ils appartiennent à Mlle Lefranc n'est-ce pas ?

Clément leva les yeux vers l'enquêteur et ne put s'empêcher de sourire. D'admiration mais aussi de désespoir.

Depuis le début elle le tenait par les couilles, et il n'avait rien vu.

B.

Debout face au corps inconscient de Clément, Béatrice s'assura de ne rien avoir oublié, puis elle marcha vers sa voiture et en ouvrit à nouveau le coffre. À l'intérieur se tenait Chloé, prostrée en chien de fusil. Elle ne lui avait pas donné assez de médicaments. La jeune femme était réveillée et, la voyant, elle cria à travers son bâillon.

Ses yeux pleins de larmes, son regard suppliant.

Béatrice la saisit par les hanches. Chloé hurla de plus belle en se débattant. Mais elle était bien trop faible pour opposer la moindre résistance, et Béatrice la fit lourdement tomber sur le sol.

Les mains toujours attachées dans le dos, la jeune fille se releva en s'aidant de ses coudes et marcha droit devant elle, ses mouvements ralentis par les effets des somnifères.

Elle vit alors Clément étendu un peu plus loin, et essaya de le rejoindre en hâtant le pas.

Pour qu'il la sauve, qu'il l'emmène loin d'ici.

Béatrice prit le tisonnier qu'elle avait laissé sur la plage arrière, puis la suivit.

Bientôt tout serait fini.

Chloé s'arrêta de marcher à mi-chemin et leva la tête vers le ciel, comme si dans l'air elle décelait un parfum, et Béatrice se plaça face à elle, essayant d'occulter l'être humain dans le morceau de chair qui tremblait sous ses yeux.

Ne réfléchis pas.

Et, sans un mot, elle la frappa de toutes ses forces en plein visage. Chloé s'effondra en arrière. Béatrice sentit un morceau de matière tiède s'écraser sur le dos de sa main et la secoua de dégoût, puis elle lâcha le tisonnier et attrapa Chloé par les bras pour traîner son corps jusqu'à la falaise.

La jeune femme reprit peu à peu conscience au contact des pierres qui percutaient son dos et regarda fixement au-dessus d'elle, jusqu'à ce que le bleu du ciel soit recouvert par son propre sang qui, à peine échappé de sa blessure au front, lui recouvrit les yeux.

Arrivée au bord, Béatrice se pencha et vit un homme qui se rapprochait le long du rivage avec un chien. C'était le moment parfait. Les flics seraient alertés encore plus vite. Elle saisit Chloé par les hanches pour la forcer à se relever. À voix basse, elle lui demanda de lui pardonner, puis elle la poussa dans le vide, et détourna aussitôt le visage, n'entendant plus rien d'autre que le bruit des vagues qui s'écrasaient contre les rochers.

En vérité elle espérait qu'elle n'agonise pas trop longtemps.

Après tout ce n'était pas sa faute.

Elle ne devait pas perdre de temps, ne pas faire d'erreur. Elle retourna vers Clément, vérifia que son téléphone était bien dans la poche de sa veste, mit le tisonnier dans ses mains pour qu'il y laisse ses empreintes, puis s'agenouilla et lui murmura cinq mots à l'oreille, cinq mots dont il ne pourrait se souvenir, mais qui à elle firent l'effet d'une libération.

D'abord marcher jusqu'à sa voiture garée un kilomètre plus au nord. Ensuite retourner chez Clément afin de replacer le tisonnier parmi les autres, près de la cheminée.

Le voilier avait disparu depuis longtemps. Un cormoran volait au loin. Béatrice ne le quitta pas des yeux. De ses bras elle mima ses ailes déployées.

C.

Clément se tourna vers la caméra. Ils devaient être plusieurs à analyser ses réactions, il ne fallait pas craquer maintenant.

Walter Kendrick, lui, ne craquerait pas.

Tu sais ce qu'est la vraie douleur Clément ? En as-tu au moins une seule fois dans ta vie fait l'expérience ?

– Des analyses sont également en cours au sujet du sang récolté sur le tisonnier et je me doute déjà un peu du résultat. Vous pensiez peut-être que la chute mettrait son visage dans un tel état que nous ne le remarquerions pas… Entre nous il aurait été plus intelligent de vous débarrasser de l'arme du crime, ou du moins de mieux la nettoyer…

Il se mit à glousser, ce qui donna à Clément l'envie de lui foutre son poing dans la figure.

Elle était donc repassée chez lui. Et bien sûr il n'y aurait aucune trace d'elle. Il était baisé, il était assez intelligent pour le comprendre. L'impliquer elle impliquerait tout le reste.

– Nous avons en notre possession plusieurs témoignages portant sur une violente dispute entre vous et la victime quelques jours avant sa mort, certains prétendent que vous l'auriez frappée. Pouvez-vous nous éclairer sur les causes de cette altercation ?

Clément s'accouda contre la table et se cacha le visage entre les mains.

– Votre silence ne peut que vous nuire, reprit l'enquêteur. Avec les preuves en notre possession vous allez être présenté devant un juge d'instruction pour homicide volontaire. Nous allons tout reprendre point par point et je ne peux que vous conseiller de tout avouer pendant qu'il est encore temps. Donc je reprends… Monsieur Brécourt, où vous trouviez-vous le 22 mai aux alentours de seize heures ?

Clément sourit avec un air proche de l'effronterie.

Puis il se leva et cracha en plein milieu de la table.

B.

Assise derrière la vitre de la station-service, Béatrice observait une petite fille jouer à la corde à sauter sur le parking quand son téléphone vibra dans sa poche.

Sur l'écran ces simples mots : *Ils l'ont eu.*

Elle mit un moment avant de vraiment se rendre compte. Elle n'aurait jamais pensé que cela puisse se passer aussi vite et frémit en pensant à tout ce qu'elle venait de déclencher.

Mais juste un instant.

Elle était déjà loin. Et elle savait qu'elle n'avait fait aucune erreur.

Que du passé, du passé que tu peux fuir.

L'air ambiant était chargé de vapeurs d'essence, le ciel se couvrait peu à peu, bientôt elle roulerait sous la pluie. Béatrice jeta le téléphone dans une poubelle et se rendit vers la camionnette garée à l'autre bout du parking.

La petite fille passa près d'elle en courant pour rejoindre ses parents à leur voiture, ses semelles claquant sur le bitume humide.

Béatrice démarra, la regardant étirer son jeune corps et se faufiler sur la banquette arrière. Elle qui paraissait si insouciante, elle que la vie n'avait pas encore eu le temps de briser.

De retour sur l'autoroute, elle appuya sur l'accélérateur en ressentant un intense vertige. Et de la tristesse, surtout de la tristesse, elle qui, depuis quelques heures, ne s'était jamais sentie aussi loin de sa propre enfance.

MARY BETH I

De petites taches sombres parsemant les rideaux illuminés de soleil lui firent penser à des giclures de sang.

Mary Beth Doyle respira profondément et essaya dans la pénombre de la chambre d'hôtel, d'évacuer toute cette tension qui s'était accumulée en elle depuis qu'elle était descendue de l'avion. Elle plaqua sa main sur sa poitrine et se concentra sur les battements de son cœur, n'arrivant pas encore à se faire à l'idée qu'elle était bien là, dans cette ville qu'elle avait fuie dix-huit ans plus tôt. Lors du trajet en taxi, elle était restée cramponnée à la poignée de la portière en luttant contre l'envie de demander au conducteur de faire demi-tour et de prendre le premier vol direction l'Indiana.

Mais maintenant il n'était plus question de reculer.

Elle se tamponna le front avec un mouchoir en papier, puis ouvrit la fenêtre en grand afin de faire partir l'odeur de renfermé qui régnait dans la chambre.

Sutter Street s'étalait trois étages plus bas, pleine de monde en cette fin d'après-midi. Un morceau des Cocteau Twins s'échappait d'une des fenêtres de l'immeuble d'en face, surnageant au-dessus des voix et des bruits de la circulation. De l'homme assis dans son salon, elle ne voyait que les jambes nues posées sur une table basse.

Le ciel de San Francisco était d'un bleu éclatant. Mary Beth avait l'impression de sentir d'ici l'odeur du Pacifique percer à travers celles du goudron et des gaz d'échappement. Elle tira les rideaux, enleva sa robe et ses sous-vêtements et prit une douche afin de se débarrasser de toute cette sueur qu'elle sentait coller à sa peau.

Une serviette enroulée autour de la poitrine, elle appela Alec Morris, le privé qu'elle avait engagé de Lafayette deux semaines plus tôt et avec qui elle n'avait jusque-là correspondu que par téléphone. À peine décrocha-t-il qu'elle l'informa qu'elle venait d'arriver et qu'ils pouvaient se voir d'ici une demi-heure dans un petit bar situé à l'angle de Sutter et Leavenworth Street.

Elle s'allongea sur le lit et resta de longues minutes à regarder les fissures qui zébraient le plafond. Sentant qu'elle commençait à s'endormir, elle se força à se lever et se passa un peu d'eau fraîche sur le visage.

Elle mit ses lunettes de soleil sur le nez et marcha d'un pas pressé le long du trottoir jusqu'au croisement avec Leavenworth Street.

Dans le bar qu'elle avait indiqué à Morris, elle commanda un thé à la serveuse qui se tenait derrière son comptoir, et s'installa à une table dans le fond. Cela sentait une agréable odeur de cacao, le poste radio diffusait « Last Man Standing » de Jerry Lee Lewis. Elle balaya l'endroit du regard, s'arrêtant sur un jeune couple qui discutait près de la vitre, une femme en tailleur assise près d'eux en train de lire le journal, un homme en costume beige assis au comptoir et dévorant un hot-dog à pleines dents. La serveuse, une petite brune bien en chair, lui apporta son thé. Mary Beth la remercia et versa de l'eau chaude dans sa tasse.

Alors qu'elle commençait à en boire quelques gorgées, l'homme au comptoir la dévisagea avec insistance. Elle détourna les yeux et frémit en imaginant que quelqu'un la reconnaisse et prévienne Walter. Mais après tout ce temps, qui pourrait la reconnaître ? Quels fantômes de son passé vivaient toujours ici ?

À part Walter, qu'elle savait tout près et dont l'ombre dansait en plein jour dans les rues qu'elle avait désertées depuis si longtemps, lui qui avait trouvé la seule façon de la forcer à revenir.

Mary Beth vérifia l'heure sur son téléphone, de plus en plus nerveuse. Elle se savait si près du but, la fin d'un cauchemar qui avait commencé quand, deux semaines plus tôt, elle avait appris sur internet le drame qui avait touché la petite ville de Twin Falls en février dernier, la découverte des corps sans vie de Paul et Martha Lamb, égorgés dans leur salon ; un crime odieux, incompréhensible, qui avait bouleversé la petite communauté tout entière, à peine remise de la tempête de neige qui, dans la nuit, avait ravagé toute une partie du Midwest. Les Lamb avaient toujours été un couple sans histoire, et personne n'arrivait à expliquer une telle sauvagerie. Scott Lamb, dix-sept ans et demi, était toujours porté disparu, un voisin ayant vu deux hommes l'emmener inconscient dans une berline noire, des individus que la police n'avait toujours pas réussi à identifier. Un détail avait en particulier intéressé les enquêteurs : une photographie que les tueurs avaient laissée sur le corps de Martha Lamb, représentant un petit garçon, probablement Scott, tenu dans les bras d'une jeune femme inconnue.

Elle était restée de longues minutes devant l'écran de son ordinateur, puis elle était sortie dans son jardin, s'était assise dans l'herbe et avait éclaté en sanglots sous un soleil de plomb, mais encore trop faible pour rapidement faire sécher ses larmes.

Elle avait aussitôt compris que c'était l'œuvre de Walter, qu'il avait, d'une façon ou d'une autre, retrouvé son fils après toutes ces années, pulvérisant d'un seul coup la vie qu'elle avait essayé de lui construire loin de son emprise.

Ces deux gorges tranchées comme un message à elle adressé.

Il est avec moi. Viens le chercher si tu l'oses.

Qu'avait-il fait de Scott depuis tout ce temps ? Le retenait-il prisonnier quelque part ? Était-il déjà trop tard ? Dès le lendemain matin, elle avait contacté le premier détective privé trouvé sur internet. Elle lui avait fait un résumé de la situation et lui avait dit tout ce dont elle se souvenait de Walter, le nom des bars qu'il possédait à l'époque, les endroits où il pouvait commencer à rechercher sa trace… Une semaine et demie plus tard, il l'avait appelée pour la prévenir qu'il avait retrouvé Scott, et Mary Beth avait décidé de le rejoindre le plus vite possible à San Francisco.

Et ainsi de se jeter la tête la première dans le piège, tout en sachant qu'elle ne pouvait pas faire autrement.

Un homme portant une veste en daim entra dans l'établissement, l'air de chercher quelqu'un. Mary Beth comprit que c'était Morris et signala sa présence en levant le bras.

Il paraissait beaucoup plus jeune qu'elle ne l'aurait pensé, trente-cinq ans environ, le visage carré, plutôt beau mec. Ils se serrèrent la main, et Alec se retourna pour commander un café.

– Vous venez tout juste d'arriver ? demanda-t-il en enlevant sa veste.

– Oui, il y a deux heures à peu près, j'ai juste fait un arrêt à mon hôtel, je dois dire que ça me fait un drôle d'effet d'être à nouveau ici après toutes ces années…

Alec lui donna une grosse enveloppe marron et elle en regarda le contenu. Il s'agissait principalement de photos en noir et blanc. Les premières représentaient un imposant immeuble en briques de style néovictorien, haut de cinq étages et pris de plusieurs points de vue différents ; puis ce fut Walter, sortant d'une berline noire et qu'elle reconnut aussitôt après toutes ses années, son crâne rasé lui donnant des airs de vautour, son regard métallique suintant sur la pellicule.

Né de cet amas de particules, il la *voyait*.

La photo suivante représentait un jeune homme aux traits fins en train de fumer une cigarette sur le trottoir. Un adolescent qu'elle comprit être l'enfant qu'elle avait été forcée d'abandonner aux Lamb il y avait de cela une éternité. Elle s'arrêta presque de respirer, ne put détacher les yeux de ce visage qui paraissait irréel.

– Je vous ai indiqué l'adresse là-dessus, dit Alec en lui tendant une petite feuille bristol. Selon mes informations, Walter Kendrick habite au dernier étage de cet immeuble qu'il a acheté en 2001. Il dirige depuis des années plusieurs établissements de nuit éparpillés aux quatre coins de la ville, ainsi que deux concessions automobiles et des salles de sport. Bon, ça, c'est pour le côté officiel, en approfondissant les choses et grâce à certains de mes contacts je me suis rendu compte qu'il était à la tête d'un important réseau de prostitution depuis le milieu des années 1990, doublé de vente de stupéfiants en tous genres, et tout ça dans une sorte d'impunité assez effarante et malgré les tentatives de deux ou trois procureurs un peu plus zélés que les autres de le foutre devant un grand jury…

Mary Beth frissonna en repensant à la fois où elle avait compris qui était vraiment Walter, ce qui se cachait derrière le masque qu'il avait porté depuis qu'ils s'étaient rencontrés dans ce bar près d'Union Square.

– Pour en revenir à votre fils, il ne paraît pas scolarisé et passe le plus clair de son temps à l'intérieur de ce bâtiment. Il sort très rarement pour aller au cinéma où dans des bars du quartier, et toujours en journée. Quand c'est le cas, il est suivi de près par un des individus qui semblent constituer la garde rapprochée de

Kendrick. Cette photographie a été prise il y a exactement six jours, je n'ai plus eu l'occasion de le revoir depuis.

À l'extérieur une voiture klaxonna contre un sans-abri qui traversa la rue en hurlant des jurons au conducteur.

– Je ne sais pas ce que vous comptez faire, continua Alec. Mais je ne vous conseille pas de vous rendre là-bas toute seule. Walter Kendrick n'a pas la réputation d'être un tendre avec ceux qui lui cherchent des ennuis. Vous devriez en faire part à la police, ce serait plus prudent, surtout s'il y a eu enlèvement de mineur.

– Ça, c'est mon problème à présent, répondit Mary Beth en posant sur la table une petite enveloppe qu'elle venait de sortir de son sac. Je vous remercie pour tout, vous m'avez été d'une grande aide.

Alec saisit l'enveloppe et la rangea dans sa poche.

– Vous avez mon numéro. Si vous avez besoin de quoi que ce soit, vous m'appelez, surtout si vous ne connaissez personne ici.

– J'y penserai, merci.

Ils se serrèrent la main puis Mary Beth rangea l'enveloppe dans son sac. Plutôt que de rentrer tout de suite à son hôtel, elle décida de marcher un peu sur Leavenworth Street. Cela sentait une odeur de raviolis à la vapeur, ce qui lui rappela qu'elle n'avait rien mangé depuis la veille. Certaines façades d'immeubles lui parurent plus familières que d'autres, le San Francisco de ses souvenirs se mêlant alors à celui qu'elle avait encore l'impression de rêver.

Un car orange s'arrêta au carrefour avec Post Street. Des touristes assis sur le toit mitraillaient la rue de leurs appareils photo. Au bord du trottoir, une femme assez ronde et habillée d'un haut rose et d'une minijupe en cuir se plaça face à eux et leur fit un doigt d'honneur, tandis qu'une autre, plus maigre et ses cheveux crépus teints en blond, prenait la pose de façon outrée. La première apostropha une personne postée de l'autre côté de la rue en lui faisant de grands signes de la main et tourna les talons. Le car reprit sa route et continua vers le Tenderloin, nouvelle étape du safari urbain.

De retour dans sa chambre, Mary Beth se connecta au réseau wi-fi de l'hôtel et tapa l'adresse donnée par Alec Morris sur Google Maps. L'immeuble de Walter se trouvait sur Hayes Street, à seulement quelques kilomètres de là, une distance si infime sur la carte que cela la fit frissonner.

Elle sortit les photographies de leur enveloppe, s'arrêta sur celle de Scott, et détailla les moindres traits de son visage, avec cet espoir qu'elle pourrait bientôt le toucher, entendre le son de sa voix de jeune homme, alors que, depuis trop longtemps déjà, elle n'arrivait plus à se souvenir de sa voix d'enfant. Quels seraient ses premiers mots quand il comprendrait qui elle était ? Elle ne savait même pas de quelle manière Martha avait bien pu lui expliquer son abandon, ni comment il l'avait vécu pendant toutes ces années. Mais elle n'aurait pas le choix, elle ne pourrait pas se présenter comme une inconnue et attendre qu'il la suive sans broncher à l'autre bout du pays. Morris avait bien précisé que Walter le faisait constamment surveiller. Il ne l'avait pas enlevé aux Lamb pour la laisser l'approcher aussi facilement. C'était elle qu'il voulait, depuis le début, et même s'il ne pouvait pas savoir si elle viendrait, ni quand elle viendrait, se jeter dans son piège. C'était le seul avantage qu'elle avait encore.

Le simple fait d'imaginer pouvoir repartir avec son fils en Indiana lui redonna un peu de force. Elle avait déjà réaménagé sa chambre d'amis, lui avait acheté une guitare sèche, des livres, une télévision et un ordinateur portable, tout ce qu'aimaient *a priori* les adolescents de son âge. Cela lui avait permis d'attendre, de rendre son possible retour avec elle de plus en plus concret.

Mais chaque chose en son temps. Elle devait avant tout respecter le plan qu'elle s'était fixé, ne pas laisser un trop-plein d'émotions la submerger. Elle déplia une feuille de papier sur laquelle était écrit le numéro du contact transmis par son ami Louis deux jours plus tôt. Louis Coake était prêteur sur gages, elle le connaissait depuis qu'elle avait commencé à travailler au Rosie's Diner. Sachant qu'elle pouvait lui faire une confiance aveugle, elle lui avait un jour expliqué toute l'histoire autour d'un café. Quand Louis avait voulu savoir comment elle comptait se débrouiller, elle n'avait pas su lui répondre. Il lui avait alors dit que si elle était vraiment décidée à aller jusqu'au bout, il connaissait quelqu'un qui serait susceptible de l'aider. Il s'appelait Willy Toadvine et était un ancien chasseur de primes avec qui il avait conclu quelques affaires quand ils vivaient tous les deux à Los Angeles. Toadvine habitait maintenant dans le sud de San Francisco, où il tenait une droguerie. Il avait en parallèle formé un petit groupe d'anciens taulards avec qui il organisait des casses de temps en temps. Mary Beth l'avait déjà contacté avant de partir et elle n'avait plus qu'à l'appeler pour convenir d'un rendez-vous et allonger les dollars.

Toadvine répondit au bout de trois sonneries, d'une voix qui à ses oreilles parut beaucoup plus rauque que la première fois qu'elle l'avait entendue. Elle lui rappela qu'elle était l'amie de Louis, qu'elle était arrivée en ville et qu'ils pouvaient se voir à son hôtel dès que possible. Il lui demanda l'adresse et le numéro de la chambre et l'informa qu'il l'y rejoindrait vers vingt et une heures, avant de raccrocher. Mary Beth balança son téléphone sur le lit.

Plusieurs adolescents se trouvaient sur le toit de l'immeuble d'en face et écoutaient de la musique tout en parlant, leurs silhouettes se découpant sur un ciel qui dans le fond commençait à rosir. Des gamins qui n'étaient peut-être même pas nés quand elle vivait ici.

Tout en les observant, Mary Beth repensa à Paul et Martha Lamb ; à ce qu'elle aurait aimé leur dire si elle l'avait pu ; qu'elle était tellement désolée pour ce qu'il s'était passé, qu'elle n'aurait jamais pu penser qu'elle les mettrait eux-mêmes en danger en leur confiant son fils.

Comment avait-il su ? Seize ans plus tard ?

Leurs deux gorges tranchées pour à nouveau lui donner une leçon.

Elle se revit le jour où elle avait, pour la première fois, décidé de s'enfuir de chez Walter. Elle avait appelé ses parents d'une cabine téléphonique sur Van Ness, alors qu'elle ne leur avait pas donné de nouvelles depuis des mois, pour leur demander si elle pouvait passer les voir pendant un temps, prétextant un simple besoin de changer d'air, pensant naïvement que retourner chez eux effacerait tout le reste…

Elle n'était même pas repassée par chez elle, de peur qu'il ne l'y attende déjà, et avait pris le car en fin d'après-midi. Arrivée face à la maison où elle avait vécu toute son enfance, dans la banlieue est de San Jose, elle était restée une dizaine de minutes assise contre un des arbres du jardin, puis elle avait fini par sonner à la porte d'entrée et avait affronté le regard de sa mère quand elle l'avait ouverte, elle qui connaissait assez sa fille pour savoir qu'il ne fallait pas poser trop de questions (sur le fait qu'elle avait beaucoup maigri, que son teint était devenu livide, que les manches de sa veste étaient trop courtes pour cacher les bleus sur sa peau) et accepter de la voir rentrer chez elle après un si long silence, portant en elle cette part d'ombre qu'elle ne pourrait peut-être jamais éclaircir. Mary Beth avait ensuite embrassé son père, assis devant la télévision, puis elle était directement montée se coucher, prétextant la fatigue, sans toucher à l'assiette sous cloche qui l'attendait dans la cuisine. Elle avait cette nuit-là dormi d'un long sommeil sans rêves, pour ne se réveiller que quand sa mère était venue vérifier que tout allait bien, une tasse de café à la main. Elles étaient restées ensemble assises sur son lit et avaient parlé de tout et de rien, avaient même ri de bon cœur. Puis ils avaient déjeuné tous les trois à l'ombre du chêne qui trônait au beau milieu du jardin. Il avait fait si beau ce jour-là, elle avait pris cela comme un signe.

Laisser la grisaille derrière elle, savoir que cela restait possible. Que dans son corps le sang noir finirait pas se tarir.

Mary Beth avait passé la journée à lire sur l'herbe, bercée par les bruits de la voie rapide à un kilomètre de là, des cris des oiseaux qui pullulaient dans les arbres et du son de la radio que son père écoutait tous les après-midi depuis qu'elle était gamine, son père qui un peu plus tard au dîner était sorti de son habituelle réserve pour leur raconter quelques histoires drôles, un peu éméché par la bouteille de vin rouge qu'il avait sortie tout spécialement de sa cave, sa façon de lui faire comprendre à quel point il était heureux de la voir. Ils avaient ensuite visionné *La prisonnière du désert* de John Ford dans le salon, puis Mary Beth était montée dans sa chambre et était restée une bonne heure allongée dans son lit à tenter de se persuader que Walter l'oublierait, qu'il passerait à une autre, qu'il ne partirait pas à sa recherche.

Elle s'était peu à peu faite à l'idée de rester plus longtemps ici, de se reposer, puis (peut-être) de prendre la route pour aller rendre visite à Andrea, son amie de lycée, qui vivait maintenant à Seattle. Changer d'air, revenir quand elle serait plus forte et qu'elle n'aurait plus peur de le croiser à chaque coin de rue.

Apaisée, elle s'était rapidement endormie, jusqu'à ce qu'un morceau de musique provenant du rez-de-chaussée la réveille en sursaut en plein milieu de la nuit, qui ressemblait à de l'opéra. Un peu surprise, elle était descendue voir ce qu'il se passait et avait distingué du bas de l'escalier ses deux parents assis l'un en face de l'autre à la table de la salle à manger, sa mère lui tournant le dos, vêtue de sa chemise de nuit. Mary Beth était entrée, et c'est à ce moment-là qu'elle avait vu le sang qui formait une petite flaque sous les jambes de sa mère, puis, en se rapprochant, la gorge mutilée de son père, ce sourire sombre et visqueux qui brillait sous la lumière de la lampe.

Et Walter, debout à l'autre bout de la pièce, mimant les mouvements de la musique avec les mains, un démon prêt à la ramener en enfer.

Elle n'avait pas pu faire le moindre mouvement. Dans son état de sidération, toute fuite était devenue impossible.

Leurs visages figés, leurs regards vides, leurs plaies qui semblaient briller sous l'halogène.

Walter l'avait giflée si fort qu'elle en était tombée sur le parquet, tête la première, l'odeur du sang de ses parents empoisonnant déjà l'air. Et il avait alors prononcé ces mots qu'elle n'avait jamais pu oublier :

« Maintenant que les présentations sont enfin faites, nous pouvons rentrer à la maison. »

Et il avait ri, un rire qui avait résonné à l'intérieur même de ses os, avant de la forcer à se relever et de l'emmener à sa voiture.

Mary Beth se força à manger quelques gâteaux secs. Elle n'avait pas faim mais elle devait garder des forces pour tenir le coup avec tout ce qu'elle s'apprêtait à affronter. Elle ouvrit la fenêtre pour faire passer un peu d'air, attentive au brouhaha de la ville, ce mélange de voix, de musiques, de bruits de circulation, tous ces sons qu'elle n'entendait plus quand elle rentrait seule le soir dans sa maison à Lafayette, où elle avait recommencé cette nouvelle vie qu'elle avait fini par aimer, paisible, sans heurts, faite d'habitudes qui, au fil du temps, avaient agi sur elle comme un bain chaud et apaisant, un bain dans lequel on apprend peu à peu à se noyer en paix.

Mais elle avait toujours su que quelque chose se briserait.

Tout dans la vie de Mary Beth Doyle s'était un jour ou l'autre brisé.

Alors qu'elle essayait de se concentrer sur un documentaire animalier se déroulant dans la jungle amazonienne, on frappa trois coups secs à la porte.

Il était à peine vingt heures vingt-cinq. Si c'était Toadvine, il était en avance.

Si c'était bien lui.

Elle jeta la télécommande sur le lit, puis posa son oreille contre la porte, croyant discerner une respiration de l'autre côté. Et c'est en retenant la sienne qu'elle tira la poignée et se retrouva face à un homme d'une cinquantaine d'années, au visage allongé et vêtu d'une veste en cuir.

– Madame Doyle ? demanda-t-il d'une voix qu'elle reconnut avec soulagement. Willy Toadvine, nous nous sommes parlé au téléphone.

– Oui, bien sûr, balbutia-t-elle en le laissant entrer.

Toadvine la salua et marcha jusqu'au milieu de la chambre. Mary Beth se demanda l'espace d'un instant s'il n'aurait pas mieux valu le rencontrer à l'extérieur.

– Malheureusement je ne vais pas avoir beaucoup de temps à vous accorder, donc faites-moi un petit résumé de la situation si vous le voulez bien.

– Eh bien, comme je vous l'ai expliqué au téléphone j'aurais besoin de vous pour m'aider à récupérer mon fils. L'homme qui le retient prisonnier est très dangereux. Le privé que j'ai engagé m'a donné son adresse et m'a confirmé que mon fils y était toujours et sous bonne garde. Je ne sais pas de quelle manière vous procédez en temps normal mais je vous demande juste de faire en sorte que Scott ne coure aucun risque quand vous passerez à l'action…

Mary Beth lui passa alors les photographies qu'elle avait laissées sur la moquette.

– Tenez, voici des photos de l'immeuble en question, de mon fils, et de Walter.

Toadvine étudia les photos une par une. Il s'arrêta sur celle de Walter et grimaça.

– Vous voulez dire qu'il s'agit de Walter Kendrick ?

– Oui, dit Mary Beth en sentant son ventre se nouer.

– Eh bien ça risque de compliquer un peu les choses, je ne vous le cache pas…

– Mais êtes-vous toujours d'accord pour m'aider ?

– Je ne vais pas vous laisser tomber maintenant que vous avez fait le voyage jusqu'ici, Madame Doyle. Mes gars sont assez entraînés pour ne pas craindre de faire face à ce psychopathe ou à ses hommes, rassurez-vous. Cela nécessitera juste un peu plus de préparation que prévu. Avez-vous la somme dont nous sommes convenus au téléphone ?

– Oui, tout est là, répondit Mary Beth en sortant une grosse liasse de billets. La première moitié maintenant, la deuxième quand j'aurai Scott.

Toadvine la prit et pressa ses doigts sur la tranche.

– Vous pouvez compter si vous voulez.

– Ça ira, dit-il en fourrant la liasse dans sa poche. Vous êtes une amie de Louis, je pense pouvoir vous faire confiance.

Toadvine toussa et se racla la gorge, avant de reprendre :

– Voilà comment je vois les choses. Je vais de mon côté mener mon enquête pour savoir un minimum à quoi nous attendre. Kendrick a tant d'ennemis dans cette ville qu'il a suffisamment su s'entourer pour pouvoir dormir sur ses deux oreilles. Je vous appellerai pour vous tenir informée de l'évolution des choses. D'ici là vous ne bougez pas d'ici. Et surtout, hors de question de vous rendre là-bas seule, c'est bien d'accord ?

– C'est d'accord. J'attendrai ici jusqu'à ce que vous me recontactiez.

– Bon, dans ce cas c'est entendu. Tout se passera bien, je vous le promets, dit-il avant de lui serrer la main et de s'engouffrer dans le couloir.

Au-dehors une alarme de voiture se fit entendre, puis les cris d'un homme qui en insultait un autre. Mary Beth se démaquilla dans la petite salle de bains attenante, qui sentait une légère odeur de citron.

Vêtue de sa chemise de nuit, elle éteignit la lumière et s'allongea sous les draps. Il était à peine vingt et une heures trente mais la fatigue accumulée tout au long de la journée commençait déjà à se faire sentir. Au fil de ses pensées, elle tenta de se convaincre qu'elle avait pris la bonne décision. De toute façon elle n'avait pas d'autre solution. Elle savait d'avance qu'elle ne ferait pas le poids contre Walter si elle se rendait seule là-bas. Prévenir la police n'était pas envisageable non plus. Que leur dirait-elle ? Qu'elle savait qui avait tué les époux Lamb, qu'il s'agissait de Walter Kendrick et qu'il retenait son fils ici, à San Francisco ? Tout cela sans avoir la moindre preuve ? Devrait-elle leur déballer toute sa vie pour avoir une infime chance qu'ils la prennent au sérieux ? Déjà à l'époque Walter s'était mis un nombre effarant de flics et de conseillers municipaux dans la poche pour continuer ses trafics en tous genres. Elle préférait ne pas savoir ce que cela devait être maintenant… S'il était au courant de quoi que ce soit, il serait capable de faire disparaître Scott de façon à ce qu'elle n'ait plus aucune chance de le revoir.

Et elle… La sachant en ville, combien de temps mettrait-il avant de reprendre la chasse ?

Elle était installée sur la balancelle du perron de la maison, ses jambes posées sur la balustrade dont le bois s'écaillait sur toute la longueur. Face à elle, les champs de maïs s'étalaient de part en part, nappés par la lumière orangée du soleil. La chaleur de ce début d'été rendait l'air irrespirable. Elle essuya la sueur qui dégoulinait sur son visage et attrapa une bouteille de soda laissée dans un seau à glace, remarquant en baissant les yeux un gros scarabée coincé entre deux lattes de bois et qui tentait de s'en dégager.

Au cœur de la maison, le four se mit à sonner. Elle s'était préparé une tarte aux pommes selon la recette de sa mère, qu'elle comptait manger ce soir devant un bon film à la télévision. Appâtée par l'odeur sucrée qui s'échappait par la fenêtre, elle se leva pour se rendre à la cuisine et c'est alors qu'elle distingua au loin une silhouette remonter l'allée qui menait chez elle, déformée par les vagues de chaleur qui ondulaient au-dessus du sol.

Il s'agissait d'un homme, vêtu d'une sorte de costume noir, ce qui paraissait absurde en cette saison. D'abord surprise, Mary Beth plissa les yeux pour savoir qui pouvait bien lui rendre visite, elle qui vivait à des dizaines de kilomètres de la moindre habitation. Il n'avait rien de familier, peut-être n'était-ce qu'un simple voyageur égaré venu lui demander sa route. Afin d'en avoir le cœur net, elle descendit les marches du perron, des corbeaux tournant au-dessus des champs à la recherche de leurs futures proies, leurs cris se répercutant dans l'air sec.

Prise d'un mauvais pressentiment, elle marcha au-devant de l'étranger en pressant le bord de son chapeau de paille de ses doigts, et c'est quand elle arriva au niveau de l'ancien puits qu'elle fut soudainement happée par son regard sanglant, ce regard plein de haine qui la transperça. Et elle sentit cette faim avide, vit ses dents de fauve briller sous la lumière du soleil et prêtes à se planter dans sa chair.

Mary Beth hurla, déchaînant dans le ciel la fureur des corbeaux, alors que le démon se mit à courir vers elle à une vitesse stupéfiante, lui faisant réaliser avec horreur qu'il était déjà trop tard, qu'elle n'aurait plus le temps de faire demi-tour pour atteindre la porte.

Elle se réveilla en sursaut et le chercha dans les moindres recoins de la chambre. Mais il n'y avait personne, juste cette infâme présence qui dans sa tête ne voulait pas se dissiper.

Encore ce cauchemar, qu'elle avait fait un nombre incalculable de fois depuis ce jour où elle avait commis l'erreur de se rendre dans cet endroit maudit au plein cœur du Kansas, là où tout avait commencé.

Pendant sa captivité, Walter lui avait tout raconté sur sa véritable identité, d'où il venait, ce qu'il avait fait à ses propres parents. Six ans avant d'emménager dans la maison de son oncle, et juste après avoir quitté Colorado Springs, elle avait décidé sur un coup de tête de faire un détour par le Kansas, pour voir de ses yeux les terres où avait vécu la famille Greer, situées à une vingtaine de kilomètres de la ville d'Emporia. Une autre maison avait été reconstruite depuis, ses murs peints en jaune et que de la route on voyait se dresser au loin au-dessus des champs de maïs. La barrière, en ce début d'après-midi, était restée grande ouverte. Elle avait continué à rouler le long de l'allée et s'était garée au niveau d'une vieille grange, puis elle avait ensuite sonné à la porte principale. Une femme d'une petite trentaine d'années et aux traits délicats lui avait ouvert, un chiffon humide à la main. Mary Beth s'était présentée et la femme avait fait de même. Elle s'appelait Norma Hewitt, et Mary Beth avait prétexté le fait de s'être perdue pour lui demander quel chemin prendre pour rejoindre la Kansas Turnpike. Norma, qui paraissait être en tout point une femme charmante, lui avait indiqué la voie à suivre, bientôt rejointe par ses deux fils, tous deux âgés d'une dizaine d'années, qui étaient venus vérifier qui était cette étrangère venue sonner à leur porte. Tout en écoutant Norma parler, Mary Beth s'était demandé si elle était au courant de ce qu'il s'était passé ici bien des années auparavant, puis, ne voulant pas trop s'attarder, elle l'avait remerciée pour son aide, et avait regagné sa voiture, prise d'une sensation désagréable à la vue de ces champs qui semblaient s'étendre jusqu'à l'infini, comme s'ils abritaient toujours quelque chose de mauvais, vestige du drame qui avait eu lieu en leur sein, où d'un drame bien plus ancien encore.

Elle s'était assise au volant, avait démarré, et n'avait commencé à se sentir mieux que quand des dizaines de kilomètres l'avaient séparée de cette propriété qui, depuis lors, la harcelait dans ses rêves à la façon d'un noir sortilège.

Au-dehors des gens parlaient et riaient. Elle attrapa un des oreillers, le plaqua contre son visage et hurla le plus fort qu'elle le put.

Et elle se jura qu'elle ne se contenterait pas de récupérer son fils. Elle le tuerait *lui*, une bonne fois pour toutes, cette fois elle le tuerait de ses mains.

Le lendemain matin, elle fut réveillée par le bruit des klaxons. Il était dix heures et demie, c'était la première fois depuis des lustres qu'elle se levait aussi tard. Elle étira les bras et eut une pensée pour ses collègues Lydia et Harlan ainsi que pour les habitués du Rosie's Diner, dont certains devaient déjà se demander pourquoi elle n'était toujours pas présente à son service. Personne ne connaissait la vraie raison de son départ précipité, elle avait simplement dit à son patron qu'elle avait besoin de prendre quelques jours de congé pour aller voir une tante très malade vivant sur la côte ouest.

Elle jeta un coup d'œil dans la rue en posant ses mains sur la rambarde. L'homme de l'immeuble d'en face se tenait à sa fenêtre. Il avait l'air assez jeune et lui fit penser à Duane.

Duane… À ce qu'elle en savait, il vivait toujours ici, à San Francisco. Ils étaient restés en contact depuis qu'il était passé en Indiana avec Josh, trois ans auparavant, et s'appelaient de temps en temps pour prendre des nouvelles. Josh avait maintenant sept ans et habitait toujours avec son père à Chicago. Duane, lui, travaillait pour un label indépendant et venait d'emménager dans un grand appartement sur Telegraph Hill. Il l'avait plusieurs fois invitée à venir le voir mais elle avait jusqu'à présent toujours poliment refusé, prétextant le trop-plein de travail, le manque de temps, pour ne pas avoir à évoquer les vraies raisons, loin de savoir à l'époque qu'elle serait malgré tout obligée de revenir. Elle avait son numéro écrit quelque part dans son agenda mais elle savait qu'elle ne pourrait pas profiter de cette occasion pour le contacter, ne voulant pas risquer de le mêler d'une façon ou d'une autre à cette histoire.

Mais peut-être quand tout se serait apaisé…

Toadvine ne s'était toujours pas manifesté. Il était sûrement encore trop tôt, elle devait se montrer patiente. Elle regarda à nouveau la photo de Scott prise par Morris et repensa, comme souvent, à leurs tout derniers moments passés ensemble. Scott ce matin-là n'avait pas voulu manger son petit déjeuner, elle avait été obligée de l'emmener chez les Lamb le ventre vide, elle-même exténuée par son nouveau boulot et ses nombreuses nuits sans sommeil. Cela faisait déjà plusieurs semaines que Martha gardait son fils dans la journée pendant qu'elle travaillait. Mary Beth était déjà en retard et l'avait déposé en coup de vent, ayant à peine eu le temps de l'embrasser sur la joue avant de partir. Une esquisse de baiser qui quelques heures plus tard avait pris un goût de cendres.

Si seulement elle avait su qu'elle ne le reverrait plus, que Walter l'attendait quelques rues plus loin…

Les années s'écoulant chaque fois qu'elle avait ressenti cette atroce douleur d'être séparée de son fils, ce besoin de le revoir, de savoir au moins comment il allait, elle s'était répété comme un mantra que, malgré tout, elle avait pris la bonne décision, que sa nouvelle vie avec les Lamb était forcément meilleure que celle qu'elle aurait pu lui offrir. Et elle avait même fini par y croire.

Mais le drame de Twin Falls avait tout fait voler en éclats. Avec le recul, elle ne pouvait s'empêcher de penser que si elle avait eu le courage de le garder avec elle, les Lamb seraient toujours vivants, et elle n'aurait jamais perdu seize années de la vie de son fils.

Pourtant, à l'époque, comment aurait-elle pu le savoir ? Comment aurait-elle pu courir le moindre risque de mettre à nouveau sa vie en danger ?

Qui, maintenant, pour la juger ?

Elle resta toute la journée dans la chambre d'hôtel, de plus en plus tendue au fur et à mesure que les heures se succédaient. Toadvine ne l'appela qu'en début de soirée, pour lui apprendre qu'il savait de source sûre que Walter avait prévu de partir le lendemain après-midi à Los Angeles avec une grande partie de sa garde rapprochée, afin d'assister à la soirée d'inauguration de la boîte de nuit qu'il venait d'ouvrir sur Melrose. Voulant profiter de cette chance, il avait décidé de tout mettre en œuvre pour attaquer le soir même, dès qu'ils auraient confirmation qu'ils étaient tous bien arrivés à destination. Trois de ses hommes s'étaient relayés depuis la veille afin de surveiller l'immeuble de Hayes Street, lui-même venait de se procurer les plans du bâtiment grâce à une de ses connaissances qui travaillait au cadastre. L'appartement de Walter occupait tout le dernier étage. Les autres étaient inhabités et servaient principalement d'entrepôts en tous genres. L'endroit exact où Scott était détenu n'avait pas encore été localisé, mais ils comptaient faire en sorte que les hommes de Walter restés dans l'immeuble crachent le morceau une fois sur place. Le plan était de se rendre là-bas en début de soirée et de s'introduire par une des fenêtres de l'arrière, qui donnait sur une ruelle. Une fois le système de surveillance désactivé, ils remonteraient jusqu'en haut par l'escalier principal en neutralisant les gardes de Kendrick et entreraient dans son appartement, là où selon toutes vraisemblances Scott était captif. Si tout se passait comme prévu, l'opération ne durerait qu'une petite dizaine de minutes. Scott, une fois localisé, serait aussitôt emmené en lieu sûr.

Mary Beth lui dit qu'elle était d'accord mais qu'elle tenait à être présente, qu'il était hors de question qu'elle attende ici que le téléphone sonne. Toadvine, à l'autre bout du fil, essaya d'abord de l'en dissuader, puis finit par accepter à l'unique condition qu'elle reste à ses côtés pendant toute l'opération. Elle devait se tenir prête pour le début de soirée, avant de raccrocher.

Tout avait paru si simple dans sa bouche, comme s'il faisait cela tous les jours, comme s'il ne prévoyait pas un seul instant que les choses puissent mal tourner. Pourtant maintenant c'était ce qui l'obsédait, que la situation dérape, que les hommes de Walter ne se laissent pas faire et répondent à la violence par la violence, que son fils soit blessé lors de l'attaque, ou pire…

Et tout serait entièrement de sa faute.

Mais que pouvait-elle faire d'autre ? Walter détenait Scott depuis plus de cinq mois, elle n'osait même pas imaginer tout ce qu'il avait eu le temps de lui faire, de lui dire, dans quel état elle récupérerait son fils.

Ni si, le moment venu, il accepterait de la suivre.

Mary Beth se sentit d'un coup terriblement seule, le genre de solitude que l'on éprouve quand on se retrouve perdu en territoire hostile.

Elle décida de téléphoner à Louis, son ami de Lafayette, qui, quand il décrocha, lui dit qu'il était justement en train de penser à elle. Mary Beth évoqua tout ce qu'il s'était passé depuis son arrivée à San Francisco, et surtout ce qui se préparait au sujet de Scott. Bien conscient de son état, Louis répondit qu'elle devait avant tout rester calme, qu'elle était près du but et que ce n'était plus qu'un mauvais moment à passer. Le simple fait d'entendre sa voix calma son angoisse. C'était un morceau de cette vie qu'elle avait si brusquement quittée qui lui revenait à travers elle, lui faisant sentir l'odeur de l'herbe de son jardin, percevoir le bruit des arbres qui l'apaisaient chaque soir quand elle s'asseyait sur les marches de sa véranda pour fumer une cigarette en rentrant du travail… Louis l'informa qu'il avait pêché deux énormes poissons-chats dans la Tippecanoe River et qu'il comptait les congeler pour qu'ils les mangent tous ensemble quand elle reviendrait avec Scott. Mary Beth se focalisa sur la vision d'eux cinq réunis autour d'une table et ils parlèrent ensuite de tout et de rien. Puis, ne voulant trop le déranger, elle le remercia et lui promit qu'elle le rappellerait un peu plus tard pour le tenir au courant.

Le téléphone à la main, Mary Beth scruta le ciel qui s'assombrissait de l'autre côté de la fenêtre. Elle devrait encore attendre une journée de plus, mais cette fois elle avait enfin du concret, cette fois elle savait que les choses se mettaient vraiment en place. Elle avait toujours un peu de mal à croire que Walter ne serait même pas là quand ils se rendraient dans son immeuble de Hayes Street, qu'elle ne courrait pas le risque de le revoir. Mais de toute façon, qu'aurait-il pu lui faire qu'il ne lui ait pas déjà fait ? Mary Beth n'était plus cette femme détruite qu'il avait ramenée de San Jose pour l'enfermer dans une pièce sans fenêtre afin de briser en elle tout espoir de fuir à nouveau ; pendant peut-être une semaine, peut-être un mois, peut-être un an ; l'affamant, la droguant, salissant son corps et tordant son âme pour annihiler la moindre trace de volonté et lui montrer à quel point il la *tenait*.

Elle en avait perdu peu à peu ses repères, seule dans le noir avec toutes les horreurs qui lui empoisonnaient continuellement l'intérieur du crâne. *Leurs visages figés, leurs regards vides, leur sang coulant des blessures, s'y succédant jusqu'à l'étourdir.*

Durant sa captivité, elle avait tenté plusieurs fois de mettre fin à son calvaire, en se déchirant les poignets sur les parois des murs, se tapant la tête contre les briques jusqu'à en perdre connaissance.

Mais elle s'en était toujours réveillée, pour hurler sa rage dans le noir jusqu'à ne plus avoir de force, jusqu'à ce que sa raison se fissure dans l'écho de cris auxquels se mêlaient parfois ceux de ses parents, ces appels au secours qu'elle n'avait pas entendus alors qu'elle était endormie dans sa chambre, bercée par l'illusion que le loup n'arriverait pas à entrer dans sa maison.

Et ce jusqu'au jour où Walter avait décidé de la sortir de sa geôle pour la ramener dans son appartement et l'avait lavée avec le jet de la douche pendant qu'elle se tenait prostrée au fond de la baignoire et regardait l'eau couler sur la porcelaine en sachant qu'il n'y en aurait jamais assez pour qu'elle puisse s'y noyer. Il l'avait ensuite jetée sur son lit, ce même lit dans lequel elle avait tant de fois dormi à cette époque où elle était tombée amoureuse de cet homme piège pour jeunes filles trop naïves ; et il s'était alors couché contre elle, le contact de sa peau et ses caresses bien plus atroces que celui du mur de la cave quand elle s'y raclait les poignets.

Mais cette fois elle avait pu voir le soleil briller par-delà la fenêtre, s'évader dans la vision d'un monde à nouveau lumineux pendant qu'il lui prouvait par le rapt de son corps à quel point elle lui appartenait. Pour ne pas lui laisser le moindre espoir, il l'avait ensuite informée que si elle essayait à nouveau de s'échapper, il l'emmènerait au 134 Sycamore Boulevard à San Jose, où vivaient sa tante Jessica et son neveu Joshua, et où il les égorgerait devant elle. Et il ferait ensuite la même chose à ses amies Ella, Lindsay, Veronica, et puis à Tommy, son ancien petit copain, et à toutes les personnes auxquelles elle tenait encore.

Le prix à payer pour sa trahison.

Pauvre petite sotte qui avait pensé pouvoir le défier.

Les yeux dans les yeux, elle avait été forcée de lui promettre qu'elle ne ferait plus rien qui pourrait le blesser, y croyant elle-même du fond de son âme, le souhaitant presque afin de s'épargner la douleur.

De toute façon elle n'avait plus nulle part où aller, seule et perdue, incapable d'éprouver la moindre envie de combattre, son corps affaibli réclamant déjà le crack qu'il l'avait forcé à prendre pour l'asservir encore un peu plus, ce corps qu'elle lui avait abandonné chaque soir comme si elle le jetait dans le caniveau.

Quand il s'absentait, il la faisait surveiller par un de ses hommes, posté derrière la porte avec l'ordre de tirer dans ses genoux à la moindre incartade. Mary Beth était restée seule des journées entières à ne rien faire d'autre que d'attendre son retour avec angoisse, misérable poupée cassée et vidée de toute substance.

Elle s'était parfois rendue derrière la fenêtre pour regarder le vide. Quatre étages, bien assez pour la tuer si elle trouvait le courage de sauter. Mais même ce courage-là, elle ne l'avait plus, résignée à seulement attendre que quelque chose change et la pousse à nouveau à se battre.

Et cela n'était arrivé que quelques semaines plus tard, quand des petites pulsations avaient commencé à résonner au creux de son ventre, et qu'elle avait senti, perçant par sa seule force la nuit qui la cernait, l'éclat de cette lumière naissante, cette autre vie qui grandissait en elle et redonnait un peu de prix à la sienne.

Le lendemain matin, bien consciente qu'elle ne pourrait pas rester une journée de plus à attendre dans cette chambre, Mary Beth décida d'en profiter pour prendre un car pour San Jose afin de se rendre sur la tombe de ses parents. Elle n'avait, au vu des circonstances, jamais pu le faire jusqu'à présent et s'en était toujours terriblement voulu. C'était sa tante Jessica qui s'était occupée de l'enterrement. N'ayant plus eu aucune nouvelle de sa nièce, elle devait penser qu'elle était morte elle aussi.

Et en un sens c'était la vérité, la Mary Beth qu'elle avait connue avait quitté ce monde depuis longtemps.

Elle vérifia les horaires des cars sur son smartphone. Il y en avait un à peu près toutes les demi-heures. Elle pourrait facilement faire l'aller et retour avant la fin de la journée et être prête quand Toadvine lui ferait signe.

Le taxi qu'elle avait appelé l'attendait déjà en bas de l'hôtel quand elle descendit. Elle demanda au chauffeur, un Afro-Américain d'une cinquantaine d'années, de la conduire à la San Francisco Caltrain Station, au sud de la quatrième rue.

Une fois arrivée à destination, dans un quartier de San Francisco où elle n'avait de mémoire jamais mis les pieds, elle acheta ses billets au guichet puis s'installa sur un banc à l'extérieur. Elle se sentait un peu anxieuse à l'idée de retourner là-bas après toutes ces années. Mais elle savait qu'elle devait le faire, qu'elle le leur devait à eux deux.

Elle passa l'essentiel du trajet à regarder les paysages défiler de l'autre côté de la vitre, et à essayer de ne pas trop penser au fait que la dernière fois qu'elle avait pris ce car c'était pour amener à ses parents leur propre mort dans ses bagages.

Ils arrivèrent à San Jose une heure et demie plus tard. Mary Beth marcha sur plusieurs centaines de mètres et prit un bus pour l'amener au Calvary Catholic Cemetery, situé à l'est de la ville. Ses parents y avaient acheté une petite concession alors qu'elle était gamine, ce vaste cimetière ne se trouvant qu'à quelques kilomètres de leur maison, son étendue grise visible du deuxième étage quand le temps était assez clair.

À peine sortie du bus, elle se rendit chez un petit fleuriste près de l'entrée principale et y acheta un gros bouquet de pivoines blanches, les fleurs préférées de sa mère. Un des gardiens l'aida à trouver leur tombe. Son cœur se serra quand, après avoir marché dans les allées herbeuses, elle vit leurs deux noms inscrits en lettres dorées sur une stèle de pierre grise. Elle y posa les fleurs et écouta le bruit des arbres qui tout autour d'elle se balançaient, cette douce mélopée qui berçait ses parents jour et nuit ; émue d'être si proche de ce qui restait d'eux en ce monde.

Tant de choses qu'elle voudrait leur dire. Tant de choses qu'ils ne pourraient plus jamais entendre.

Il était à peine quatorze heures quand elle quitta le cimetière. Elle avait encore largement le temps pour rentrer et décida de continuer à marcher le long de la N. Capitol Avenue pour rejoindre à pied le quartier où elle avait vécu toute son enfance et une grande partie de son adolescence.

La maison était quasi identique à ses souvenirs, la façade peut-être un peu plus blanche, comme si elle avait été repeinte quelques années plus tôt. La fenêtre de son ancienne chambre était grande ouverte. Une Chevrolet beige était garée dans l'allée, des fleurs de toutes les couleurs plantées sur toute la longueur du mur de la cuisine et du salon. Mary Beth marcha le long de la haie, attentive aux oiseaux qui piaillaient dans les arbres et, un peu plus loin, au flot continu des voitures sur la voie rapide.

Ne manquait plus que le bruit de la radio de son père.

De l'autre côté de la maison, elle remarqua un petit garçon qui s'amusait dans une piscine gonflable installée dans le jardin, ainsi qu'une jeune femme en bikini rouge parlant au téléphone sur la terrasse tout en le surveillant.

Plus aucune trace visible de l'horreur qui avait eu lieu entre ces murs.

Bien consciente qu'elle n'avait plus sa place ici, elle continua sa route et arriva à la maison de Mme Hillard, une ancienne femme de ménage qui la gardait après l'école et qu'elle distingua assise à une table dans le fond de son jardin, en train de lire un roman sous un gros parasol jaune. Cette simple vision la bouleversa, vestige d'une époque qu'elle pensait totalement révolue, et lui donna l'envie d'aller à sa rencontre et de voir, sans prononcer le moindre mot, si elle la reconnaîtrait.

Mais elle n'en fit rien et rejoignit l'avenue alors que dans sa tête continuaient d'affleurer les souvenirs.

Sur sa droite on voyait le centre commercial où sa mère et elle faisaient leurs courses les samedis après-midi. Sa tante Jessica habitait à cette époque dans une maison située de l'autre côté de la piscine municipale. Vivait-elle toujours ici ? Elle hésita à aller elle-même le vérifier mais elle savait que si c'était le cas elle n'aurait pas la force de sonner.

Cette page de sa vie était définitivement tournée, il ne pouvait plus y avoir de retour en arrière.

Mary Beth s'acheta une bouteille d'eau et un paquet de chewing-gums, puis elle se rendit à l'arrêt du bus qui la ramènerait à la gare routière.

Le car arriva à San Francisco peu après dix-sept heures. À peine revenue dans sa chambre, elle alluma la télévision et s'allongea sur le lit.

En début de soirée, elle commanda un hamburger dans le snack qui se trouvait face à l'hôtel et se força à le manger face à une série télévisée, s'efforçant de ne pas trop penser au fait que, d'ici peu de temps, sa vie basculerait d'une façon ou d'une autre.

Mais tout se passerait bien. Tout ne pouvait que bien se passer. Walter ne serait même pas là pour l'empêcher de réparer ce qui pouvait encore l'être.

Toadvine l'appela comme convenu un peu avant vingt-deux heures pour lui dire que, si elle était toujours décidée, il passerait la chercher au carrefour avec Geary Street dans une quinzaine de minutes.

Il faisait beaucoup plus froid au-dehors. Mary Beth marcha sur le trottoir luisant de pluie en refermant sa veste, l'estomac noué. Arrivée au carrefour avec Geary, elle s'arrêta contre un lampadaire. Il y avait beaucoup de circulation, les enseignes lumineuses et les phares des voitures débordaient dans l'air humide à cause du brouillard qui peu à peu se formait.

Quelques prostituées se tenaient sur le trottoir opposé. L'une d'elles, une petite métisse portant une minijupe et une veste en cuir rouge, lui fit étrangement penser à Jocelyn, qui avait été sa seule véritable amie quand elle vivait ici. Mary Beth ne la quitta pas du regard alors qu'elle se trémoussait et prenait des poses lascives à chaque fois qu'une voiture ralentissait.

Jocelyn. Depuis combien de temps n'avait-elle pas pensé à elle ?

Vivait-elle toujours ici ? Était-elle toujours vivante ?

À l'époque où elles s'étaient rencontrées, Jocelyn travaillait dans un des bars de nuit de Walter, sur Van Ness Avenue. Mary Beth était alors loin de se douter que, comme une dizaine d'autres, elle se prostituait avec certains clients de l'établissement, et ce pour le compte de Walter. C'était d'ailleurs elle qui l'avait la première mise en garde, un soir où elles avaient un peu trop bu, juste après la fermeture. Après avoir vérifié qu'elles étaient bien seules, Jocelyn avait évoqué pêle-mêle ses liens avec le milieu, ses trafics en tout genre, le sang qu'il avait sur les mains, et puis aussi le sort de Christa Pratt, sa petite amie précédente, qui avait disparu un soir sans laisser de traces et dont personne n'avait jamais plus eu de nouvelles. Mary Beth ne l'avait écoutée que d'une oreille, mais ce soir-là, qu'elle le veuille ou non, quelque chose s'était fissuré, une fissure qui s'était élargie au fur et à mesure que le temps avait passé, et qui, un jour, avait fait s'écrouler tout l'édifice.

Quand elle avait réussi à s'enfuir une seconde fois de chez Walter, alors enceinte de trois mois de Scott, c'était chez Jocelyn qu'elle s'était précipitée pour lui demander son aide. La trouvant sur le pas de sa porte, trempée par la pluie et amaigrie, celle-ci avait mis un moment avant de réaliser que c'était bien elle, convaincue depuis longtemps que Walter l'avait fait disparaître à son tour.

Une tasse de café à la main, Mary Beth lui avait tout raconté sur ce qu'elle avait subi durant ces longs mois où il l'avait gardée prisonnière ; comment elle avait réussi de façon inespérée à déjouer sa vigilance pour s'échapper de cet enfer. Elle l'avait ensuite suppliée de l'aider à partir d'ici, le plus loin possible, et elles étaient parties le soir même, Mary Beth cachée sous des couvertures à l'arrière de sa voiture.

Jocelyn avait roulé jusqu'à la petite ville d'Yba City, au nord de Sacramento, où elle lui avait pris une chambre dans un motel et donné assez d'argent liquide pour tenir plusieurs semaines. Mary Beth avait tenté de la convaincre de rester avec elle, mais Jocelyn avait dû se résigner à repartir à San Francisco, par peur de trop éveiller les soupçons.

À nouveau seule, elle n'avait pas pu dormir de la nuit, à l'affût du moindre bruit provenant de derrière la porte, presque résignée à l'idée qu'il en franchisse le seuil pour à nouveau anéantir tous ses espoirs.

Mais pas cette fois-là. Quand, aux premières heures de la matinée, le soleil s'était levé sur les collines, elle avait vraiment commencé à croire en une seconde chance.

Par souci de précaution, elle avait fait du stop pour rejoindre la ville de Medford, dans l'Oregon, et s'était installée quelques jours dans un petit hôtel du centre-ville, avant de reprendre la route vers le nord. Elle avait par la suite écrit plusieurs fois à Jocelyn, en lui demandant de brûler ses lettres dès qu'elle les aurait lues.

Puis, au fil du temps, Jocelyn avait elle aussi rejoint ce passé qu'elle avait tout fait pour oublier.

Une camionnette grise s'arrêta à son niveau. La portière arrière s'ouvrit d'un coup et Toadvine, vêtu d'un long manteau noir, lui tendit la main pour l'y faire monter.

Elle prit place sur une sorte de banquette en bois pendant que la camionnette redémarrait sèchement, s'y accrochant pour ne pas glisser.

– Je m'attendais à ce que vos hommes nous accompagnent, dit-elle en balayant l'intérieur du regard.

– L'opération est en train de se dérouler à l'instant où je vous parle, répondit Toadvine. A priori seuls trois ou quatre hommes de Kendrick sont encore dans l'immeuble. Avec un peu de chance tout sera déjà fini quand nous arriverons.

– Et vous savez avec certitude où est mon fils ?

– Non, ce qui est compréhensible s'il est retenu prisonnier. Comme je vous l'ai déjà dit au téléphone, mes gars ont pour consigne d'interroger les hommes de Kendrick qui seraient encore dans le bâtiment.

Toadvine toussa alors violemment. Il se plaqua la main sur la bouche, et Mary Beth eut à peine le temps d'y voir perler de minuscules gouttes de sang qu'il la plongea dans la poche de son manteau.

Quelques minutes plus tard, la camionnette se gara et le chauffeur coupa le moteur. Au loin une ambulance roula toutes sirènes hurlantes. Mary Beth serra fort la clef de sa chambre, et attendit que Toadvine, concentré sur l'écran de son téléphone, reçoive la moindre nouvelle de ses hommes. Ne pas savoir ce qu'il pouvait bien se passer dans cet immeuble devint de plus en plus insupportable, les minutes s'écoulant comme des heures, son ventre se serrant un peu plus à chaque battement de cœur.

– Comment va Louis ces derniers temps ? demanda Toadvine en la tirant d'un coup de ses pensées.

– Bien, répondit-elle, un peu surprise par la question. Je l'ai eu au téléphone en début de soirée, il préparait à manger à ses petits-enfants. Sa fille a quitté Atlanta pour venir emménager à Indianapolis. Vous ne pouvez imaginer à quel point cela le rend heureux…

– Tant mieux. Je me rappellerai toujours le soir où il est venu me voir il y a plus de dix ans pour me dire qu'il plaquait tout pour aller vivre en Indiana. Louis a toujours été un vrai citadin, tout comme moi, et j'étais persuadé qu'il reviendrait au bout de trois semaines… Et puis finalement non, il a tenu bon, cet enfoiré… Je lui ai souvent promis de venir lui rendre visite, mais vous savez ce que c'est, les années filent bien plus vite que nous ne le souhaiterions…

Le téléphone de Toadvine se mit à sonner, et il alla répondre à l'extérieur. Mary Beth ne le quitta pas des yeux, ne parvenant pas à entendre ce qu'il disait à son interlocuteur alors qu'il s'adossa contre une voiture et continua à parler le dos tourné, ses cheveux gris éclairés par la lumière d'un lampadaire.

Puis il la rejoignit.

– Nous avons réussi à prendre le contrôle du bâtiment, dit-il en rangeant son téléphone dans sa poche.

– Et mon fils ?

– On ne l'a pas encore localisé, je vais devoir rejoindre mes hommes pour leur prêter main-forte.

– Je viens avec vous…

– Ce serait plus prudent de rester ici, Madame Doyle.

– Il n'en est pas question ! C'est mon fils qui est à l'intérieur et c'est moi qui vous paye ! Je n'attendrai pas ici une minute de plus !

Et, sans qu'il ait le temps de répondre, Mary Beth se campa face à lui, plus déterminée que jamais.

Toadvine poussa un petit rire, puis il attrapa un gros sac en toile et claqua la portière.

– L'immeuble de Kendrick se situe à deux-cents mètres en remontant Hayes Street, dit-il en l'invitant à le suivre. Vous restez avec moi et vous ne tentez rien qui pourrait vous mettre en danger, vous ou l'un de mes hommes, est-ce bien clair ?

Mary Beth lui répondit que oui et pressa le pas. Un peu de brouillard stagnait dans les rues. L'air ambiant sentait une odeur de poisson frit. De la musique, une sorte de samba, s'échappait d'une fenêtre entrouverte, une grosse marmite en fonte posée sur le rebord.

Elle reconnut l'immeuble, qui éclipsait par sa simple présence tout ce qui l'entourait.

– Vous êtes sûr que Walter est bien parti à Los Angeles ? demanda-t-elle à Toadvine au moment où ils traversaient la rue.

– Absolument, Madame Doyle. Un de mes hommes le surveille à l'instant même dans sa boîte de nuit et doit m'avertir de ses moindres faits et gestes. Vous ne courez aucun risque de le rencontrer, si c'est ce que vous redoutez…

Des paroles qui, malgré tout, ne parvinrent pas à la rassurer.

Quand ils arrivèrent à l'entrée, Toadvine tapa trois coups secs à la lourde porte en fer forgé, qui s'ouvrit aussitôt sur un homme portant une cagoule noire relevée sur la tête et qui se décala pour les laisser passer.

Ils avancèrent jusqu'à un grand hall aux murs de pierre blanche, puis débouchèrent dans une cour intérieure rectangulaire, surplombée cinq étages plus haut par une immense verrière. Mary Beth suivit Toadvine jusqu'à un ascenseur en ferraille situé de l'autre côté, et remarqua sur sa droite deux hommes étendus les mains liées dans le dos, tous deux inconscients.

Ils entrèrent dans l'ascenseur et Toadvine appuya sur le bouton du cinquième étage.

Un homme au crâne rasé les attendait en haut, tenant à la main une sorte de fusil d'assaut que Mary Beth eut du mal à quitter des yeux. Derrière lui, une porte à double battant était grande ouverte, la lumière qui s'en échappait tranchant avec l'obscurité ambiante. Un des gardes de Walter, son visage tuméfié penché sur le côté, était assis contre un des murs, les mains menottées.

– On n'a toujours pas trouvé le gamin, dit l'homme au crâne rasé à Toadvine. Cet endroit est un vrai labyrinthe. Don est à l'intérieur, en train d'interroger Jack Briggs, un des bras droits de Kendrick.

Et Harlan et Frank ?

– Je les ai envoyés inspecter les étages inférieurs, mais vu la taille de l'immeuble on aura besoin d'aide ou de plus de temps…

L'air un peu gêné, il demanda à Toadvine s'ils pouvaient parler seul à seul, et ils s'éloignèrent dans le fond du couloir.

Mary Beth se pencha par-dessus la balustrade, le vide lui donnant aussitôt le vertige. Des bruits de talkies-walkies se firent entendre par intermittence dans les étages inférieurs ; elle discernait la lumière de leurs lampes torches surgir des couloirs et balayer les murs.

Toadvine et l'homme au crâne rasé continuaient à parler à voix basse derrière un gros pilier. Sans plus attendre, elle marcha vers l'appartement de Walter et se retrouva dans un imposant vestibule au sol recouvert d'un carrelage damier noir et blanc, les murs peints en rouge et sur lesquels étaient accrochés de nombreux tableaux. Elle n'arrivait pas à se faire à l'idée qu'elle était chez lui, elle qui pendant toutes ces années avait vécu avec cette peur constante qu'il franchisse le pas de sa propre porte. Elle le sentait partout, dans chaque objet, dans chaque ombre, y entendant les pulsations de son cœur, l'écho étouffé de sa respiration.

Mary Beth entra dans un vaste salon discrètement éclairé par des lampes à abat-jour ocre, avec, face à elle, une longue baie vitrée à travers laquelle on voyait scintiller les buildings de Financial. Un homme seulement vêtu d'une chemise à moitié ouverte était agenouillé sur sa droite le visage baissé, tandis qu'un autre membre de l'équipe de Toadvine, assez trapu et le nez épaté, le tenait en joue avec un .38 noir.

Elle n'osa plus faire le moindre geste et remarqua qu'une jeune femme aux cheveux blonds et à moitié nue se tenait prostrée contre un mur, se cachant le visage en sanglotant.

Toadvine passa près d'elle, l'air un peu nerveux, et rejoignit les deux hommes au centre de la pièce.

– Bon, écoute… Jack, c'est ça ? fit-il en s'accroupissant face à celui qui était à genoux. Nous n'avons pas beaucoup de temps devant nous, donc tu nous indiques l'endroit où vous avez foutu le gamin et on se casse.

– Mais putain, je vous répète que je ne sais pas de qui vous parlez ! dit Jack en relevant son visage tuméfié vers la froideur de la lampe.

– Scott Lamb. Je te parle de Scott Lamb. Plus tôt tu nous cracheras le morceau et plus tôt tu pourras reprendre tes petites affaires avec cette charmante demoiselle, c'est un bon deal, non ?

– J'ai l'impression que tu ne te rends pas compte de la merde dans laquelle tu t'es foutu, mec ! Quand mon boss saura ce que tu viens de faire ici, il te traquera à travers la ville jusqu'à ce qu'il puisse planter ta tête au bout d'une pique !

– On n'en est pas encore là, continua Toadvine d'un air stoïque. Pour l'instant il n'y a que toi et moi, et je suis bien d'humeur à me défouler sur ta petite gueule si tu persistes à nous raconter des craques. Alors, pour la dernière fois, où est le gamin ?

– Je te répète que je ne vois pas de qui tu parles ! Tu as été mal renseigné, putain ! Tu peux te défouler sur moi autant que tu veux, je ne peux pas t'avouer ce que je ne sais pas !

Disant cela, Jack cracha un peu de salive rougie de sang sur le parquet. Toadvine se releva, attrapa Mary Beth par le bras et sortit avec elle dans le vestibule.

– Madame Doyle, dit-il en se plantant face à elle, pardonnez-moi de vous poser la question, mais êtes-vous absolument certaine que votre fils est bien ici ?

– Bien entendu, répondit Mary Beth sans comprendre où il voulait en venir. Pourquoi cette question ?

– Parce que mes hommes ont fouillé tout l'appartement sans résultat, parce que tout le monde ici prétend ne pas le connaître, parce que jusqu'à présent nous n'avons aucune preuve tangible de sa présence dans ce bâtiment… Vous êtes une amie de Louis, j'ai décidé de vous aider en vous faisant confiance, mais maintenant j'en suis à me demander si vous ne vous êtes tout simplement pas fait avoir.

– Mais c'est insensé ! Collins m'a bien certifié que mon fils était détenu ici !

– Vous ne seriez pas la première à vous être fait escroquer par un type contacté sur internet. Ce « Collins » vous a-t-il au moins donné d'autres éléments prouvant la présence de Scott ici que cette photo que vous m'avez montrée ?

– Non… À part sa photo, non… Mais…

– Ôtez-moi d'un doute, quel âge avait-il la dernière fois que vous l'avez vu ?

– Presque deux ans, murmura Mary Beth, les yeux baissés.

– O.K… Je n'ai à m'en prendre qu'à moi-même pour ne pas vous avoir cuisinée avant… Comment dans ces conditions pouvez-vous être si sûre que c'était bien votre fils ? De ne pas y avoir simplement vu ce que vous vouliez y voir ? Je ne dis pas ça pour vous torturer, Madame Doyle, mais préparez-vous aussi à l'éventualité que nous soyons depuis le début dans une putain d'impasse, que vous le vouliez ou non !

Abasourdie, elle s'adossa contre le mur avec l'impression d'avoir reçu un coup de poing dans le ventre.

Ce n'était pas possible. Il se trompait. C'était bien son fils sur cette photographie, elle en était certaine. Même seize ans après elle l'avait reconnu. Du plus profond de ses entrailles.

– Il est là, il est forcément là ! dit Mary Beth en relevant la tête. Il doit être retenu dans un endroit que vos hommes n'ont pas encore fouillé ! Il faut continuer les recherches, il n'y a pas d'autre solution !

– C'est ce que nous faisons, mais vous devez aussi être consciente que plus le temps passe et plus nous nous mettons nous-mêmes en danger. À tout moment un des hommes de Kendrick peut débarquer ici ou se rendre compte que le système de surveillance de l'immeuble a été piraté. D'ici dix minutes nous devrons évacuer les lieux, avec ou sans votre accord.

– Je ne partirai pas sans Scott ! C'est vous qui avez décidé d'attaquer dès ce soir ! Je vous ai fait confiance ! Cet homme sait quelque chose, il faut le forcer à parler d'une façon où d'une autre !

– En faisant quoi ? En le torturant jusqu'à ce qu'il craque ? C'est ça que vous me demandez ? Si votre gamin est bien détenu par Kendrick et que nous n'arrivons pas à le ramener ce soir, nous trouverons un autre moyen, je vous le promets…

– Mais il sera déjà trop tard ! Walter saura que je suis venue ici et je n'aurai plus aucune chance de le revoir ! Si vous avez autant peur pour votre vie, vous n'avez qu'à partir avec vos hommes, moi, je reste, donnez-moi une de vos armes et je forcerai moi-même Walter à me dire où est Scott quand il reviendra !

– Vous savez que je ne pourrais pas le permettre. Et que ce serait peine perdue…

Bien consciente qu'il avait raison, Mary Beth frappa de rage le mur du pied et fit quelques pas pour réfléchir. Mais pour cela, elle devait d'abord dissiper les brumes qui s'assemblaient dans sa tête.

Il était ici, dans cet appartement. Elle en était persuadée.

Derrière elle, Toadvine prit son talkie-walkie pour demander à ses hommes où ils en étaient. Ils répondirent qu'ils fouillaient le troisième étage, sans résultat. Mary Beth remarqua alors une caméra accrochée au plafond, braquée sur eux. Même si elle savait par Toadvine que le système de surveillance avait été coupé, elle ne put s'empêcher d'imaginer Walter y voir à quoi elle pouvait bien ressembler aujourd'hui.

Et ainsi encore plus facilement recommencer la traque.

La jeune femme aux cheveux blonds s'était levée et l'observait sans bouger. Et dans son regard elle comprit qu'elle *savait*. Elle fit alors signe à Toadvine de s'éloigner un peu et il retourna dans le salon.

– Bonjour, dit-elle en s'approchant. Je m'appelle Mary Beth, et toi ?

– Alyssa, murmura-t-elle.

Elle était bien plus jeune qu'elle ne l'avait cru au départ, pas plus de dix-huit ans. Elle portait des traces de coups sur les épaules et les bras, ses poignets étaient irrités jusqu'au sang.

Elle aussi était une prisonnière.

– Tu n'as rien à craindre, Alyssa. Nous ne te voulons pas de mal, si nous sommes ici c'est pour sauver mon fils, il s'appelle Scott. Tu vois de qui je parle, n'est-ce pas ?

La jeune femme tourna la tête vers Jack, toujours agenouillé dans le salon. Elle était terrifiée, et Mary Beth ne connaissait que trop bien cette terreur ; elle voyait l'empreinte de Walter sur chaque partie de son corps, elle le sentait continuer à lui tenailler l'âme.

Combien ? Combien d'autres après elle ?

– Il ne peut plus rien te faire, fit-elle en l'attrapant par les épaules pour la forcer à la regarder. Je sais que je t'en demande beaucoup mais nous n'avons plus beaucoup de temps, et si tu sais la moindre chose au sujet de mon fils, il faut que tu me le dises…

– Oui, je comprends…

– Très bien, donc il faut que tu me répondes : sais-tu où est Scott ?

– Oui.

À ce simple mot, son cœur se mit à battre un peu plus fort.

– Et il est ici ? Dans cet appartement ?

– Putain, mais ferme ta gueule ! hurla Jack en se redressant d'un coup.

Toadvine, qui se tenait près de lui, le frappa en plein visage avec la crosse de son arme, le faisant s'écrouler sur le parquet.

– Ils ont pris mes papiers, dit Alyssa sur un ton précipité. Je ne connais personne ici… Je veux juste rentrer chez moi…

– On t'aidera, répondit Mary Beth en passant la main dans ses cheveux sales et emmêlés. Mais avant toute chose, tu dois nous conduire à Scott, et ensuite on partira tous d'ici…

Toadvine les rejoignit alors, son talkie-walkie à la main. Alyssa le dévisagea le temps qu'il lui fallut pour comprendre qu'elle n'avait rien à craindre, puis elle se releva sans un mot et commença à marcher vers l'autre côté du vestibule.

Ils la suivirent à travers plusieurs salles plongées dans la pénombre, pour arriver dans un couloir qui semblait parcourir toute la partie ouest de l'appartement et qui les amena, une vingtaine de mètres plus loin, à une grande porte en acajou massif. Ils entrèrent dans une pièce sentant une légère odeur de vieux bois et de marijuana. Sur leur droite plusieurs ordinateurs éteints étaient disposés sur un bureau, avec au-dessus un plan de la ville accroché au mur, constellé de punaises de toutes les couleurs. Alyssa plongea le bras sous le bureau et un déclic se fit entendre à l'intérieur d'une grosse armoire, entièrement vide et assez haute pour y faire tenir un homme debout. Elle exerça une forte pression sur le fond, et celui-ci coulissa et dévoila une autre pièce, entièrement plongée dans l'obscurité.

– Putain, j'hallucine, murmura Toadvine.

Mary Beth posa sa main sur le rebord, une légère odeur d'humidité se propageant tout autour d'elle.

– Il est là-dedans ? Tu en es sûre ? demanda-t-elle à Alyssa en essayant de percer du regard le noir qui lui faisait face. *Le noir de derrière l'armoire, qui, pour des milliers d'enfants, menait au royaume du croque-mitaine.*

Sans prononcer le moindre mot, la jeune femme actionna un interrupteur dans l'armoire, dévoilant un corridor assez étroit, aux murs gris et sales, et qui menait à une autre porte.

La pièce qui se trouvait derrière faisait une vingtaine de mètres carrés, sans fenêtres, uniquement éclairée par une lampe métallique suspendue au plafond et au milieu de laquelle trônait une grosse table en pierre recouverte d'un drap blanc et épais. Deux portes cadenassées se faisaient face de chaque côté, ainsi que trois autres, alignées dans le fond. Il y faisait beaucoup plus froid que dans le reste de l'appartement, comme dans une cave.

– Bordel, mais c'est quoi cet endroit, dit Toadvine, effaré.

Mary Beth ne quitta pas des yeux la table recouverte par un drap. En dessous, quelque chose d'informe le tachait par endroits.

– Où est-il ? demanda-t-elle à Alyssa d'une voix étranglée.

La jeune femme lui indiqua du doigt la porte de droite. Sans plus attendre, Mary Beth attrapa la clef du cadenas accrochée sur le mur et la tourna dans la serrure.

Elle le distingua dans l'obscurité qui se dissipait sous la lumière électrique, allongé en chien de fusil sur un vieux matelas, seulement vêtu d'un jean et d'une chemise.

Il ne bougeait pas, comme s'il dormait…

Mary Beth s'agenouilla près de ce corps immobile et dans lequel elle ne pouvait plus rien reconnaître de l'enfant qu'elle avait laissé aux Lamb seize ans auparavant.

Elle posa sa main sur ses cheveux, puis sur le haut de son dos, sentant son cœur y résonner.

Mais si faiblement, presque chuchotant…

Sa respiration était rauque et saccadée ; même dans son sommeil il paraissait à bout de forces. Elle le secoua un peu en prononçant son prénom, mais sans parvenir à le réveiller.

– Que lui ont-ils fait ? demanda-t-elle à Alyssa, qui se tenait sur le seuil de la porte.

– Il a encore essayé de s'enfuir… M. Kendrick l'a enfermé ici avec pour ordre de ne lui donner ni à boire ni à manger.

– Et depuis quand ?

– Trois jours…

Toadvine entra à son tour dans la cellule, son talkie-walkie à la main.

– Aidez-moi à le relever, dit Mary Beth en prenant son fils par les épaules.

Toadvine attrapa Scott par la taille, Scott qui, une fois debout, ouvrit un peu les yeux, l'air complètement ailleurs.

Et pendant une fraction de seconde leurs regards se croisèrent.

La camionnette les attendait en bas de l'immeuble. Ils allongèrent Scott sur un gros tapis de sol, pendant que les hommes de Toadvine y montaient un à un pour s'asseoir sur les banquettes.

– Je vais aller à l'avant, dit Toadvine en laissant monter Alyssa à son tour. Nous allons d'abord conduire cette jeune femme à l'hôpital le plus proche et ensuite nous irons à votre hôtel.

Mary Beth, après qu'il eut claqué la portière, prit la main de son fils dans la sienne, la camionnette accélérant de façon brusque pour rejoindre Van Ness. Scott reprit peu à peu conscience. Ses lèvres étaient tellement sèches qu'elles se craquelaient par endroits. Il essaya de parler mais aucun son n'arriva à sortir de sa bouche.

– Non, ne dis rien. Tu es en sécurité maintenant, tu n'as plus rien à craindre…

Le visage de son fils restait figé, mais elle sut qu'au fond des limbes où il était encore retenu, il l'entendait et la comprenait.

– Auriez-vous quelque chose à boire ? demanda-t-elle en se retournant vers les hommes de Toadvine. L'un d'eux lui tendit une petite bouteille d'eau minérale. Mary Beth releva un peu la tête de Scott et posa le goulot sur sa bouche, le faisant boire par petites gorgées tout en essayant de ne pas en renverser à cause des soubresauts de la route.

La camionnette s'arrêta une dizaine de minutes plus tard. Toadvine ouvrit la portière latérale et fit signe à Alyssa de descendre.

Ils se trouvaient sur un grand boulevard où la circulation restait particulièrement dense. L'entrée des urgences de l'hôpital était située de l'autre côté de la rue, deux hommes en blouse blanche discutant un gobelet à la main à l'intérieur d'un hall verdâtre.

– Tu n'as pas à t'en faire, dit Mary Beth en rejoignant Alyssa. Ils vont bien s'occuper de toi, tu as besoin d'être examinée par un médecin et de beaucoup de repos. Tu as quelqu'un à appeler pour venir te chercher ?

– Ne vous inquiétez pas pour moi. Vous embrasserez Scott de ma part ?

– Oui, bien sûr, et merci pour ton aide… Surtout ne les laisse pas te reprendre, d'accord ?

– Je ferai de mon mieux, promis, chuchota Alyssa à son oreille.

Mary Beth serra sa main dans la sienne, puis elle remonta dans la camionnette, suivie par Toadvine. Elle eut à peine le temps de voir une dernière fois Alyssa plantée sur le trottoir qu'il fit claquer la portière et frappa sur la paroi pour que le chauffeur redémarre.

– Je ne peux que vous conseiller de changer d'hôtel pour cette nuit, dit-il en s'asseyant face à elle. Je connais un gars de confiance qui en tient un à North Beach. Je vous y ai réservé une chambre, si vous êtes d'accord, je vous y emmène tout de suite.

– Oui, c'est sûrement une bonne idée, merci beaucoup, fit-elle, rassurée de savoir qu'ainsi ils s'éloigneraient encore un peu plus de chez Walter.

Une fois à son hôtel, Mary Beth chercha ses affaires dans sa chambre, puis elle paya le gérant, laissa la clef sur le comptoir et rejoignit la camionnette, qui l'attendait un peu plus haut dans la rue.

Ils roulèrent pendant une petite quinzaine de minutes. Arrivés à destination, dans une rue très animée typique de North Beach, Toadvine et deux de ses hommes emmenèrent Scott dans la chambre située au troisième étage d'un gros bâtiment à la façade claire.

À peine entrés, ils l'allongèrent sur le lit, et Toadvine leur demanda de l'attendre dans le couloir.

– Quand comptez-vous quitter la ville ?

– Je ne sais pas vraiment. Scott n'a aucun papier, donc nous ne pourrons pas prendre l'avion. Dès lundi j'irai louer une voiture, j'aurais dû m'y prendre avant et partir aussitôt, je n'ai pas assez réfléchi…

– Le plus tôt sera le mieux en effet. Une fois revenu à San Francisco, Kendrick fera tout pour vous retrouver. Même si nous avons pris soin d'enfermer ses hommes dans cet endroit sordide où se trouvait votre fils, il lui suffira d'appeler l'un d'eux sans avoir de réponse pour comprendre que quelque chose cloche. Il faut que vous restiez le plus prudente possible jusqu'à ce que vous quittiez la Californie.

Toadvine lui tendit un petit Beretta noir.

– Tenez, vous savez vous en servir ?

– Vous seriez déçu si je vous disais non, répondit Mary Beth en le soupesant dans sa main.

– Il est déjà chargé, gardez-le avec vous et n'hésitez pas à m'appeler si besoin est.

Mary Beth posa le Beretta sur le couvre-lit, puis elle lui donna le reste de l'argent qu'elle lui devait.

Quand il fut parti, elle se pencha par-dessus la balustrade de la fenêtre et remarqua que ce côté de l'hôtel donnait sur une belle cour pavée, partiellement illuminée par de petites lampes en fer forgé.

Elle avait encore du mal à croire que c'était fini. Tout s'était passé si vite, et d'une telle façon, qu'avec le recul cela paraissait presque avoir été un peu trop facile. Mais elle avait réussi, c'était la seule chose qui comptait. Elle était parvenue à sauver son fils sans tomber dans le piège que Walter lui avait tendu.

Pourquoi alors ressentait-elle cette étrange sensation que quelque chose de terrible allait arriver ? Qu'elle ne sortirait jamais vivante de cette ville ?

Elle mesura dans chaque détail du visage de Scott toutes les années qu'elle avait définitivement perdues, elle qui, au fil du temps, avait souvent imaginé ce à quoi il pouvait ressembler en grandissant, ne pouvant se fier qu'à ses souvenirs et à la seule photographie qu'elle avait gardée de lui. Et maintenant il était là, à quelques centimètres d'elle, encore plus beau que dans toutes ces images mentales qu'elle s'était construites pour pallier le vide de son absence.

Elle caressa sa joue, sentit le souffle chaud de sa respiration glisser entre ses doigts. Il paraissait si faible. Avait-il bu assez d'eau ? Demain matin elle achèterait de quoi manger. Il lui faudrait se remettre d'attaque avant de pouvoir prendre la route.

Trois jours enfermé dans cette cellule de dix mètres carrés sans boire ni manger ; sans parler de tout ce qu'il avait dû endurer auparavant, tout ce que Walter avait pu lui faire, lui dire, tous ces sévices psychologiques qui pourraient causer, chez un jeune homme pas tout à fait sorti de l'adolescence, des blessures bien plus profondes que celles que l'on impose ordinairement à la chair.

Combien de temps l'y aurait-il laissé si elle n'était pas intervenue ? Il n'aurait pas été jusqu'à le tuer, pas après cinq mois à le garder en vie en attendant qu'elle se montre ; mais le briser, comme il l'avait fait avec elle juste pour le plaisir de la détruire encore un peu plus…

Elle pensa avec un léger frisson à la rage que Walter éprouverait quand il reviendrait et comprendrait qu'il avait laissé passer sa seule chance de remettre la main sur elle. Elle savait pertinemment qu'il n'en resterait pas là, qu'il tenterait par tous les moyens de les retrouver. Tant qu'il vivrait, elle et son fils ne seraient jamais tout à fait en sécurité, toujours sur leurs gardes, à guetter le coup de poignard à chaque coin de rue.

Si seulement elle avait eu le courage de le tuer quand elle en avait eu l'occasion, bien des années auparavant. Tout, alors, aurait été si différent.

Une sirène de police se fit entendre par la fenêtre ouverte, suivie de cris et du bruit d'une bouteille qui se brise. Mary Beth allongea ses jambes sur le lit et remarqua un tableau accroché au mur face à elle et en partie éclairé par la lueur du dehors. Il représentait deux enfants aux cheveux blonds assis sur le banc d'un jardin public. Elle avait du mal à discerner leurs traits à cause de la pénombre, mais les yeux de la petite fille, au visage si lisse qu'il semblait fait de cire, ressortaient étrangement, donnant l'impression qu'elle la fixait avec hargne.

La lumière du couloir de l'hôtel s'alluma alors et éclaira une portion de moquette sous la porte. Des pas se rapprochèrent vivement, peut-être deux ou trois personnes. Mary Beth attrapa l'arme de Toadvine et visa droit devant elle en tentant de refréner les tremblements de ses bras. Elle avait appris à tirer avec un ex-petit ami qu'elle avait fréquenté quand elle vivait à Colorado Springs. Depuis, elle n'avait pas passé une semaine sans s'entraîner dans un champ situé non loin de sa maison. Quiconque pénétrerait dans cette chambre, elle l'abattrait d'une seule balle avant même qu'il n'en franchisse le seuil.

Figée dans l'attente, elle entendit distinctement deux voix, un homme et une femme, l'air assez jeunes. Elle ne comprenait pas ce qu'ils disaient mais ils avaient l'air tous les deux joyeusement ivres.

Les pas s'éloignèrent ; une porte claqua à l'autre bout du couloir. Mary Beth reposa l'arme sur le matelas et, après avoir retrouvé son calme, elle prit son téléphone portable pour rechercher sur Google les noms des sociétés de location de voitures les plus proches. L'une d'elles était située sur Hyde Street, à quelques rues d'ici ; elle décida de s'y rendre le lundi matin dès l'ouverture pour pouvoir partir au plus vite. Elle était un peu anxieuse à l'idée de devoir rejoindre l'Indiana par la route, cela faisait des siècles qu'elle n'avait pas roulé sur une aussi longue distance. Mais en définitive il n'y avait pas d'autre solution. Dès le lundi soir, ils seraient déjà loin de cette ville. Ces dizaines d'heures de conduite leur feraient encore plus sentir les kilomètres qui les sépareraient de Walter. Quand ils arriveraient à Lafayette, ils s'occuperaient sans tarder des papiers de Scott, expliqueraient aux autorités tout ce qu'il leur serait possible d'expliquer pour qu'il puisse peu à peu reprendre une vie normale.

Mais tout cela s'il acceptait de la suivre. Même si elle avait réussi à le faire sortir de cet endroit, elle ne pouvait pas savoir comment il réagirait quand il se réveillerait, jusqu'à quel point il la rendrait responsable des récents drames qui avaient frappé sa vie de plein fouet.

Elle devait dès à présent se résoudre à l'éventualité de rentrer seule, qu'une seconde chance lui serait refusée.

Les rideaux se balançaient sous un léger courant d'air. Mary Beth repensa à Alyssa. Que pouvait-elle bien faire à cet instant précis ? Était-elle toujours à l'hôpital ? Y était-elle vraiment allée ? Elle aurait peut-être dû l'y accompagner elle-même, pour être sûre qu'elle ne se défile pas et soit bien prise en charge. Cette pauvre fille lui avait tellement fait penser à elle à son âge, et, avec le recul, elle ne pouvait se défaire de cette désagréable impression de l'avoir froidement abandonnée…

Mais prise dans la folie des événements, elle n'avait pas eu le temps d'assez réfléchir à la meilleure chose à faire, ni de tenir tête à Toadvine pour ne pas la laisser seule sur ce trottoir, sans argent ni papiers et ne connaissant personne dans cette ville…

Comment dans ces conditions pourrait-elle s'en sortir ? Ne pas retomber dans un de ces pièges qui au fil des heures pourraient refleurir sous ses pieds ?

Elle soupira et se concentra sur le film qui passait à la télévision, ayant de plus en plus de mal à garder les yeux ouverts.

Mais elle devait résister. Être là quand son fils se réveillerait enfin de ce long cauchemar.

À l'écran, un homme en costume blanc se faufila dans une maison de location en manquant de glisser sur tout le sang qui recouvrait le carrelage du salon.

Les crissements des pneus d'une voiture la réveillèrent. Une femme blonde en costume rose fuchsia présentait le journal de la nuit, parlant d'une vague de cambriolages qui frappaient tout le nord de la Californie. Mary Beth fixa son visage maquillé à outrance et se laissa à nouveau sombrer dans le sommeil.

Un bruit se fit entendre tout près d'elle et la ramena d'un coup à la surface. Les lattes du plancher de la chambre qui grinçaient, les pas d'un intrus qui se rapprochaient… En ouvrant les yeux, elle se rendit compte avec stupeur qu'elle était dans le noir total. Elle marcha alors droit devant elle, les bras en avant, et se retrouva face à un mur surgi de nulle part. Totalement perdue, elle fit le tour de la pièce à tâtons, ses mains effleurant la pierre rêche, sans parvenir à trouver la moindre ouverture.

Ni porte ni fenêtre.

Et elle les entendit au-dessus d'elle, les corbeaux qui s'agitaient eux aussi emprisonnés, écumant de rage et prêts à fondre sur elle pour arracher sa peau de leurs griffes, crever ses yeux de leurs becs acérés.

Et ce rire, qui dans son dos résonna entre les murs, ce rire qu'elle reconnut aussitôt.

Mary Beth eut à peine le temps de se retourner qu'une intense morsure lui perfora la hanche, comme une décharge électrique. Elle bondit en arrière et se défendit en frappant l'air des poings, son agresseur tapi dans l'obscurité, ne pouvant percevoir de sa présence que le bruit rauque de sa respiration.

Il la mordit alors à nouveau, cette fois au niveau du ventre, déchirant plus profondément la chair. Mary Beth hurla, et il la gifla si fort qu'elle s'écroula sur le sol terreux, quelques gouttes de sang tiède lui retombant sur le visage comme de petites billes de plomb.

Et ensuite le contact de son corps contre le sien et qui le pressa contre la fange. Et juste au-dessus d'elle, ce regard rayonnant qui surgit des ténèbres.

Elle se réveilla en sursaut, attrapa le Beretta et se plaqua dans l'angle du mur, le pointant droit devant elle, prête à tirer.

La lumière du couloir était à nouveau allumée, elle y perçut une voix d'homme puis un rire, suivis de petits coups portés contre les cloisons.

Elle s'approcha de la porte et vit à travers le judas un homme au visage anguleux enlacé avec une femme vêtue d'une veste en cuir rouge, et qui l'embrassait dans le cou pendant qu'elle amenait une cigarette à sa bouche. La lumière du couloir s'éteignit alors et elle ne vit plus que le bout incandescent de la cigarette émerger du noir.

Il était quatre heures du matin. Scott dormait toujours, allongé sur le ventre.

Elle savait au fond d'elle que ce n'était pas encore fini, qu'elle n'avait fait que retarder l'inévitable, qu'un jour ou l'autre elle croiserait à nouveau la route de Walter et que leur histoire, commencée il y a vingt ans, ne pourrait vraiment se clore que quand l'un des deux mourrait, que quand l'un des deux tuerait l'autre.

Si par malheur il arrivait malgré tout à les débusquer en Indiana, cette fois elle serait prête à l'accueillir, cette fois elle l'attendrait debout sur le porche de sa maison le fusil à la main.

Et ce serait de son corps à lui que les corbeaux se repaîtraient.

Mary Beth reposa l'arme, puis elle fuma une cigarette en regardant les volutes s'élever en cercles mous dans la pénombre.

Au moment même où elle écrasa le mégot sur le rebord de la fenêtre, Scott se mit à pousser un hurlement. Elle courut vers lui et le prit dans ses bras tout en l'empêchant de se débattre.

– C'est fini, lui chuchota-t-elle à l'oreille, ce n'était rien, juste un cauchemar… Tu n'as plus rien à craindre…

Elle en profita pour lui faire boire à nouveau quelques gorgées d'eau. Quand il eut fini, il sourit légèrement, donnant l'impression absurde qu'il la reconnaissait. Mais cela ne pouvait être le cas, il ne pouvait avoir le moindre souvenir d'elle.

Comme si elle n'avait jamais existé.

Peut-être la confondait-il avec Martha, elle qui avait dû passer bien des nuits à le réconforter quand il se réveillait d'un cauchemar.

Une pointe amère au cœur, elle l'aida à se rallonger et recouvrit le haut de son corps avec la couverture. Bercé par les mouvements continus de ses mains dans ses cheveux, Scott se rendormit en quelques instants.

Elle s'allongea à son tour, consciente qu'elle aussi avait besoin de dormir, et pria pour ne plus faire de cauchemars en écoutant la respiration de son fils, la seule chose qui, quand il était enfant, parvenait encore à l'apaiser.

DAMIEN

Le feu de camp, en cette soirée d'été, paraissait être la seule source de lumière à des kilomètres à la ronde.

Damien Lecointre, assis en tailleur dans l'herbe, observait les flammes en y laissant peu à peu fondre ses pensées quand le rire d'un de ses camarades le ramena d'un coup dans le cercle. Tout en mâchant un chewing-gum à la menthe, il referma sa veste et leva les yeux vers Steve, l'un des trois moniteurs, qui se tenait debout deux mètres plus loin un gros morceau de bois à la main.

Ils étaient une vingtaine d'adolescents assis autour du feu, dans ce vaste espace herbeux enclavé entre la forêt et les rives du lac. Fatigués de leur marche de la journée, ils attendaient patiemment leur dîner, une sorte de ragoût de bœuf que les deux autres moniteurs, Laura et Hugo, venaient de faire réchauffer. Ils logeaient en temps normal dans un gros chalet en bois situé plus au sud, et en étaient partis en début d'après-midi pour faire trois jours de camping au bord de l'eau.

C'était la première fois que Damien passait le mois de juillet dans cette colonie de vacances. Ses parents l'avaient inscrit pour son quinzième anniversaire, pensant lui faire plaisir.

Son premier été passé sans eux, ça, c'était le bon côté des choses.

Le mauvais côté, c'était tout le reste.

Il attrapa une brindille qu'il jeta dans le feu, et la regarda peu à peu se tordre et se consumer, imaginant que c'était la seule force de son regard qui la tordait et la consumait.

– Quelqu'un a-t-il déjà entendu parler du wendigo ? demanda Steve à l'assistance, une bouteille de bière à la main.

Damien saisit un petit caillou qu'il fit rouler entre ses doigts.

– À ce qu'on dit, ce serait une créature qui vivrait dans la forêt et mangerait les gens ou un truc du genre, osa Sébastien Bonnet, un rouquin maigrelet vêtu d'une veste beige.

– Oui, c'est exactement ça, dit Steve en avalant une gorgée de bière. Et il est toujours affamé, pareil qu'un certain gros plein de soupe ici présent !

Willy Chevalier, qui se tenait assis de l'autre côté du feu, semblait avoir reçu cette moquerie comme un coup de poing dans la figure. Il était devenu tout rouge et fixait ses chaussures en ayant presque les larmes aux yeux. Mais il savait sûrement que se mettre à pleurer maintenant était la pire chose à faire, et il resta sans bouger.

– Il paraît qu'on ressent un souffle glacé sur tout le corps juste avant qu'il ne vous bondisse dessus et vous ouvre le ventre de ses griffes, continua Steve en le mimant. Et après il vous bouffe toute la carcasse en entier. Alors, les gars, ne vous aventurez pas dans la forêt cette nuit, c'est un conseil. J'ai entendu dire qu'on avait retrouvé plusieurs personnes dévorées un peu plus au nord et franchement je préfère vous voir tous vivants demain matin…

Certains firent des grimaces pour jouer la terreur. Steve finit sa bouteille et la posa à ses pieds.

Comptait-il vraiment sur ce genre d'histoire pour qu'ils se tiennent à carreau cette nuit ? Lui-même avait lu de nombreux articles sur le sujet sur internet. Le wendigo était issu de la mythologie de certains Amérindiens algonquiens qui auraient pratiqué le cannibalisme pendant des périodes de grands froids et de famines. On racontait qu'il y avait plusieurs façons de devenir wendigo, comme être possédé par son esprit démoniaque en rêve, ou manger de la chair humaine…

– C'est vrai que des gens ont été dévorés dans la forêt, dit William Deuve, un grand brun à lunettes qui se tenait à côté de Sébastien.

– Ouais, j'ai entendu ça aussi, je crois que c'étaient deux chasseurs qui ont été attaqués par un ours, renchérit Alex Vasseur, assis de l'autre côté du feu.

Damien frissonna à cette idée, mais il se doutait bien qu'on n'organiserait pas une randonnée dans les environs s'il y avait le moindre danger.

Les adultes étaient cons, mais pas à ce point.

Laura les rejoignit avec des assiettes en plastique et les distribua pendant qu'Hugo rapportait la marmite pleine à ras bord de ragoût. Willy avait toujours les yeux baissés et n'osait plus bouger. Damien chercha quelque chose à lui dire pour le faire réagir, mais finalement préféra se taire. Ce n'était pas son problème, après tout.

Cette grosse pédale ne méritait pas qu'il se grille auprès des autres.

Chacun sa merde.

Damien ne quitta pas Steve des yeux, n'arrivant pas à comprendre comment on avait bien pu confier la responsabilité d'une colonie de vacances à un tel imbécile. Il était le grand frère de Yann, son meilleur ami depuis l'école primaire. Quand il était un peu plus jeune, il était souvent allé dormir dans leur belle maison située au nord de la ville. Steve avait à cette époque dix-huit ou dix-neuf ans et restait la plupart de son temps enfermé dans sa chambre à écouter de la musique à plein volume, ne se gênant pas pour railler Damien et Yann quand il les croisait.

Comment deux frères pouvaient être aussi dissemblables ?

Un soir, alors que Yann dormait déjà et que leurs parents étaient sortis chez des amis, Damien était descendu dans la cuisine et était tombé sur Steve, qui venait de rentrer d'une soirée complètement ivre, une bouteille de whisky à la main. Il avait voulu retourner se coucher, mais Steve l'en avait empêché et l'avait forcé à en boire une gorgée. Damien s'était débattu, et Steve l'avait violemment frappé à la tête. Il était tombé sur le carrelage et ne se rappelait pas de ce qu'il s'était passé par la suite, juste que Steve l'avait relevé en le plaquant contre le mur et l'avait menacé de l'égorger s'il lui prenait la mauvaise idée d'aller cafter à ses parents.

Il n'en avait, en effet, jamais parlé à personne. Et il n'était plus allé dormir chez Yann depuis.

Steve avait peut-être voulu leur faire peur, mais cela ne marcherait pas avec lui, qui depuis toujours se passionnait pour les histoires de monstres en tous genres, connaissant par cœur les dizaines de livres de contes et légendes rangés dans son armoire. Il en écrivait même parfois dans un cahier qu'il cachait sous son lit, pour ne pas que ses parents ou sa grande sœur Vanessa les découvrent. Il y parlait entre autres d'une sorte d'ogre domestiqué qui vivait dans la forêt derrière leur maison et dont il était le seul à connaître l'existence. Certains soirs, il l'envoyait le venger de ceux qui dans la vraie vie le malmenaient, variant à chaque fois les sévices infligés mais toujours faisant couler le sang. C'était sa seule manière d'évacuer cette rage qu'il sentait peu à peu croître au fil du temps et qui le viciait de l'intérieur.

Si les autres savaient ce qu'il se passait dans sa tête, ils raseraient les murs en le croisant.

Damien avait été suivi quelque temps par une psychologue après son altercation avec Claire, l'amie de sa grande sœur, dans cette grande maison située de l'autre côté de la forêt. Ses parents n'avaient pas porté plainte, mais leur avaient formellement interdit d'avoir par la suite le moindre contact avec elle. Cependant il était retourné à Manderley deux jours plus tard en passant une nouvelle fois par le trou percé dans le grillage. Par chance, la porte de la maison était restée ouverte. Il était entré sans faire de bruit et s'était rendu dans le salon, où tous les rideaux avaient été tirés, ne laissant que faiblement percer la lumière du jour. Posé sur la table basse se trouvait le mémoire de Claire, dont il avait feuilleté les premières pages juste avant qu'elle ne le force à aller se coucher, d'abord intrigué par le fait que le titre portait le mot *monstre*. À peine l'avait-il saisi qu'il avait entendu un hurlement provenir de l'étage. Le manuscrit à la main, il s'était mis à courir vers la porte et s'était caché derrière un arbre.

C'était Claire qui avait hurlé, il en était certain, *elle était toujours là*. Damien avait tenté de l'apercevoir derrière une des fenêtres, et c'est alors qu'une femme était sortie de Manderley, vêtue d'une robe noire, ses cheveux relevés en chignon. Elle s'était postée sur le perron, les mains derrière le dos, et avait regardé les alentours, comme si elle savait qu'il était tout près.

Il avait attendu qu'elle retourne dans la maison pour décamper, et, à peine revenu dans sa chambre, il avait ouvert le mémoire de Claire et l'avait parcouru sans trop comprendre ce qu'il lisait, à part qu'elle y parlait d'un homme qui avait tué ses propres parents en incendiant leur maison, puis qu'il avait violé et égorgé plusieurs jeunes femmes avant de disparaître dans la nature.

Il avait par la suite relu des dizaines de fois ce texte qu'il gardait à présent caché dans son armoire, effrayé et fasciné par cette histoire bien plus efficace que toute sa collection de *Chair de poule* réunie, et qui avait alimenté nombre de ses rêves.

Vanessa lui avait dit récemment que Manderley avait été vendu, mais personne ne savait à qui, et les volets étaient toujours restés fermés.

Claire était toujours internée dans un centre psychiatrique près de Paris.

Et il avait parfois peur d'y être un jour enfermé à son tour, lui qui, certaines fois où ses parents le disputaient pour telle ou telle raison, prenait un malin plaisir à les imaginer brûler à l'intérieur de leur maison.

Damien avait de plus en plus l'impression de vivre dans un monde où il n'avait pas sa place et avait pris l'habitude de se cloîtrer dans sa chambre dès qu'il revenait du collège, espace préservé où il aurait aimé se terrer jusqu'à ce que son adolescence s'écoule comme du sable dans un sablier.

Il essayait quelquefois de se défouler en courant dans les rues de son quartier ou sur un punching-ball entreposé dans le garage. Mais au bout d'un moment cela ne suffisait plus.

Il s'était fait exclure de son collège pendant une semaine au début de l'année, à cause d'une bagarre avec un camarade de classe qu'il détestait, Julien Augier, après que celui-ci l'eut bousculé dans le couloir en le traitant de fiotte. Damien l'avait jeté par terre, puis l'avait frappé de toutes ses forces dans le ventre sans s'arrêter, et jusqu'à ce qu'un surveillant les sépare.

Ses parents lui avaient passé un sacré savon, mais cela avait largement valu le coup. Il en riait encore en revoyant Julien prostré sur le sol, sa petite gueule recouverte du plus beau des rouges.

Quelques mois plus tard, il avait mordu Yann au bras, alors qu'ils se chamaillaient dans sa chambre pour une histoire de jeux vidéo. Son père avait dû l'emmener à l'hôpital et les médecins lui avaient posé une dizaine de points de suture. Les parents de Yann ne l'avaient jamais empêché de revoir leur fils. Ils savaient bien qu'il ne l'avait pas fait exprès.

Damien était particulièrement aimé des adultes qu'il côtoyait.

Il avait juste mordu trop fort.

Mais depuis lors il gardait le souvenir du goût de son sang, dont quelques précieuses gouttes étaient venues se nicher dans le creux de la langue.

Yann qui habitait de plus en plus ses pensées, et d'une façon qui le terrifiait.

Quand il avait appris que Steve était un des moniteurs de la colonie de vacances, il avait supplié ses parents de rester à la maison pour l'été, mais eux avaient persisté dans l'idée que cela ne pourrait que lui faire du bien de s'aérer les poumons et d'apprendre à vivre avec d'autres garçons de son âge. D'un certain côté, il était bien forcé d'admettre que Steve le traitait depuis le début comme n'importe quel autre membre de la colonie. Peut-être avait-il changé après tout, cela faisait à peu près deux ans qu'il ne l'avait pas revu. Et puis lui-même n'était plus le gamin chétif d'alors. Il serait maintenant assez fort pour lui renvoyer sa violence à la gueule.

Cette simple idée lui remplit la tête de petites étoiles scintillantes.

Steve avait le corps plus musclé, ses cheveux paraissaient plus noirs, comme s'il se les était teints. Damien avait appris par Yann qu'il avait arrêté la fac depuis plusieurs mois et faisait des petits boulots pour payer son studio en centre-ville. Steve avait toujours été un bon à rien, contrairement à Yann qui était le premier de la classe dans quasi toutes les matières. Sans leur indéniable ressemblance physique, on aurait pu croire que l'un des deux avait été adopté sans le savoir.

Hugo s'assit en tailleur face à Laura qui lui fit un petit clin d'œil. Il attacha ses cheveux blonds et frisés avec un bandana rouge et ouvrit une canette de Pepsi. Laura était plutôt jolie et avait un faux air de Kirsten Stewart. Elle et Hugo semblaient complices, et Damien les soupçonnait de faire des choses dans la tente pendant que tous les autres dormaient.

– On se couche tôt ce soir, les prévint Hugo. Demain on aura une grosse journée, donc extinction des feux à vingt-deux heures. Et je ne veux pas entendre de bruit dans les tentes, vous avez fait assez de chahut comme ça hier soir.

Personne ne broncha, et ils mangèrent dans un silence pesant. Le repas terminé, Damien profita du quartier libre pour s'éloigner derrière une des tentes, puis il sortit son téléphone et vérifia, à l'abri des regards, s'il avait assez de réseau.

À peine eut-il le temps de voir la lune qu'un nuage noir la cacha. Il essaya de capter à plusieurs endroits mais sans succès. Ils étaient réellement perdus au milieu de nulle part. Il rangea son téléphone, et c'est en retournant vers les autres qu'il se rendit compte que Steve se tenait à deux mètres de là, les bras croisés.

– Il me semble que les téléphones portables sont interdits, non ? dit-il d'un ton sec. Donne-le-moi, je te le rendrai à notre retour.

Ne pouvant faire autrement, Damien prit le temps de l'éteindre et le lui tendit.

Ses jambes tremblaient, il pria pour que Steve ne le remarque pas.

– Allez, retourne près du feu, ordonna-t-il. *Pauvre petite merde, je me demande bien ce que mon petit frère te trouve.*

Damien s'exécuta sans un mot. Il ne pouvait rien dire. Il n'avait aucun droit ici. Tout en marchant, il sentit les larmes monter et les écrasa du bout des doigts avant qu'elles n'aient la moindre chance de couler.

Il se rassit sur l'herbe, vexé et honteux de s'être fait prendre aussi facilement. Les joues vite réchauffées par les flammes, il imagina Steve pendu à un crochet, Steve écrasé par une voiture, lui au volant, Steve jeté dans un puits sans fond, Steve attaché nu à un poteau et lentement écorché.

Une heure plus tard, ils étaient tous couchés, et Damien, allongé sur son tapis de sol, cherchait désespérément le sommeil. Les sept autres occupants de sa tente, eux, dormaient à poings fermés, à croire qu'on avait foutu un somnifère dans leur nourriture.

Encore six jours à attendre et il pourrait enfin rentrer à Annecy. Depuis le début du séjour, il n'avait fait aucun effort pour s'intégrer aux autres, se sachant en total décalage. Ils donnaient tous l'impression de bien s'amuser ici, partageaient les mêmes centres d'intérêt, parlaient des mêmes choses, comme s'ils étaient produits par la même usine. Sans être pour autant exclu du groupe comme Willy, il était tout simplement ailleurs, *dans la lune*, comme disaient ceux qui, en temps normal, ne faisaient aucun effort pour le comprendre.

Et rien, après tout, ne lui donnait vraiment envie d'en sortir.

Une sorte de hululement au-dehors le fit sursauter. Il tendit l'oreille mais ne perçut plus que les crépitements du feu et les voix de Steve et Hugo qui discutaient non loin de là. Il se rassura en se disant que les flammes empêcheraient les bêtes sauvages de trop s'approcher des tentes.

Du moins tant qu'il y aurait quelqu'un pour les attiser.

Il courait avec Yann dans la forêt. La nuit était déjà tombée mais il voyait tout dans le moindre détail, savourant chaque parcelle du décor qui l'encerclait. La lune semblait avoir triplé de volume, le vent froid faisait bruisser les feuilles des arbres comme des grelots, des feuilles qui paraissaient si coupantes qu'elles pouvaient blesser l'air.

Épuisés par leur course, ils s'arrêtèrent dans une clairière. Yann enleva sa chemise, et Damien posa sa main sur le haut de sa poitrine nue, sentant son cœur battre en dessous.

Et de plus en plus vite. Tout comme le sien.

Quelque chose craqua alors sous ses pieds. Baissant les yeux, il comprit qu'il venait de marcher sur un visage pris dans la glace, un visage d'homme, défiguré de terreur, la bouche grande ouverte, ses yeux bleus le fixant avec colère.

Et il n'était pas le seul. La clairière tout entière était recouverte de membres humains entremêlés ; des visages, des bras et des pieds, qui tout autour d'eux semblaient pousser du sol comme des arbustes.

Et Damien sentit le souffle sur sa peau, si froid qu'il changea en glace les gouttes de sueur qui y perlaient.

Au niveau de la lisière se tenait un être trapu et entièrement nu, haut d'au moins deux mètres, et qui les observait d'un regard affamé.

Le wendigo.

Yann tenta de s'enfuir mais ce fut peine perdue, le wendigo le rattrapa en quelques enjambées et le projeta au sol, son jeune corps s'y fracassant avec un affreux bruit d'os brisés. Yann hurla, et le wendigo l'emprisonna entre ses cuisses pour l'empêcher de se relever, puis il le mordit dans le cou, faisant couler un sang épais sur une peau devenue aussi bleue que la glace qui l'entourait.

Tout en mâchant la chair tendre, le monstre leva le visage vers Damien et leurs regards se croisèrent. Hypnotisé par ses pupilles aux reflets topaze, il laissa alors son esprit pervers s'immiscer dans le sien en arcs de chaleur vive.

Damien se réveilla en sursaut, se rassit et alluma l'écran de sa montre. Il était à peine minuit.

Juste un rêve, un simple rêve.

Pourtant il avait du mal à se sentir totalement rassuré. Tout avait cette fois semblé si réel. Il ressentait encore le froid de la clairière dans le creux des reins ; la chaleur du torse de Yann sous la paume de sa main.

Et ce démon, qui avait comme électrisé la moindre parcelle de son âme, *le wendigo qui pouvait prendre possession de l'esprit de ses victimes dans leurs rêves.*

Il constata alors que le tapis de sol de Willy était vide. Que pouvait-il bien faire dehors à cette heure ?

Conscient qu'il n'arriverait pas à se rendormir, il se rhabilla sans faire de bruit.

Le feu, à quelques mètres, était éteint. Damien chercha Willy du regard mais ne le vit nulle part. Il y avait de la lumière à l'intérieur de la tente de Laura, son ombre, ainsi que celle d'Hugo, se projetant sur la toile de ce petit espace ocre bordé de ténèbres. Peut-être fallait-il les prévenir que Willy avait disparu. Mais s'il en parlait aux moniteurs, il aurait de gros problèmes, et il n'avait vraiment pas besoin de cela en plus.

Damien marcha vers le bord du lac, ne parvenant pas à apercevoir l'autre rive, comme s'il faisait face à un océan figé. Et si Willy avait décidé de s'y noyer ? Mais c'était une idée stupide, ce gros lard n'était sûrement pas assez courageux pour oser une telle chose…

Il remarqua alors le faisceau d'une torche électrique se répercuter contre les troncs d'arbres qui longeaient la rive. Willy cherchait-il à s'enfuir ? Mais les habitations les plus proches étaient à une dizaine de kilomètres de là et un empoté pareil ne trouverait sûrement pas son chemin en pleine nuit… Il n'avait donc pas le choix, il devait le rattraper et le ramener au camp avant qu'il ne se perde dans la forêt. S'armant de courage, il avança dans la direction que Willy avait prise, attentif au moindre bruit suspect.

Il ne vit bientôt plus la lumière de la lampe, comme si Willy l'avait éteinte. Il hésita à crier son prénom mais eut peur de l'effet qu'aurait sa voix en brisant ce silence sauvage.

Et peut-être n'était-ce pas Willy après tout, peut-être un simple pêcheur. Mais que ferait un pêcheur ici en pleine nuit et dans un endroit si reculé ?

Ou un rôdeur, qui, sachant qu'il y avait un campement d'adolescents dans le coin, serait venu dans l'espoir de se rincer l'œil ?

Et lui qui risquait de se jeter dans la gueule du loup.

Ce n'était pas le moment de se faire peur inutilement. Damien continua à marcher à l'aveugle le long du rivage, n'osant pas trop se focaliser sur ce qui se trouvait sur sa droite, ces fourrés qu'il avait parfois l'impression d'entendre bouger, *de peur d'y voir des yeux brillants s'en détacher, ceux de prédateurs prêts à surgir et à le déchiqueter au moindre faux pas.*

C'est alors qu'il entendit des gémissements quelques mètres plus loin. Et il reconnut aussitôt Steve, qui se tenait debout une main posée contre un tronc d'arbre, son jean baissé aux chevilles.

Et Willy, agenouillé face à lui, son ventre débordant de sa chemise, Steve le tenant par les cheveux et guidant les mouvements de sa tête.

Damien se baissa derrière un talus, n'arrivant pas à croire ce qu'il avait sous les yeux, obnubilé par les fesses musclées de Steve, leur blancheur rehaussée par la lumière de la lune, leur va-et-vient pendant qu'il s'enfonçait dans la bouche de Willy.

Il sentit son sexe durcir dans son caleçon et le cacha de sa main comme s'il avait peur qu'on le remarque. Steve, au bout d'un moment, poussa un petit cri puis s'arrêta de bouger. Willy, lui, se releva les yeux baissés.

– Retourne dans ta tente, dit Steve en renfilant son jean. Et tu fermes ta gueule si on te demande où tu étais, sinon tu sais ce qui pourrait t'arriver, hein ?

Ses coudes tachés de terre, Damien n'osa plus bouger. Willy passa à quelques mètres de lui sans le voir et prit le chemin du camp.

Steve descendit vers le lac et pissa dans l'eau en sifflotant. Damien en profita pour se lever et courut à son tour vers le camp, avant qu'il ne s'aperçoive de sa présence.

Quand il entra dans la tente, il tomba nez à nez avec Willy, qui se tenait assis sur son tapis de sol encore habillé.

Ils se dévisagèrent et Damien se recoucha sans un mot.

Le lendemain matin, ils prirent leur petit déjeuner puis se préparèrent pour partir en randonnée. Damien, n'ayant pas pu fermer l'œil du reste de la nuit, se demanda en buvant son jus de fruits comment il allait bien trouver la force de tenir jusqu'au soir.

Il n'avait pas arrêté de penser à ce qu'il avait vu dans la forêt. Steve collectionnait les nanas à ce que racontait Yann. Qu'est-ce qui pouvait bien l'exciter chez Willy ? Pourquoi lui en particulier ? Parce qu'il était pédé ? Qu'il serait facile à convaincre et qu'il n'oserait rien dire ? Et tout cela après les moqueries du feu de camp ?

Il sortit de la tente et marcha vers le feu éteint. Willy était assis un peu plus loin, seul comme à son habitude.

Devait-il lui dire qu'il les avait vus ? Au moins il aurait des réponses. Mais il ne voulait pas non plus courir le risque que Willy aille tout raconter à Steve.

La lame du couteau qui glissait le long de sa gorge, Steve qui le menaçait de l'égorger s'il caftait tout à ses parents.

Hugo les appela tous et leur distribua de petites bouteilles d'eau et des sandwichs qu'ils mirent dans leur sac à dos. Steve décida de rester au camp pour surveiller leurs affaires. Damien fut soulagé de ne pas avoir à le supporter de la journée.

Ils quittèrent le camp par un chemin forestier qui longeait le lac, encadrés par Laura et Hugo, aussi fatigués l'un que l'autre.

La nuit avait dû être courte pour eux aussi.

Avant de pénétrer dans la forêt, Damien se retourna une dernière fois vers les tentes, où Steve les observait debout à côté du feu éteint, comme s'il attendait patiemment qu'ils disparaissent, libre, enfin seul, de faire ce que bon lui semblait. Il voyait d'ici la provocation de son sourire, se demanda s'il lui était destiné.

Ils marchèrent trois ou quatre kilomètres puis s'arrêtèrent pour déjeuner sur la rive nord du lac. Damien dévora son sandwich au jambon en quelques bouchées, assis un peu à l'écart des autres. Willy se tenait debout à côté de Laura et, sentant son regard insistant, le fixa à son tour. Il baissa les yeux et but une gorgée d'eau. Au-dessus de leurs têtes des oiseaux faisaient bouger les feuilles des arbres en piaillant.

Willy le rejoignit quelques minutes plus tard, son sandwich à peine entamé à la main.

– Je sais que tu nous as vus cette nuit, dit-il en tournant le visage vers le lac, dont la surface était devenue argentée sous les rayons du soleil.

Sur le coup, Damien ne sut trop quoi dire, surpris qu'il évoque le sujet de manière aussi franche.

– Faut vraiment que tu gardes ça pour toi. Si ça se savait, je crois que j'en crèverais, j'espère pouvoir te faire confiance…

– O.K., c'est promis, dit Damien, voyant à quel point Willy en semblait affecté.

– C'est pas du tout ce que tu pourrais croire, il me force à faire ces choses, et c'est loin d'être la première fois. Steve est un pote de mon grand frère et il est souvent venu dormir à la maison. Après, je ne vais pas te faire un dessin. J'étais dingue à l'idée d'être ici avec lui. Je suis sûr qu'il a convaincu mes parents de m'inscrire pour m'avoir sous la main.

– Et tu n'en as jamais parlé à personne ?

– T'es malade ou quoi ! Tu es le premier, et juste parce que tu as fourré ton nez là où tu ne devais pas ! Si je crache le morceau, il me tuera, il me l'a dit, et moi, je sais que ce ne sont pas des paroles en l'air… Je ne suis pas le seul, il y a d'autres garçons, et je t'assure que j'ai de bonnes raisons de flipper… Enfin bref, de toute manière c'est mon problème, pas le tien, du moins tant qu'il ne sait pas que tu es au courant. Et crois-moi, c'est mieux pour tout le monde que ça reste le cas…

Disant cela, Willy épousseta son short et prit une bouteille de soda de son sac à dos.

Damien resta assis sans bouger, encore sonné par tout ce qu'il venait d'entendre, par tout ce que cela impliquait.

Mais Willy n'avait aucune raison de lui mentir.

Qui étaient ces garçons dont il avait parlé ? D'anciens membres de la colonie de vacances ? Des adolescents qui vivaient dans son quartier ? Et tout cela sans que jamais personne ne le sache ?

Il repensa à cette fois où Steve l'avait assommé dans la cuisine ; ces quelques minutes dont il ne se souvenait toujours pas, malgré ses efforts.

Juste avant que Steve ne glisse la lame de son couteau sur son cou.

Mais il ne lui avait rien fait. Il n'avait rien pu lui faire. Sinon il s'en rappellerait forcément.

Il se leva et s'éloigna un peu du groupe. S'assurant que personne ne le voyait, il s'adossa contre un tronc d'arbre et lutta contre l'envie de rendre son déjeuner.

Une fourmi remonta le long de son bras. Il la prit entre ses doigts, la laissa se débattre, puis il l'écrasa au moment où une marée de soleil embrasait les buissons alentour.

Une odeur âcre lui agressa alors les narines. Un bourdonnement se fit entendre, lointain, comme celui d'une nuée de mouches.

Damien ferma les yeux. Et sous le noir de sous ses paupières, il revit le corps sans vie de Yann qui gisait au cœur de la clairière. Et le démon rôdant autour, invisible mais bien présent, prêt à se repaître à nouveau de sa proie.

Le bruit des mouches se fit de plus en plus fort. *Elles se rapprochaient.* Il sentait d'ici l'odeur du sang frais qui jaillit des blessures, entendait le bruit des dents qui déchiraient la chair…

Ce goût métallique, mais si doux, qui inonda sa bouche.

– Damien ?

Sous le coup de la surprise, il sursauta en manquant de frapper Laura, qui se tenait penchée au-dessus de lui.

– Eh bien, comme tu es nerveux ! s'esclaffa-t-elle. Je venais juste te prévenir qu'on allait repartir !

Damien se leva et la suivit, remarquant que les autres, tous debout, le dévisageaient.

Comme un petit animal en cage.

Le premier qu'il entendrait rire, d'un simple coup de couteau il nourrirait l'herbe de son sang.

Quand ils rentrèrent au camp, en fin d'après-midi, Steve était tranquillement allongé sur une serviette, son torse luisant comme s'il se l'était tartiné de crème solaire. Les entendant, il se leva en s'étirant, heureux de leur montrer à quel point il se l'était coulée douce pendant leur absence.

Damien alla directement dans sa tente pour prendre une veste et constata que son sac avait été déplacé et que la fermeture était restée à moitié ouverte, comme si quelqu'un avait fouillé dedans. C'était forcément Steve le responsable. Que cherchait-il ? Voulait-il lui voler quelque chose ? En plus de son téléphone ?

Si seulement il pouvait lui rentrer dedans. Si seulement il pouvait le dénoncer, là, devant tous les autres. Juste pour voir la gueule qu'il ferait.

Mais si Willy niait tout, c'est lui qui passerait pour un menteur, et même un pervers pour avoir osé imaginer de telles choses. Il n'avait aucun moyen de savoir si Laura ou Hugo le croiraient. Et Steve saurait qu'il était au courant et ne le lâcherait plus.

Une fois revenu chez lui, il pourrait aller directement chez les flics. Ils convoqueraient Willy, qui serait bien obligé de leur parler de toute l'histoire. La nouvelle se répandrait comme une traînée de poudre. Toute la ville saurait.

Il préférait ne pas penser à la réaction de ses parents quand ils l'apprendraient, sans parler de Yann.

Je ne suis pas le seul, tu sais, il y a d'autres garçons...

L'avait-il touché aussi ? Son petit frère ?

Mais si c'était le cas, il aurait forcément été au courant, Yann était son meilleur ami et il ne lui cachait rien.

Et je t'assure que j'ai de bonnes raisons de flipper.

Willy ne lui avait pas tout dit. Steve avait dû le menacer à son tour. Damien sentait qu'il y avait autre chose, un secret bien trop atroce pour être répété.

Steve était-il déjà allé plus loin que de simples menaces ? C'était possible, après tout, et cela expliquait pourquoi Willy était aussi terrifié. Pourtant Damien ne se souvenait pas d'avoir entendu parler de garçons retrouvés morts dans la région récemment.

Mais Steve avait tout aussi bien pu se débarrasser des cadavres.

Un grand nombre d'adolescents disparaissaient chaque année sans laisser de traces.

Comme les disparus de Nantes.

Comme Gaultier Simon.

Damien eut l'impression de recevoir un coup de gourdin derrière la nuque. Gaultier avait à peu près son âge et vivait à seulement quelques rues de la sienne. Il avait disparu après que son père l'eut envoyé faire des courses au supermarché, au début du printemps.

Les parents de Gaultier et ceux de Yann étaient amis. Ils avaient participé aux recherches pendant plusieurs jours. Avec Yann.

Et Steve.

Ce n'était pas possible, il allait trop loin. Steve était la dernière des ordures, mais de là à tuer quelqu'un…

La lame qui glissait le long de la gorge, juste une petite pression et le sang jaillirait, juste une petite pression, presque rien, la frontière était si mince...

Damien se releva trop vite et fit quelques pas en avant, la main posée sur le front. Il chercha Willy et le vit se tenir seul debout près des tentes, alors que les autres étaient tous assis par petits groupes en train de discuter.

– Faut que je te parle, dit-il en le rejoignant et en vérifiant que personne ne pouvait les entendre. Tu connaissais Gaultier, n'est-ce pas ? Il faisait partie des autres garçons ? C'est pour ça que tu me disais que tu avais de bonnes raisons de flipper ?

Willy le poussa alors violemment contre un tronc d'arbre.

– Qu'est ce qui ne tourne pas rond chez toi ? dit-il en postillonnant. Tu veux jouer au con ? Je n'ai pas été assez clair tout à l'heure ?

Furieux, Damien le poussa à son tour, luttant contre l'envie de lui foutre son poing dans la figure.

Le faire rouler à terre, le ruer de coups de pied dans le ventre jusqu'à ce qu'il en devienne bleu.

Il cracha dans l'herbe et essuya la sueur qui maculait son front, puis remarqua que Willy regardait par-dessus son épaule, l'air nerveux.

– Il y a un problème, les gars ? demanda Steve en arrivant derrière eux, une cigarette à la bouche, avec dans ses yeux un feu qui couvait.

– Non, fit Willy, on discutait, c'est tout.

– O.K., je préfère ça, allez rejoindre les autres, on va bientôt bouffer.

Willy écouta Steve sans broncher et s'éloigna. Damien le suivit, et passa devant Steve qui rejeta un peu de fumée avec la bouche.

Tandis qu'il marchait vers le feu de camp, il sentit son regard sur sa nuque, puis, au fur et à mesure qu'il avançait, descendre le long de son dos.

Au dîner ils mangèrent des morceaux de bœuf séché et des épis de maïs cuits dans les braises. Damien ne put rien avaler, contrairement à Willy, qui se goinfrait comme si de rien n'était.

Pendant que chacun vaquait à ses occupations, il se rendit sur un gros ponton et plongea ses pieds nus dans l'eau froide tout en admirant le ciel étoilé, avec l'envie qu'il le happe pour ne plus le relâcher.

Disparaître enfin des radars comme Daryl Greer avait réussi à le faire après son odyssée sanglante, lui qui ne s'était jamais fait attraper, libre de mener une vie hors des lois, dans les souterrains.

Lui qu'il, pendant toutes ces années, avait secrètement envié.

Damien était bien décidé à partir de chez lui dès qu'il aurait dix-huit ans. Sa grand-mère lui avait laissé une importante somme d'argent sur un compte bloqué, qu'il ne pourrait toucher qu'à sa majorité. Dès qu'il obtiendrait son permis de conduire, il prendrait la route sans que personne ne puisse le retenir. Et pourquoi pas ensuite un avion vers ce vaste pays de l'autre côté de l'océan, là où tout semblait encore possible…

Il sourit à cette idée et jeta un petit caillou dans l'eau.

On disait qu'en son centre le lac était profond de plus de cent cinquante mètres, que ce qui y rentrait n'en ressortait jamais. Damien frémit en pensant aux immensités noires qui se déployaient sous ses pieds, et à ce qu'on pourrait bien y déceler si on en draguait le fond.

Au sein de la nature assoupie, il tenta du mieux qu'il le put de faire le vide dans sa tête, de ne plus penser à toutes ces choses insensées qui accentuaient sa sensation d'être seul ici, impuissant. Si seulement il ne s'était pas réveillé la nuit dernière, si seulement il était resté dans l'ignorance comme tous les autres... À présent il ne pourrait plus les rejoindre autour du feu comme si de rien n'était, il ne pourrait plus le regarder *lui* dans les yeux. Les quelques jours qui allaient suivre promettaient d'être interminables.

Il espéra un instant que Willy ait menti, qu'il ait raconté tout cela pour le faire marcher. Mais s'il avait dit la vérité, si Steve avait bien fait toutes ces choses, il fallait l'arrêter, même si pour cela il devrait tout déballer, écorner la vie si parfaite de son seul ami, les plonger avec sa famille dans la honte.

Peut-être que Yann ne le lui pardonnerait jamais, peut-être ne voudrait-il plus le voir après toute cette histoire. À cette idée, Damien fut pris d'une vive émotion et se concentrer pour ne pas pleurer, comme si la tribu de jeunes hommes autour du feu pourraient aussitôt s'en rendre compte et l'abattre sur place de leurs rires.

Balayant les rives du lac du regard, il remarqua une forme blanchâtre se tenir à quelques dizaines de mètres du camp, et qui ressemblait à une silhouette humaine, nue et immobile, semble-t-il attirée par les adolescents dont les voix se répercutaient entre les troncs d'arbres. Il frissonna et chassa de sa tête ce à quoi elle lui avait fait penser, cette chose sortie tout droit de son dernier cauchemar, et qui cette fois serait venue chercher l'un d'entre eux.

Mais il n'existait pas, il ne servait qu'à effrayer les enfants.

Willy se tenait un peu à l'écart avec Steve quand il retourna au camp, celui-ci lui parlant en faisant attention à ce que personne ne les entende.

Damien s'installa face au feu, tétanisé à l'idée que Willy l'ait trahi en ayant tout raconté, jusqu'à ses doutes sur la mort de Gaultier.

Si c'était le cas, il ne donnerait pas cher de sa peau. Perdu au milieu de nulle part, il n'aurait pas d'endroit pour aller se réfugier, n'y personne pour l'aider ou même pour le croire.

Il retourna dans la tente, s'allongea sur sa couchette et mit les écouteurs de son iPod dans ses oreilles.

Quelque chose lui effleura les jambes. Il se releva et constata que les autres l'avaient rejoint et dormaient paisiblement. Il était bientôt une heure du matin ; les ombres des arbres se balançaient sur la toile tendue ; plus aucun bruit au-dehors.

La couchette de Willy était à nouveau vide. C'était sans doute lui qui l'avait réveillé en sortant de la tente.

Il était parti rejoindre Steve. Après tout ce qu'il avait raconté, tout ce qu'il savait… Qu'il n'aille pas dire qu'il n'aimait pas ça, ce gros porc.

Damien se recoucha, n'ayant pas de doutes sur ce qu'ils devaient faire à l'instant même dans un coin de forêt, à l'abri des regards.

Steve, son corps nu couché sur celui de Willy ; de ses coups de reins, faisant tressaillir la graisse ; sa main posée sur sa bouche pour étouffer les cris.

Écœuré par l'excitation qui commençait à le tenailler, il ferma les yeux le plus fort qu'il le pouvait afin de se rendormir vite. Cela marchait, quelquefois.

Les mains posées sur l'évier de la cuisine, il suivait des yeux les mouvements de l'arrosage automatique quand il vit Steve remonter l'allée en titubant. Avant qu'il n'ait le temps de retourner dans la chambre de Yann, la porte s'ouvrit et Steve alluma la lumière, des gouttelettes d'eau brillant sur les épaules de sa veste en cuir et dans ses cheveux, une bouteille de whisky à moitié vide à la main. Damien se figea, et Steve, de l'autre côté de la table, le fixa comme s'il se demandait qui il pouvait bien être, le visage en sueur, un peu de sang tachant le bas de sa joue, qui brillait sous la lumière du lustre accroché au plafond. Il lui tendit sa bouteille de whisky pour qu'il en boive à son tour et Damien en avala quelques gorgées en se retenant de tousser. Amusé, Steve le prit par l'épaule et l'invita à venir fumer un pétard dans sa chambre. Damien hésita une ou deux secondes, suspectant l'entourloupe, mais quelque chose en lui le poussa à accepter. La bouteille à la main, il le suivit dans le couloir, son cœur battant un peu plus vite au fur et à mesure qu'ils s'approchaient du seul endroit de la maison où il n'avait encore jamais mis les pieds. Steve ferma la porte, et Damien, debout au milieu de la chambre, la balaya du regard. Elle était plus petite qu'il ne l'aurait pensé et sentait une odeur mêlée de renfermé et de tabac froid. La pluie au-dehors commençait à mouiller la vitre, on distinguait de l'autre côté les premiers arbres d'une forêt. Steve enleva sa veste puis son t-shirt, qu'il jeta sur une chaise, puis il déboutonna son jean et le fit glisser le long de ses cuisses. Simplement vêtu d'un boxer noir, il lui ordonna de s'allonger sur le lit puis pressa son torse musclé contre le sien. Damien sentit dans ses veines son sang s'épaissir. Enivré par l'odeur de sa transpiration, il lécha le sang collé sur sa joue mal rasée et passa sa main entre leurs deux ventres, ses doigts se perdant dans les poils rêches de son entrejambe ; puis il saisit sa queue tendue et contempla dans le miroir accroché sur la porte, ce corps nu collé contre le sien, ce corps d'homme qui en cet instant lui appartenait.

Au-dehors, les branches des arbres craquaient sous le vent, des étoiles de givre se collaient sur la vitre.

Pendant que Steve s'insinuait en lui, Damien vit une forme peu à peu se détacher de la pénombre qui régnait sous le lit. Une silhouette humaine, allongée sur le dos. Et, quand il plissa les yeux, il comprit avec horreur qu'il s'agissait de Gaultier Simon, son corps nu gisant dans tout le sang poisseux qui continuait de couler de sa blessure au ventre. Mais Gaultier n'était toujours pas mort, et, tout en le fixant droit dans les yeux, ses lèvres prononcèrent ces quelques mots : *Maintenant, à ton tour.*

Damien se redressa trempé de sueur, puis il se leva d'un bond et tomba à genoux à quelques mètres de la tente.

Dans le ciel, les étoiles convulsaient.

Une odeur de vase empuantissait l'air.

Il tenta du mieux qu'il le put de se calmer, comme il avait appris à le faire au fil des années, mais sa rage ne voulait plus se laisser apprivoiser aussi facilement. Il attrapa une pierre et la frappa sur le sol, de plus en plus fort.

Si seulement il pouvait aussi crever toutes les images qui défilaient dans sa tête avec.

Ne plus penser à Steve, qu'il disparaisse de sa vie, qu'il le laisse en paix.

Damien marcha en titubant vers le lac, avec pour seule envie d'y plonger le visage, rafraîchir le brasier qui enfumait l'intérieur de son crâne.

Une fois sur le ponton, il se pencha pour prendre un peu d'eau dont il s'aspergea le front, hésitant presque à enlever ses vêtements et à nager jusqu'à atteindre l'autre rive, là-bas trouver une route, fuir.

Il était hors de question de retourner sous la tente. Il préférait rester ici, attendre patiemment que le jour se lève.

Il posa sa main à plat sur le bois et la retira en sentant un contact visqueux sur sa peau. Il alluma la petite lampe accrochée à son porte-clés et éclaira le rouge sombre collé à ses doigts, du sang encore frais, comme venant de jaillir d'une plaie.

De nombreuses taches maculaient le ponton et se dirigeaient vers son extrémité. Damien braqua la lampe dans cette direction, mais elle n'était pas assez puissante pour percer le noir épais, comme si le ponton continuait à l'infini dans les ténèbres.

Sous ses pieds, de petites secousses donnaient l'impression qu'on frappait le bois avec une masse. Damien retint son souffle. Quelque chose se tenait là-bas dans le noir, quelque chose de vivant, peut-être blessé, et dont il entendait à présent la respiration.

Était-ce Willy ? Steve avait-il essayé de le tuer et s'y était-il caché ? Après tout, sa couchette était toujours vide quand il était sorti de la tente...

Il se retourna vers le camp, dont il discernait à peine la forme des tentes. Il était trop loin pour crier à l'aide. Et trop près de ce qui, caché dans le noir, avait répandu le sang.

Mais il devait savoir. Si c'était bien Willy, il était obligé de l'aider.

Si c'était bien Willy...

Après tout qu'importe, il ne pouvait pas détaler. Il n'était pas un froussard.

Damien fit un premier pas, puis un autre, et un autre, avançant de plus en plus lentement au fur et à mesure que les battements de son cœur accéléraient dans sa poitrine.

Mais plus il avançait, plus ce qu'il entendait faisait penser à des bruits de mastication, de déchirures, de dents qui se plantent dans une chair qui s'affole.

Une silhouette se dessina peu à peu quelques mètres plus loin, se tenant penchée sur une masse plus sombre.

Damien leva la lampe pour distinguer les traits de l'inconnu et vit deux yeux briller sous son faisceau.

Quelque chose se brisa dans sa tête, sans douleur, déversant lentement son poison.

Il était là, bien présent, cette fois ce n'était pas un rêve.

Damien ne fit plus le moindre mouvement. Face à lui, le wendigo plongea ses mains dans le ventre du cadavre gisant à ses pieds et en arracha un gros morceau de chair qu'il porta à sa bouche, joyau flasque dont il percevait toutes les nuances.

Les crocs étincelants le déchirèrent en un instant, le sang chaud coulant le long de son visage blafard pour se perdre dans les ténèbres qui l'enveloppaient.

Et Damien ne put détacher les yeux du spectacle du wendigo savourant, déglutissant, avalant la viande tendre.

Son cœur s'emballa quand le monstre lui tendit le morceau de chair qu'il tenait à la main, comme une invitant au festin, avec dans son regard le sourire que son visage figé ne pouvait plus former.

Il le sentit entrer dans sa tête, tenter de le posséder en y déversant des flots de paroles incompréhensibles, des incantations noires destinées à détruire les dernières barrières. L'odeur du sang se fit plus forte et attisa sa faim, une faim qui lui donna mal au ventre, une faim qu'il fallait assouvir.

Mais pas de cette façon-là.

Il plaqua ses mains sur ses oreilles et se précipita vers le camp.

À peine eut-il le temps de regagner la terre ferme qu'une intense lumière éclaboussa son visage. C'était Steve, qui pointait une lampe torche sur lui.

– Qu'est-ce que tu fous ici à cette heure, Damien ? Tu sais que c'est formellement interdit de quitter les tentes en pleine nuit !

– Je l'ai vu ! Il est là ! Au bout du ponton ! Il faut prévenir les autres !

– Mais enfin, de qui tu parles ?

– Le wendigo ! Tu avais raison, il existe vraiment !

Steve, les yeux écarquillés, éclata de rire.

– Tu as fumé ? Ça doit être de la bonne, j'ai l'impression… Il t'en reste un peu ?

Damien lui attrapa alors la torche des mains, puis il remonta sur le ponton et en éclaira l'extrémité avec le faisceau.

Mais il n'y avait plus rien.

Il en resta les bras ballants.

Il n'était pas fou, il l'avait bien vu, juste devant lui…

Le wendigo était sûrement encore là, caché dans la forêt et flairant sa prochaine proie. Il fallait avertir les autres, fuir cet endroit au plus vite…

Et cet imbécile qui ne voulait rien savoir… Qu'il aille au diable, après tout. Résolu, Damien commença à marcher vers les tentes afin de donner l'alerte, mais Steve l'attrapa fermement par le bras au bout de quelques mètres.

– Reste un peu ici. On a certaines choses à régler tous les deux, tu ne crois pas ?

Damien baissa les yeux et remarqua le couteau accroché à sa ceinture.

Le sang de Gaultier figé sous le lit. Les mots que sa bouche de cadavre formait.

Maintenant, à ton tour.

Il se débattit jusqu'à lui faire lâcher prise, puis il courut vers le camp, le plus vite qu'il le pouvait.

Au moment même où il arriva à seulement quelques mètres de la première tente, il sentit un choc violent contre la nuque et s'effondra sur le sol. L'odeur de l'herbe et de la terre mêlée emplit ses narines, puis tout ce qui l'entourait bascula dans un grand mouvement flou.

Les branches des arbres se balançaient comme au ralenti, leurs cimes si hautes qu'elles lui donnaient le vertige. Son front était mouillé, sa vision se troublait par moments, tout le bas de son crâne lui faisait mal.

Damien se redressa, encore un peu hagard. La forêt, sombre et silencieuse, s'étalait dans toutes les directions.

Steve se tenait quelques mètres plus loin, les bras croisés.

– Je te déconseille de chercher à nouveau à t'échapper, dit Steve face à lui, les bras croisés. Tu risquerais de te perdre pour de bon, cette fois.

Il ne chercha même pas à mettre sa parole en doute. Il avait si froid. Tout son corps était comme engourdi.

– Bon, maintenant que j'ai toute ton attention, on va pouvoir discuter un peu. J'aimerais tout d'abord que tu m'expliques ce que tu manigançais dehors en pleine nuit… Tu espérais te rincer l'œil à nouveau, c'est ça ?

Damien sentit son estomac se nouer. Il était donc bien au courant. Willy avait tout cafté.

Steve l'attrapa par les épaules et le plaqua contre un tronc d'arbre.

– Tu en as parlé à quelqu'un d'autre ?

– Non, répondit-il sans oser lever la tête.

– Bien. Je pense que tu sais qu'il vaut mieux ne pas me chercher des noises. S'il te prenait l'envie d'ouvrir ta gueule, je ne te lâcherais plus, tu peux me croire.

Steve approcha son visage du sien. Damien sentit l'odeur de sa sueur, la chaleur de son haleine sur son cou. *Le sang qui coulait dans ses veines.*

– En plus, je suis sûr que tu as aimé nous mater, je me trompe ? J'ai un radar pour ça, tu peux le cacher aux autres, mais pas à moi. Et puis il n'y a pas de mal à se faire du bien. Willy en redemande, tu peux me croire.

Il prit sa main et la passa sous son t-shirt, la fit remonter le long de son torse.

– Tu sais, je ne suis pas un mauvais gars, et si tu es gentil avec moi, je le serai en retour, comme avec Willy… Moi aussi j'ai eu votre âge, je sais que ce qui vous excite, c'est de le faire avec un vrai mec, je suis sûr que toi aussi tu en as envie…

Steve pressa son corps contre le sien, et Damien se perdit dans la force de son étreinte, comme dans son rêve, comme cette fois où Lucas, l'ami de sa grande sœur, l'avait pris dans ses bras dans la forêt près de Manderley pour le serrer contre lui, trois ans auparavant…

Le sang qui alors maculait ses joues.

Excité à en mourir, Damien avança la main vers son entrejambe, mais, avant qu'il ne puisse l'atteindre, Steve saisit son poignet et le repoussa.

– Oh là ! Calme tes ardeurs ! fit-il d'un air moqueur, je suis ton moniteur, quand même ! Et si quelqu'un nous voyait ?

D'un coup honteux, Damien sentit ses joues s'enflammer.

– Eh bien, je vois que je ne m'étais pas trompé sur toi, j'ai toujours su que tu n'étais qu'une fiotte ! Faut peut-être que je prévienne les autres de faire attention à leur petit cul, tu ne penses pas ?

– Ta gueule, sale fils de pute, c'est plutôt moi qui vais tout balancer !

Steve le gifla si violemment qu'il en tomba par terre, ses genoux cognant sur des cailloux. Sa joue le brûlait, autant que cette rage impuissante, cette sensation de faiblesse, comme si son propre corps l'abandonnait.

Damien chercha quelque chose pour se défendre, mais il n'y avait rien.

Steve le força à se relever en le tenant par le cou. Et il serra, de plus en plus fort, le plaquant à nouveau contre le tronc d'arbre.

– Tu sais ce qui arrive à ceux qui ne savent pas fermer leur gueule, hein ? Je pourrais m'occuper de toi et repartir comme si de rien n'était au camp, personne ne se poserait de questions avant demain matin, et d'ici à ce qu'on te recherche, l'odeur du sang aura ameuté les bêtes sauvages depuis longtemps. Ton cadavre ne sera pas beau à voir. Même tes parents ne te reconnaîtront pas… C'est vraiment ce que tu veux ?

Damien fit un petit non de la tête, ses jambes tremblant comme jamais.

– Bien, je préfère ça, dit Steve en le relâchant. Ça m'aurait fait un peu chier de me salir les mains ce soir, d'autant que tu es sous ma responsabilité, ça ferait un peu tache sur mon CV si on te retrouvait à moitié bouffé dans la forêt. Mais par contre n'oublie jamais que je sais où tu vis et que je n'hésiterai pas la prochaine fois, tu peux me croire.

Damien, son cœur lui remontant dans la gorge, ne quittait plus des yeux le manche du couteau de Steve. *La lame glissant le long son cou, cette même promesse qu'il avait faite deux ans auparavant.*

– Et ne t'approche plus de mon petit frère, si j'apprends que tu l'as revu, je peux te jurer que je te raterai pas.

À ces simples mots, ses yeux se mouillèrent de larmes. Il se détestait de ne pas arriver à se contenir, mais la simple idée de ne plus revoir Yann était insoutenable.

– Si tu veux mon avis, je crois qu'il en a marre de ta gueule, continua Steve. Je l'ai entendu dire au téléphone qu'il ne traînait avec toi que par pitié, que sinon tu serais tout seul, au vu de ta splendide popularité dans votre collège.

Damien ne voulait plus écouter ce tissu de mensonges. Yann était son meilleur ami depuis l'école primaire, ils étaient comme deux frères, jamais il ne penserait une telle chose…

– Je devrais peut-être tout dire à Yann, tu ne penses pas ? Ou mentir un peu en disant que je vous ai surpris Willy et toi, par exemple… À ton avis, il réagira comment quand il saura ce que tu es vraiment ?

Steve éclata de rire, un rire qui attisa la rage que Damien refrénait jusque-là.

Il ne pouvait pas le laisser faire. Il ne pouvait pas le laisser détruire la seule chose à laquelle il tenait.

Sous ses yeux, le couteau attaché à sa ceinture.

À l'intérieur de son crâne, un hurlement.

Damien attrapa le couteau par le manche et le serra dans sa main. Steve s'en rendit compte mais trop tard. Avant qu'il ne puisse faire quoi que ce soit pour se défendre, Damien lui planta la lame en plein dans le ventre.

Steve, voyant le sang imbiber sa chemise, poussa un cri mêlé de sanglots, mais un cri trop faible pour dépasser les premiers arbres, un cri inutile.

Des profondeurs de la forêt, un vent glacé recouvrit l'écorce des troncs de milliers de petits cristaux bleutés.

Grisé par l'excitation, Damien bondit sur lui et le frappa à nouveau, un peu plus haut que la première fois et plus profondément, prenant plus de temps à triturer la chair pour parfaire la souffrance.

De la gorge de Steve ne sortit plus qu'un râle brisé.

La lame butta alors contre quelque chose de dur, Damien la retira et Steve s'écroula sur le sol. Il le retourna sur le dos avec le pied, puis il s'assit sur lui à califourchon et continua de le poignarder, sans plus s'arrêter, la lame perçant ses organes comme des bulles de savon.

Il arracha sa chemise et admira les innombrables blessures qu'il lui avait infligées ; ce sang noir qui coulait sur sa peau pour se mêler à la terre, avec une telle abondance qu'il en avait le goût dans la bouche.

Sa tête se mit à tourner, de plus en plus vite, comme s'il avait bu plusieurs verres d'alcool. Tout son être palpitait, ivre de ce sentiment de plénitude, de libération. Il ne s'était jamais senti aussi *vivant*.

L'envie était trop forte. Il effleura la blessure la plus proche du bout des doigts puis les porta à ses lèvres ; le goût métallique, onctueux, parfait, s'insinuant jusqu'au fond de sa gorge.

Et il le savoura comme ce jour où il était resté agenouillé sur la pelouse de son jardin inondé de soleil, le sang de Yann se mêlant à sa salive.

Mais cette fois il en voulait plus, beaucoup plus, tout son corps le réclamait.

Il se baissa et lécha le torse raidi de Steve, sa langue traçant des sillons dans les plaies, mêlant le goût du sang, de la sueur, de la peau. Il mordilla son cou, ses lèvres, tout en plongeant ses doigts dans une des blessures, puis sa main tout entière, déchirant peau et chair à son passage, la chaleur encore prisonnière à l'intérieur l'enrobant puis s'échappant pour s'évanouir dans l'air froid.

Damien attrapa un gros morceau visqueux qu'il arracha d'un coup sec. Il eut un petit mouvement de dégoût en voyant ce qu'il tenait à la main. Mais le dégoût s'estompa vite. Ne restait plus que la fascination, le désir avide.

Et, de la même façon que le wendigo sur le ponton, bien conscient qu'il n'y aurait plus de retour en arrière, il mordit dedans à pleines dents, d'abord timidement, déglutissant avec de petits haut-le-cœur, puis de façon de plus en plus acharnée, exaltée, dévorant la chair tendre sans retenue, léchant ensuite ses doigts jusqu'à ce que ne restent plus que quelques traces de sang entre ses ongles.

La lune surnageait au-dessus des arbres et l'éclairait comme un projecteur de cinéma. Quelque chose, il le sentait, commençait déjà à changer à l'intérieur de son corps. Quelque chose d'encore ténu, mais qui ne demandait qu'à grandir.

Plus de retour en arrière possible.

Il leur apprendrait à tous à le craindre.

Le cadavre de Steve luisait d'un éclat terne à ses pieds, de plus en plus repoussant depuis que sa chaleur l'avait quitté.

Il devait s'en débarrasser, le faire disparaître une bonne fois pour toutes.

Damien essuya la lame du couteau, attrapa la ceinture de Steve, puis la mit autour de sa taille et rangea le couteau à l'intérieur. Il tira le corps dans les broussailles, les narines pleines de l'odeur de la terre, des feuilles, du pelage des animaux qui, à son approche, se cachaient dans la fraîcheur des terriers.

Il ne devait pas paniquer, rester concentré sur son objectif.

Au bout d'une dizaine de minutes d'efforts, il discerna à travers une rangée d'arbres l'eau du lac miroiter sous la lune.

Et il comprit ce qu'il devait faire.

Arrivé sur la berge, il lâcha le corps de Steve. Tout autour d'eux des dizaines de petits bruits perçaient le silence ; craquements, clapotis, stridulations, la vie nocturne qui grouillait au bord de l'eau.

Maintenant il devait faire vite, trouver un endroit où le lac serait assez profond, et aussi quelque chose de lourd pour le lester…

Des pas se rapprochèrent sur sa gauche, une voix prononça son prénom. Damien se retourna brusquement et attrapa la poignée du couteau.

C'était Willy, qui avança en faisant craquer les branchages, ne quittant pas des yeux le corps de Steve.

– C'est pas ce que tu crois, dit Damien au bord de la panique, je vais t'expliquer…

– Tu m'expliqueras plus tard. Tu pensais le jeter à l'eau, c'est ça ?

Damien, ahuri, ne sut quoi répondre.

– Bouge-toi, mec ! fit Willy d'un ton plus ferme. Je vais pas te faire un dessin sur ce qu'il risque de t'arriver si quelqu'un le découvre ! J'ai repéré une petite barque attachée à un des pontons, on a qu'à s'en servir pour le balancer là où le lac est le plus profond, c'est ta meilleure chance pour qu'on ne le retrouve pas !

Willy se baissa alors et attrapa le bras droit de Steve.

– Tu me donnes un coup de main ? demanda-t-il à Damien, qui, sortant de sa torpeur, saisit l'autre bras.

Ils le traînèrent ensemble jusqu'à arriver au ponton caché par les roseaux et où était amarrée une barque salie par les années. Ils firent tomber le corps à l'intérieur. Willy retourna sur la berge et attrapa une grosse pierre, pendant que Damien dénouait la corde.

Ils s'installèrent tous deux dans la barque. Damien s'empara d'une rame calée contre la coque et la plongea dans l'eau, essayant d'avancer droit, malgré les tremblements dans ses bras.

Quand ils furent assez loin, Willy attacha la corde autour du pied de Steve, et, à l'autre bout, la pierre. Damien essaya de distinguer la rive mais il ne vit plus que du noir sous un ciel gorgé d'étoiles.

Il sentait pourtant la forêt qui les encerclait et qui s'étendait sur des centaines de kilomètres, ce monde dans le monde, abritant en son sein une multitude de petits cœurs sauvages.

Et lui, le démon pâle qui courait dans la nuit ivre de liberté, lui qui riait.

Willy testa la solidité du lien, puis il saisit le corps par les épaules. Damien l'aida en le prenant par les pieds, et ils le jetèrent ensemble par-dessus bord.

Steve disparut en quelques instants. Damien frémit en se demandant jusqu'à quelles profondeurs il pourrait bien descendre.

– J'espère que la légende est vraie et que tout ce qui entre dans ce lac n'en ressort jamais, dit Willy. Ou bien qu'il se soit assez fait becqueter par les poissons avant qu'on le repêche… Et puis ne t'inquiète pas, je fermerai ma gueule, tu peux me faire confiance. Je suis moi-même un peu fautif dans cette histoire. Steve savait depuis le début que tu nous avais vus, je n'ai pas pu lui mentir. Je suis parti à ta recherche quand j'ai compris que ça allait dégénérer. C'était de la légitime défense, tu n'as pas à t'en vouloir. Maintenant il ne pourra s'en prendre à personne. Le mieux c'est d'oublier toute cette merde. On rentre au camp, on fait comme si de rien n'était, tu continues à m'éviter, et voilà. Il n'y a rien à dire de plus…

Damien saisit la rame d'un air entendu, puis ils rejoignirent tranquillement la rive.

Une fois arrivé au camp, il ralentit le pas. Des gémissements s'échappaient de la tente de Laura, mêlés aux bruits de deux corps qui s'entrechoquaient. Willy pouffa de rire, et Damien lui fit signe de ne pas l'attendre.

À l'intérieur de celle que partageaient Steve et Hugo, il trouva son téléphone dans un gros sac de voyage noir, puis il courut à sa tente, où Willy était déjà couché et faisait semblant de dormir. Il enleva son t-shirt maculé de sang et le fourra dans le fond de son sac. Il devrait le faire brûler dans la cheminée en retournant à Annecy. Le laisser ici serait trop dangereux.

Il y rangea également le couteau. Mais ça, par contre, il le nettoierait et le garderait.

Son trophée.

Il avait un peu de réseau et constata qu'il avait reçu plusieurs messages : un de sa mère et de sa grande sœur, qui demandaient toutes deux, et avec les mêmes termes, si tout se passait bien, puis un de Yann, qu'il lut trois fois, et où il lui disait à quel point il s'ennuyait et qu'il avait hâte qu'il rentre. Il était trop tard pour répondre. Damien rangea son téléphone dans son sac à dos, heureux comme il ne l'avait jamais été.

Il lui manquait. Yann attendait qu'il revienne. Steve lui avait bien menti.

Bientôt ils seraient ensemble. Plus rien ne les séparerait.

Bien au chaud dans son duvet, il se sentit peu à peu envahir par le sommeil et se réveilla dans sa chambre, à Annecy, où régnait un froid si intense qu'il lui figea les membres. Une porte claqua au rez-de-chaussée, faisant trembler la maison tout entière. Intrigué, il descendit l'escalier, la rampe devenue tellement lisse que ses mains n'arrivaient pas à s'y agripper. La porte d'entrée était grande ouverte. À peine arriva-t-il sur le perron qu'il se rendit compte que tout avait gelé, les arbres, les voitures, la route, les maisons et leurs habitants à l'intérieur. C'était comme si la ville entière reposait désormais sous un lourd manteau de glace.

Il fit quelques pas sur la pelouse du jardin, des dizaines de brins d'herbe lui perforant la plante des pieds, alors que, dans son dos, quelqu'un se mettait à frapper contre la vitre. Il se retourna, leva la tête vers la fenêtre de sa chambre et remarqua cette silhouette qu'il reconnut aussitôt, son sourire diabolique perçant le noir.

Il hurla et remonta les marches en courant, mais avant qu'il n'ait pu l'atteindre, la porte de sa maison se referma brutalement face à lui.

Damien ouvrit les yeux sur le tissu de la tente chauffé par le soleil.

Il était dix heures du matin. Deux de ses camarades continuaient à dormir. En temps normal les moniteurs les réveillaient à neuf heures tapantes. Mais cette fois, il le savait, quelque chose avait changé.

Les autres étaient tous assis dans l'herbe, rassemblés comme s'ils avaient besoin de se tenir chaud. Hugo et

Laura avaient le dos tourné vers la forêt, l'air inquiets. Damien rejoignit le groupe comme si de rien n'était. Il chercha Willy mais ne le vit nulle part.

– Il y a un truc qui cloche, dit Sébastien quand il s'assit à ses côtés. Apparemment Steve a disparu, ça fait une bonne heure qu'ils le cherchent.

– Et ce con qui voulait nous faire peur l'autre soir pour pas qu'on sorte en pleine nuit, rétorqua William en riant.

Damien sourit et pensa au corps de Steve figé à plus de cent mètres de profondeur dans son cercueil liquide, les bras écartés comme un épouvantail qui ne pourrait plus effrayer que les poissons.

Ils attendirent ainsi jusqu'en début d'après-midi. Hugo, qui n'arrivait toujours pas à passer d'appels, décida de se rendre à la maison la plus proche pour alerter les secours. Laura demanda aux garçons de se regrouper autour d'elle, leur disant que tout irait bien, qu'il ne fallait pas avoir peur, que Steve s'était peut-être simplement perdu dans les bois.

Mais, par mesure de sécurité, ils devaient rester tous ensemble.

Juste au cas où.

Quand les secours arriveraient, ils commenceraient par fouiller la forêt, puis peut-être le lac, avec un sonar, des hommes-grenouilles…

Il pria de tout son cœur pour qu'ils ne le retrouvent jamais. Mais de toute façon, si c'était le cas rien ne pourrait l'incriminer.

À condition que personne ne l'ait vu. Et que Willy ferme sa gueule. Mais il savait qu'il était digne de confiance.

Sinon il paierait sa trahison du tranchant de sa lame.

Il arracha une grosse touffe d'herbe dont il parsema les brins à ses pieds. Au moins cette foutue colonie de vacances était bel et bien finie, demain au plus tard ils repartiraient chez eux. Il continuerait sa vie avec un petit quelque chose en plus, le cadeau que lui avait fait la forêt.

Dans un premier temps, Yann serait effondré par la disparition de son grand frère, mais il serait là pour s'en occuper, comme un vrai ami se devait de le faire. Tout redeviendrait comme avant.

La force du wendigo continuait de couler dans son corps, de façon diffuse, comme domptée, mais prête à resurgir à nouveau. Et elle resurgirait. Et il connaîtrait une nouvelle fois cette sensation incomparable.

Il leur apprendrait à tous à le craindre.

En déglutissant, le goût de la chair de Steve remonta dans sa gorge. Il le savoura secrètement alors que les autres parlaient entre eux à voix basse et essayaient de comprendre ce qu'il s'était passé, suspectant déjà le drame, chacun imaginant le pire dans un coin de sa tête.

Leurs petits cœurs inquiets battant à l'unisson…

Damien attrapa une petite branche qu'il cassa d'un coup sec entre ses doigts. Et, ses joues agréablement réchauffées par les rayons du soleil, il regarda leurs corps désarmés d'une tout autre manière…

MARY BETH II

Mary Beth se réveilla vers neuf heures du matin et constata avec soulagement que rien ne s'était passé pendant la nuit et que Scott dormait toujours à côté d'elle.

Devant se résigner à le laisser seul quelques instants, elle s'habilla, ferma la porte à clef puis trouva une épicerie une centaine de mètres plus loin, et y prit des biscuits, du jus d'orange, de la compote de pomme et du pain de mie. Elle traversa ensuite la rue et lui acheta deux jeans, une veste et quelques t-shirts dans un petit magasin qui venait d'ouvrir, en espérant ne pas se tromper sur la taille. Au moment de retourner à l'hôtel, elle ressentit au fur et à mesure qu'elle marchait la désagréable impression d'être épiée. Pourtant elle ne vit rien de particulier, hormis un camion de nettoyage qui déversait de l'eau sur le bitume, et quelques joggeurs faisant leur footing matinal sur le trottoir.

La lumière du soleil recouvrait les façades des immeubles alentour, une douce odeur de fleurs coupées portée par le vent se mêlant à celle du tabac. De l'autre côté de la cour, une femme en body noir faisait des étirements sur une terrasse, alors qu'au dessous un couple de retraités partageaient leur petit déjeuner assis à la table de leur cuisine ; la vie qui continuait tranquillement, alors que la sienne venait de prendre un tournant qu'elle avait toujours un peu de mal à appréhender.

Le sommier se mit à grincer. Mary Beth se retourna vers Scott, qui s'était rassis, l'air hagard.

– Qu'est ce que je fais là ? demanda-t-il en bâillant à moitié.

– Tu n'as rien à craindre, dit-elle en s'approchant du lit. Nous t'avons ramené ici cette nuit. Il a fallu te sortir de cette cellule pendant que tu étais inconscient, c'est pour ça que tu ne dois pas te souvenir de grand-chose…

Scott la dévisagea alors d'une façon qui la mit mal à l'aise.

– C'est toi, n'est-ce pas ? Il m'a dit que tu viendrais…

Ne s'y attendant pas, elle en resta un instant interdite, puis s'assit près de lui.

– Je ne sais pas par où commencer. J'ai tellement de choses à te dire…

– Tu aurais une cigarette pour moi ?

– Oui, bien sûr, dit-elle en lui tendant son paquet de Marlboro et un briquet.

– Et on est où ?

– Toujours à San Francisco, dans un hôtel de North Beach.

– D'accord, et tu es là depuis quand ?

– Je suis arrivée avant-hier, par avion.

– Tout ça pour venir me chercher ?

– Oui… Dès que j'ai su où tu étais, je suis venue aussitôt…

Scott sourit en rejetant une bouffée de fumée, et Mary Beth comprit sa maladresse.

– Et comment tu as fait pour me sortir de là ? Tu as des superpouvoirs ou un truc du genre ?

– Non pas vraiment, répondit-elle en poussant un petit rire. J'ai été aidée par des hommes que j'ai contactés grâce à un ami commun. On a pu profiter du fait que Walter n'était pas en ville. C'est Alyssa qui m'a dit où te trouver, on a eu beaucoup de chance.

– Alyssa ?

– Oui, nous l'avons emmenée elle aussi et conduite dans un hôpital juste avant de venir ici.

Un peu songeur, le jeune homme acquiesça d'un petit mouvement de tête.

– Comment tu te sens ?

– J'ai un peu l'impression d'être passé dans une broyeuse, mais dans l'ensemble ça peut aller.

Scott s'étira un peu puis, voyant la bouteille d'eau posée sur la table de nuit, il la saisit et en but le contenu d'un trait, sans même prendre le temps de respirer entre deux gorgées.

Elle voulut lui conseiller de ne pas aller trop vite mais se ravisa.

– Je t'ai acheté quelques trucs à manger, fit-elle en posant sur le lit. Il faut que tu reprennes des forces, tu es resté trop longtemps sans pouvoir te nourrir.

Scott jeta la bouteille vide sur le lit, puis fouilla à l'intérieur du sac et en sortit quelques tranches de pain de mie qu'il mangea par petites bouchées.

Mary Beth avait encore du mal à se faire à l'idée que c'était bien lui ; elle avait envie de le toucher, de le prendre dans ses bras… Il avait l'air si fragile… Tant de choses devaient s'entrechoquer dans sa tête…

À quoi pouvait-il bien penser en ce moment même ?

Que pensait-il d'elle ?

– Je me rappelle encore parfaitement du jour où tu es né, dit-elle avec la sensation de se jeter dans le vide. Je venais tout juste d'emménager à Boise, cela faisait près de six mois que j'avais réussi à m'enfuir pour de bon de chez Walter et que j'errais sur les routes à la recherche d'un endroit sûr où pouvoir t'élever. Les infirmières étaient toutes aux petits soins pour moi, elles qui comprenaient à quel point j'avais peur, à quel point j'étais perdue et seule pour affronter une telle épreuve. Les premiers jours ont été les plus difficiles, j'étais tellement maladroite… En vérité je n'étais pas du tout préparée à devenir mère aussi jeune, et dans de telles conditions. Mais j'ai appris peu à peu, grâce aux conseils que j'arrivais à grappiller à droite et à gauche, et au fil du temps tout m'est devenu de plus en plus naturel. Bien sûr, tu ne peux pas t'en souvenir, mais je t'emmenais partout avec moi, je passais mon temps libre à te promener au Ann Morrison Park ou sur le bord de la Boise River. Ma vie commençait enfin à redevenir stable, j'avais à nouveau l'impression de construire quelque chose, j'économisais chaque mois un peu d'argent pour pouvoir nous prendre un appartement plus grand, où tu pourrais avoir ta propre chambre, j'envisageais même de reprendre mes études en alternance… Peu de temps après j'ai rencontré Martha, dans une laverie située juste en bas de chez nous, et nous sommes vite devenues amies. C'est elle qui m'a proposé de te garder durant mes heures de boulot, le temps que je puisse payer une nourrice. C'était vraiment une femme formidable, en qui j'ai vite compris que je pouvais avoir confiance. Un soir je l'ai invitée à dîner à la maison pour tout lui raconter. C'était la première fois que j'en parlais à quelqu'un depuis que j'étais partie de San Francisco. Elle m'a beaucoup aidée à garder le cap. Et puis est venu ce jour où, alors que tu avais à peine un peu plus d'un an, j'ai aperçu Walter en train de m'attendre dans une voiture juste en face du bar où je travaillais. J'ai tellement paniqué que je me suis enfuie sans pouvoir venir te récupérer ni repasser à la maison. Il ne pouvait pas connaître ton existence, j'avais tout fait pour la lui cacher, c'était moi qu'il cherchait, je ne voulais pas courir le risque que par ma faute il te fasse du mal à toi aussi. Je me suis réfugiée dans un motel à l'est de la ville et j'ai appelé Martha pour lui expliquer la situation. Je lui ai demandé de te garder quelques jours, le temps que les choses se tassent… Au début je voulais plus que tout revenir te chercher pour partir le plus loin possible. Et puis peu à peu j'ai compris que tant que tu resterais avec moi tu serais en danger. Et ça, je ne pouvais plus l'admettre, je ne pouvais plus te faire courir ce risque. Je savais que Martha et Paul t'élèveraient comme leur fils, qu'ainsi tu aurais la vie que j'étais incapable de t'offrir. Je leur ai envoyé quelques semaines plus tard les papiers pour faciliter l'adoption, en me disant que je pourrais un jour revenir vers toi une fois que tout se serait calmé. Mais au fond de moi je savais que ce serait impossible. Il n'y a ensuite pas eu un jour sans que je pense à toi, sans que j'aie envie de te revoir, de simplement appeler Martha pour avoir de tes nouvelles... Mais il ne pouvait pas y avoir de retour en arrière, j'avais fait mon choix, je devais m'y résoudre. J'ai continué à aller vers l'est en essayant de garder la tête hors de l'eau, de combattre cette solitude qui me devenait de plus en plus insupportable. Et puis un jour, quelques années plus tard, je suis arrivée en Indiana, j'ai commencé un travail qui me plaisait un peu plus que les autres, je me suis fait un petit cercle d'amis, mais je n'ai jamais pu me résoudre à avoir d'autre enfant, cela m'était devenu impossible à concevoir...

Mary Beth s'arrêta de parler. Scott, face à elle, avait le regard baissé, ses mains posées sur ses cuisses.

– Quand j'ai su ce que Walter avait fait à Paul et à Martha, je me suis repris tout ce cauchemar de plein fouet. Je n'arrive toujours pas à m'expliquer comment, après tant d'années, il a réussi à apprendre ton existence...

– Je n'ai rien pu faire pour leur venir en aide, dit Scott en gardant les yeux baissés. Je me souviens juste d'avoir ouvert la porte de la maison, puis c'est le trou noir, jusqu'à ce que je me réveille dans cette voiture qui roulait à toute blinde sur l'autoroute. J'avais le poignet menotté à la portière, la tête qui tournait comme si on m'avait drogué. Et lui était assis à côté de moi, cet homme au crâne rasé qui m'avait dit être un ami de mes parents quand je l'ai croisé sur les marches de notre maison. Quand on est arrivés à San Francisco, ils m'ont enfermé dans une chambre pendant plusieurs jours. J'ai passé des heures à tenter de comprendre ce qu'ils pouvaient bien me vouloir, pourquoi on m'avait enlevé pour m'amener ici. Je ne savais même pas ce qui était arrivé à Martha et à Paul, je ne l'ai appris que bien plus tard, quand Walter est entré à son tour pour me dire qui il était vraiment et ce qui l'avait poussé à faire tout ce chemin jusqu'en Idaho pour venir me chercher. Et là ça a été comme si le monde s'était écroulé en quelques secondes. Je suis resté je ne sais pas combien de temps figé dans le noir, sous le choc de ce que je venais d'apprendre, j'ai cru que j'allais devenir dingue. Bien sûr, je savais depuis longtemps que j'avais été adopté, mais Martha m'a toujours dit que tu étais morte peu après ma naissance et qu'elle n'avait jamais su qui était mon père. C'est atroce à dire, mais j'en suis venu à la détester de m'avoir menti, et malgré tout ce qu'il s'est passé le soir où Walter…

Scott s'arrêta de parler puis reprit :

– Il m'a laissé là encore un jour ou deux, puis un soir il m'a permis de sortir en me disant que si je tentais quoi que ce soit pour m'échapper il m'y enfermerait de nouveau et ne me donnerait pas de seconde chance. Je me suis efforcé à me tenir à carreau durant toutes les semaines qui ont suivi, de faire tout ce qu'il me demandait de faire, de ne pas me laisser empoisonner par tout ce qu'il me disait… Un soir il m'a emmené dans plusieurs endroits qu'il possédait, en m'expliquant qu'il était arrivé ici quand il avait à peine mon âge, qu'il avait tout construit de ses mains, croyant peut-être que ça m'impressionnerait… Et moi j'ai dû me forcer à l'écouter, à cacher toute la haine que j'éprouvais pour lui, alors que je ne pensais qu'à trouver un moyen de m'échapper et de le dénoncer aux flics pour toutes les horreurs qu'il avait commises et qu'il continuait de commettre. J'ai quand même essayé trois ou quatre fois, sans succès, c'est pour ça qu'il m'a enfermé dans la cellule où tu m'as trouvé. J'ai vraiment cru que c'était la fin, que j'allais crever là…

Il détourna le visage et se frotta les yeux.

– Et maintenant ? Que comptes-tu faire ?

– J'aimerais que tu viennes avec moi en Indiana. Tu ne peux pas rester ici, et retourner à Twin Falls serait beaucoup trop dangereux. Tout doit encore être très confus dans ta tête, peut-être me détestes-tu, mais pour ce qu'il s'est passé, mais pour l'instant le plus important c'est de partir d'ici et de nous mettre tous les deux à l'abri. Je sais que je ne pourrais pas t'obliger à rester avec moi, que j'ai perdu ce droit sur toi depuis longtemps. Je te demande juste de me donner au moins une chance. Je t'ai déjà préparé ta chambre, la maison où je vis n'est pas très grande, mais je suis sûre que tu pourrais t'y plaire. Une fois là-bas on fera le nécessaire pour que tu puisses reprendre une vie normale. Il y a un bon lycée à Lafayette, la fille d'une de mes amies y est scolarisée. Et puis on n'est pas loin de Chicago. Je pourrai te payer l'université. Je sais bien que rien ne pourra réparer les choses, mais je veux juste qu'on se donne au moins la peine d'essayer…

– Il doit déjà être à notre recherche, dit Scott en la coupant.

– C'est la raison pour laquelle on doit partir dès que j'aurai loué une voiture. On ne peut pas rester dans cette ville plus longtemps, c'est beaucoup trop dangereux, aussi bien pour toi que pour moi.

– Mais donc on ne va rien faire contre lui ? Maintenant que je suis dehors, on peut aller voir les flics et tout leur dire, non ? Ils seront bien forcés de nous croire, on ne peut pas le laisser s'en tirer pour ce qu'il a fait à Martha et à Paul !

– Ce serait trop risqué d'aller à la police, du moins par ici. Walter a trop de connexions dans cette ville, trop de flics pourris à sa botte… Je sais que ça peut te sembler injuste mais on doit d'abord se mettre tous les deux à l'abri. Une fois en Indiana, on pourra en reparler, trouver un moyen de le faire tomber, mais seulement quand on sera sûrs qu'il ne pourra plus rien faire pour nous atteindre…

– Je ne sais même pas où ils ont été enterrés, ni tout ce qui est arrivé après… Je crois que c'est ce qui a été le plus dur à supporter. J'ai même flippé à l'idée qu'on pense que c'était moi qui les avais massacrés avant de disparaître dans la nature. Quand ça sera possible, j'aimerais au moins pouvoir appeler mon oncle Stephen pour qu'il sache que je vais bien et qu'il puisse enfin savoir ce qu'il s'est réellement passé.

– D'accord, nous l'appellerons sur la route, si tu veux.

– Il faut combien de temps pour rejoindre l'Indiana ?

– Quatre ou cinq jours, tout dépend de la vitesse à laquelle je roule.

– On pourra se relayer si besoin, j'ai appris à conduire avec Martha.

– Oui, pourquoi pas, répondit Mary Beth, d'un coup émue de se rendre compte qu'il envisageait bien de repartir avec elle.

Scott posa sa main sur son front en grimaçant.

– Tout va bien ?

– Oui… Juste la tête qui tourne un peu…

– Tu es encore faible, tu as besoin de plus de repos…

Scott se rallongea sur le dos et se glissa sous la couverture. Il fixa le plafond pendant quelques minutes avant de refermer les yeux.

Il dormit jusqu'en fin d'après-midi, se réveillant de temps en temps pour manger et boire quelques gorgées d'eau. Mary Beth resta assise près de lui, plongée dans la lecture du *Chardonneret* de Donna Tartt.

Alors qu'elle commençait elle-même à s'assoupir, Scott se leva du lit et s'étira.

– Je peux aller prendre une douche ? demanda-t-il en se passant la main dans les cheveux.

– Oui, bien sûr. Je t'ai aussi acheté quelques vêtements, si tu veux, ils sont dans le sac posé contre le mur.

Il se pencha et en inspecta l'intérieur d'un air curieux.

– Bon, ce n'est peut-être pas ton style, j'ai pris ça vite fait dans une boutique en bas de l'immeuble.

– Non, ce sera parfait, merci beaucoup.

Le sac plastique à la main, il se rendit à la salle de bains et ferma la porte. Mary Beth, écoutant le bruit de la douche, contempla l'eau de la baie qui miroitait sous le soleil, et au-delà, la forme embrumée de l'Oakland Bridge, qu'ils prendraient bientôt pour partir vers l'Indiana.

Scott la rejoignit quelques minutes plus tard, le t-shirt qu'il avait revêtu, bleu ciel avec le logo des Giants, trop grand d'au moins deux tailles. Ils se regardèrent alors droit dans les yeux et éclatèrent de rire.

– Bon, je pense que la prochaine fois tu viendras avec moi, dit Mary Beth.

– Ouais, on va faire ça. D'ailleurs, ça t'embêterait si on allait faire un tour ? J'en peux plus de rester enfermé.

Il était encore si pâle, pensa Mary Beth, prendre l'air ne pourrait effectivement que lui faire du bien.

– Bon, mais on ne s'attarde pas, d'accord ? Tu ne dois pas faire trop d'efforts et il faut rester le plus prudents possible.

– Pas de soucis, répondit Scott en enfilant la veste qu'il avait sortie du sac.

Une fois qu'il fut prêt, Mary Beth mit son téléphone à charger sur la table, saisit son sac et le suivit dans le couloir.

Pour plus de sécurité, ils firent une halte dans le petit magasin où elle avait acheté ses vêtements afin qu'il se choisisse des lunettes de soleil et une casquette, puis ils remontèrent tous deux la rue pour arriver au carrefour entre Filbert et Stockton Street. Cela sentait par instants une odeur de pâte à pizza ; un peu plus loin se dressaient les tours blanches de la Saint Peter and

Paul Church, et de l'autre côté le Washington Square, où de nombreux promeneurs profitaient de leur fin de journée dominicale.

Mary Beth ne put s'empêcher de regarder tout autour d'eux, de guetter la moindre silhouette suspecte, le moindre regard un peu trop appuyé, bien consciente que si elle décelait ainsi la présence de Walter ou de ses hommes, il serait déjà trop tard pour leur échapper.

Alors qu'ils passaient devant un petit disquaire, Scott s'arrêta face à la vitrine.

– Tu veux entrer ? demanda-t-elle en s'arrêtant à son tour.

– Non, non, je regardais juste comme ça… Je collectionnais les vieux vinyles de rock à la maison, j'en avais déjà une bonne cinquantaine. Je me demande bien où ils peuvent se trouver maintenant, tout comme le reste de mes affaires… Oh, après tout, qu'importe…

Mary Beth le suivit alors qu'il pressait le pas, et ils traversèrent sur le passage piéton pour rejoindre le parc.

Scott, l'air ailleurs, marchait sans trop de difficultés. Elle en eut un instant peur qu'il ne décide sur un coup de tête de partir de son côté et de la laisser seule. Dans ce cas-là, que pourrait-elle faire pour le retenir ? Qui était-elle aujourd'hui pour avoir la moindre autorité sur lui ?

À cette idée, son cœur se mit à battre un peu plus vite.

Comme conscient de son trouble, Scott lui offrit un sourire qui balaya toutes ses craintes.

Ils achetèrent une glace chez un petit marchand installé près d'une aire de jeux pour enfants, puis ils continuèrent leur route le long de l'allée et débouchèrent sur Columbus Avenue. Mary Beth se souvint que, du temps où elle était étudiante à Berkeley, une de ses amies avait habité un peu plus haut, crut même reconnaître son immeuble, repeint en bleu pâle, se découpant derrière une rangée d'arbres.

Il semblait y avoir de plus en plus de monde au fur et à mesure qu'ils avançaient, des vendeurs de hot-dogs et de friandises disséminés un peu partout sur les trottoirs, des décorations de toutes les couleurs accrochées aux vitrines et aux lampadaires, comme si on célébrait une fête quelconque. Même si elle restait encore sur ses gardes, Mary Beth se sentait déjà un peu plus détendue. En y réfléchissant, elle avait du mal à imaginer Walter la rechercher dans les rues en plein jour, et surtout pas ici, dans ce quartier plein d'une foule bigarrée et qui paraissait comme lavé de son ombre. Il devait plutôt penser qu'ils se cloîtraient quelque part ou qu'ils avaient déjà réussi à quitter la ville. Avec un peu de chance, peut-être n'était-il même pas encore au courant. C'était en tout cas ce à quoi elle avait besoin de croire pour profiter le mieux possible du moment présent.

Sur leur gauche, une scène était installée au milieu d'une grande place entourée d'arbres, beaucoup de spectateurs déjà rassemblés devant en train d'attendre que le concert commence. Scott ayant l'air intrigué, elle lui proposa qu'ils se rapprochent un peu. À peine eurent-ils traversé la rue qu'elle se figea, n'arrivant tout d'abord pas à en croire ses yeux. Assis à la terrasse d'un petit salon de thé, se tenait Duane, vêtu d'une chemise bleue et d'un short beige, en pleine conversation avec un autre jeune homme du même âge et qui portait des lunettes de soleil. La coïncidence lui parut trop énorme, mais pourtant c'était bien lui, la peau plus bronzée et les cheveux éclaircis par le soleil de Californie.

Duane, tout en continuant de parler avec son ami, se tourna dans sa direction et, la voyant à son tour, lui fit un grand signe du bras et se leva pour la rejoindre.

Mary Beth se sentit alors rougir des pieds à la tête.

– Eh bien ça, pour une surprise ! fit-il en la prenant dans ses bras. Si je m'attendais à te voir ici ! Tu es à San Francisco depuis combien de temps ?

– Depuis avant-hier… Tout s'est décidé à la dernière minute, je dois t'avouer…

– Décidément le hasard fait bien les choses ! On vient juste de sortir du ciné avec Ben et on a décidé en chemin de prendre un verre pour profiter un peu des concerts en plein air… Je t'ai déjà parlé de lui, il me semble. Mon ami d'enfance.

– Oui, bien sûr, fit Mary Beth en serrant sa main. Enchantée.

– De même, répondit Ben. Sensiblement du même âge, les cheveux châtains et les traits tout aussi fins, il ressemblait tant à Duane qu'ils auraient facilement pu passer pour des frères.

Duane regarda alors Scott, qui se tenait près d'eux sans un mot.

– Et donc, moi, je te présente Scott, mon fils, dit Mary Beth en le prenant par l'épaule.

Duane, qui eut du mal à cacher sa surprise, serra sa main en jetant un regard perdu à Mary Beth, qui par un simple geste lui fit comprendre qu'elle lui expliquerait tout un peu plus tard.

– Vous voulez vous joindre à nous ? demanda-t-il en leur indiquant deux chaises vides, on vient juste d'arriver, on n'a pas encore commandé…

Après un petit instant d'hésitation, Mary Beth accepta avec plaisir et s'assit sur la chaise tendue par Ben. Après tout elle n'était pas si pressée que cela de retourner à leur chambre d'hôtel, et, même si elle aurait préféré que cela se fasse dans d'autres circonstances, elle était vraiment heureuse de revoir Duane.

Une des serveuses de l'établissement, une jolie brune aux yeux légèrement bridés, vint prendre leurs commandes. Duane et Ben choisirent tous deux un Ice Tea, Scott un milk-shake à la vanille et Mary Beth une orange pressée.

– Et donc, vous faites quoi en Californie ?

– En simple visite. Je voulais montrer à mon fils l'endroit où je vivais quand j'étais étudiante.

– Ah oui, c'est vrai que tu m'avais dit être du coin… Et vous logez où, du coup ?

– Dans un hôtel un peu plus haut, sur Grant Street.

– Vraiment pas loin de chez moi, alors ! Je n'habite qu'à quelques rues d'ici, en plein Telegraph Hill ! Tu penses rester longtemps à San Francisco ?

– Non, on est juste de passage, on repart demain matin pour l'Indiana, je n'avais que quelques jours de repos.

– Oui, en effet… Tu bosses toujours au même endroit ?

– Toujours. C'est assez calme ces jours-ci, on va dire, mais on tient le coup.

– Bon, tant mieux. Moi, c'est un peu pareil, on a traversé une mauvaise passe, mais j'ai l'impression que les choses redémarrent tranquillement… Et donc toi, Scott, j'imagine que tu es étudiant ?

– Ouais… En terminale.

– En fait, quand j'y repense, je crois que je t'ai déjà vu sur une photo où tu es tout gamin et où ta mère te tient dans ses bras, celle posée sur la cheminée de sa maison…

– Oui, c'est ça, dit Mary Beth, un peu étonnée qu'il s'en souvienne. Je vois que tu as bonne mémoire.

Scott, assis près d'elle, paraissait touché de l'apprendre. *L'unique photo qu'elle avait pu garder de lui. Celle qui avait permis de ne pas le réduire à un simple amoncellement de souvenirs.*

La foule qui s'était amassée devant la scène applaudit l'entrée des musiciens, qui prirent place à côté de leurs instruments. De petits oiseaux noirs passèrent en pépiant au-dessus de leurs têtes et se dispersèrent dans le ciel.

– Et comment va Josh ? demanda Mary Beth en remettant ses lunettes de soleil sur le nez.

– Très bien, je l'ai vu en webcam sur Skype la semaine dernière. Il vient d'avoir sept ans, ça passe tellement vite… Samuel m'a dit qu'ils viendraient en Californie pendant la dernière semaine de juillet et m'a promis de faire un détour par ici

– Ah, c'est super, tu dois avoir hâte.

– On peut le dire, oui, je ne l'ai pas revu en chair et en os depuis que je suis reparti de Chicago. Tu sais qu'il se rappelle toujours de moi ? Il m'a même envoyé des dessins avec mon prénom dessus il y a quelques jours, je les ai accrochés sur le mur de ma chambre…

Duane s'arrêta de parler et but une gorgée d'Ice Tea.

Sur la scène, deux hommes et deux femmes commencèrent à jouer un morceau aux accents tziganes, mêlant guitare, violon et accordéon, alors que les promeneurs attirés par le concert s'amassaient de plus en plus nombreux sur la place.

Aux alentours de dix-neuf heures trente, Ben reçu un texto de sa petite amie qui lui demandait de la rejoindre à Union Square. L'air un peu agacé, il dit à Duane qu'il l'appellerait plus tard, puis il salua Mary Beth et Scott et s'en alla en direction de la station de métro la plus proche.

Elle se souvint alors qu'elle avait totalement oublié d'appeler Louis. Son téléphone était en train de se recharger dans la chambre, et elle se promit de le faire dès qu'ils rentreraient, afin qu'il ne s'inquiète pas trop de ne pas avoir de ses nouvelles.

Face à elle, Scott et Duane se mirent à parler musique, Scott visiblement très intéressé d'apprendre que Duane travaillait pour un label indépendant. Être assise sur cette terrasse avec eux deux, dans une ambiance aussi festive, rendit ce qu'il s'était passé la veille de plus en plus lointain, comme un mauvais rêve qui se serait dissipé dans cet air rempli de musique et de ferveur. Elle ne voulait plus penser au risque qu'ils couraient par le simple fait d'être dehors, juste profiter de cette éclaircie, croire à nouveau en une vie normale, enfin débarrassée de l'ombre du bourreau. C'était maintenant, sur cette place, que cette nouvelle vie pouvait réellement commencer pour eux deux. Avoir rencontré Duane de cette façon ne pouvait pas être dû au hasard, Mary Beth depuis longtemps ne croyait plus au hasard.

Elle les écouta avec attention, curieuse d'en savoir un peu plus sur les goûts de son fils, et même si elle ne connaissait pas le quart des groupes dont ils parlaient. Elle aurait par la suite tant de choses à apprendre sur lui, que ce soit sur son enfance et son début d'adolescence à Twin Falls, sa façon de voir le monde, ses passions et ses projets ; et ainsi faire en sorte que le vide qui existait encore entre ce jeune homme et le petit garçon qu'elle avait été forcée d'abandonner puisse peu à peu se combler.

Ce vieux rêve qu'elle touchait à présent du bout des doigts.

Le concert se termina une vingtaine de minutes plus tard, la foule applaudit avec entrain en attendant qu'un autre groupe prenne la suite.

– Ça vous dit d'aller manger un morceau quelque part ? demanda Duane. Je devais passer la soirée avec Ben, mais j'ai comme l'impression que c'est partie remise.

– Moi, je suis carrément pour, fit Scott en se tournant vers sa mère. Je ne dirais pas non à une bonne pizza avec une tonne de fromage…

– Eh bien, c'est parfait, je connais un excellent restaurant italien pas loin d'ici, c'est un peu ma cantine depuis que j'habite dans le quartier, on peut y aller si ça vous tente.

– Pourquoi pas oui, dit Mary Beth, finalement ravie de passer un peu plus de temps en compagnie de Duane. J'aimerais juste aller à notre hôtel pour récupérer mon téléphone portable, je dois passer un coup de fil important.

– O.K., pas de soucis, je dois moi-même faire un saut au studio, c'est juste à deux stations de bus, donc si ça vous va je vous rejoins à votre hôtel et ensuite on part dîner tous les trois…

– Oui, d'accord, on fait ça.

– Très bien, je vais régler et je reviens. Et je vous invite.

Mary Beth le remercia d'un petit mouvement de tête, et Duane se rendit à l'intérieur son portefeuille à la main.

– Tu te sens mieux ? demanda-t-elle à Scott en posant ses mains à plat sur la table.

– J'ai la tête qui tourne encore un peu, mais dans l'ensemble ça va oui. Je pense qu'après avoir mangé et passé une bonne nuit je serai d'attaque. On part à quelle heure, demain ?

– Dès qu'on aura une voiture de location, a priori en milieu de matinée. On aura beaucoup de route à faire, j'aimerais arriver à Salt Lake City avant la tombée de la nuit.

– D'accord, dit Scott l'air pensif. Je t'avoue que ça me fait drôle de me dire qu'on va traverser une bonne partie du pays par la route. Je voulais le faire avec un pote l'été dernier, mais Martha et Paul ne m'ont pas donné la permission. Avec le recul je peux les comprendre, on s'y était pris à l'arrache, c'était un peu du grand n'importe quoi.

– Quand j'ai eu à peu près ton âge j'ai remonté toute la côte jusqu'à Portland en auto-stop avec ma meilleure amie. Mes parents ne m'ont laissé partir qu'à contrecœur, je devais les appeler chaque soir pour les rassurer.

– Et ils vivent où, tes parents ?

– Ils ne sont plus de ce monde, malheureusement.

– Ah, mince… Je suis désolé.

– Non, ne le sois pas, tu ne pouvais pas savoir.

Ne rien lui dire, pour ne pas alourdir encore un peu plus le sang qui coulait dans ses veines.

– Tu sais, si tout se passe bien en Indiana, j'aimerais me dégoter un petit boulot avant de reprendre les cours au lycée dont tu m'as parlé. Je crois que je ne supporterais pas de rester sans rien faire…

– Oui, on pourra se renseigner. Dans le diner où je travaille on cherche souvent des extras pour l'été.

– Ah oui ? Ce serait pas mal. L'année dernière j'ai bossé dans un petit cinéma à Boise tout le mois de juillet, c'était plutôt sympa, je pouvais voir tous les films qui étaient projetés, pour la plupart de vieux classiques américains ou européens… C'est d'ailleurs comme ça que je suis devenu assez cinéphile. Ce n'était pas le genre de truc qui passait à la maison en temps normal, et depuis j'ai pris l'habitude de m'en mater un ou deux chaque semaine sur le câble quand les parents étaient couchés…

Scott baissa soudainement les yeux, et Mary Beth sentit sa peine comme si c'était la sienne, ne sachant pas quoi dire car il n'y avait rien à dire.

Elle finit son verre et lui proposa de marcher un peu en attendant Duane. Ils se rendirent jusqu'à l'autre bout de la place, et s'arrêtèrent au niveau de la vitrine d'un Starbucks. Une voiture de police remonta l'avenue toutes sirènes hurlantes, suivie par deux camions de pompiers. Assise sur les marches d'un immeuble, une femme portant un chapeau de paille buvait un soda. Mary Beth croisa son regard, et y lut une telle tristesse qu'elle tourna la tête vers son fils qui observait le ciel.

– Désolé, il y avait un peu la queue, fit Duane en arrivant derrière eux… Tiens, Scott, je pensais à un truc, si tu veux tu peux venir vite fait avec moi pendant que ta mère passe ses coups de fil, comme ça, je te ferai écouter un ou deux morceaux du dernier groupe qu'on vient de signer, j'aimerais bien avoir ton avis.

– Ah ouais, ce serait cool ! répondit-il d'un air emballé.

– Et toi, Mary Beth, ça ne te dérange pas ?

Un peu prise au dépourvu, elle ne sut d'abord quoi répondre. Scott paraissait si enthousiaste qu'elle n'eut pas de mots pour refuser.

Qui était-elle en cet instant pour lui refuser quoi que ce soit ?

– Bon, c'est d'accord, dit-elle en le regrettant aussitôt. Mais vous faites vite, alors.

– Tu peux venir avec nous si tu veux.

– Non non, allez-y, il n'y a pas de soucis.

– On en aura pour une petite demi-heure à tout casser, je t'appelle quand on sort et on se retrouve au resto.

Mary Beth les regarda s'éloigner tous les deux en direction de la station de bus, prise d'un mauvais pressentiment qu'elle réprima tant bien que mal ; puis elle remonta Union Street et manqua quand elle longea une laverie, de se faire bousculer par deux gamins qui descendaient le trottoir sur leurs skateboards.

La fenêtre de sa chambre était grande ouverte, alors qu'elle pensait l'avoir fermée avant de partir. Elle enleva sa veste, la jeta sur le lit, puis elle attrapa son téléphone portable et remarqua trois appels manqués de Toadvine. Un peu surprise, elle le rappela mais tomba aussitôt sur la messagerie.

Elle s'assit sur le lit et appela Louis. Après cinq sonneries elle tomba là aussi sur le répondeur. Elle ne laissa pas de message ; elle essaierait de l'appeler plus tard.

Au loin on entendait le bruit du concert qui continuait. Avec le recul, elle se demanda comment elle avait pu se séparer de Scott aussi facilement. Elle n'avait même pas eu le temps de lui dire de rester sur ses gardes, de faire attention à ne pas enlever ses lunettes de soleil et sa casquette tant qu'il était à l'extérieur… Ce n'était pas un jeu, elle aurait dû être plus ferme, ne pas céder. Et puis Duane était à des lieues de savoir tout ce qu'ils avaient traversé, et qu'il courait un risque du simple fait de les avoir rencontrés. Que pourrait-il faire si les hommes de Walter leur tombaient dessus ?

Mary Beth commença à avoir du mal à respirer, son cœur battant de plus en plus vite dans sa poitrine. Elle ne pouvait pas rester à attendre, il fallait qu'elle les ait au moins au téléphone, juste pour se rassurer, savoir s'ils allaient bien… Elle chercha le numéro de Duane dans son répertoire, l'appela, et tomba sur le répondeur. De rage elle jeta son téléphone sur le lit et tenta de se calmer pour éviter que son état n'empire. Mary Beth avait pendant de longues années été sujette à d'importantes crises d'angoisse. Cela s'était atténué avec le temps et un traitement adapté, mais elle savait qu'elle n'était pas à l'abri d'une rechute.

Elle se rendit à la fenêtre afin de prendre un peu l'air, les immeubles alentour commençant déjà à se teinter de la lumière rosée du soleil couchant, et contempla le bleu pâle de la baie qui s'étalait de l'autre côté en tentant du mieux possible de ne pas penser au pire. Elle devait juste se montrer patiente, ne pas se laisser submerger par l'irrationnel. De toute façon, il était hors de question de recommencer à vivre dans la peur. Elle savait qu'elle n'en aurait pas la force. Et Scott n'était plus un enfant, l'enfant c'étaient les Lamb qui s'en étaient occupés, du mieux qu'ils l'avaient pu. Mary Beth était bien consciente qu'il allait avoir dix-huit ans, qu'il n'aurait bientôt plus besoin d'elle pour le protéger, qu'elle-même n'aurait pas d'autre choix que d'apprendre à lui laisser vivre sa vie de jeune adulte.

Elle décida de prendre une douche et ferma la porte de la salle de bains derrière elle. Une petite radio était posée sur une des étagères ; elle l'alluma et augmenta le volume quand elle reconnut la fin de « Ashes to Ashes » de David Bowie. Elle détailla son visage dans la glace accrochée au-dessus du lavabo, ses traits fatigués, les cernes qui se formaient sous ses yeux. Et dire que Duane l'avait vue dans cet état… Elle en profiterait pour se maquiller un peu avant de ressortir, histoire de ressembler à quelque chose.

Elle se déshabilla et tira le rideau de la douche, la radio passant les premières notes de guitare du « (Don't Fear) The Reaper » de Blue Öyster Cult. Elle tourna la poignée à fond pour avoir le plus de pression possible, puis elle s'aspergea les cheveux de shampoing tout en chantonnant les paroles, et se vit au volant de sa voiture sur l'Interstate, appuyant de plus en plus fort sur l'accélérateur.

Come on baby… dont fear the reaper… baby take my hand… don't fear the reaper… we'll be able to fly…

Cette fois, plus de retour en arrière, cette fois, ne plus perdre le chemin qui menait à leur maison.

Son téléphone émit un petit bruit de carillon, indiquant qu'elle venait de recevoir un SMS. Elle décida de le lire plus tard et se sécha les cheveux en s'asseyant sur une petite chaise pliante laissée contre le mur, de plus en plus impatiente de passer la soirée au restaurant en compagnie de Scott et de Duane. Cela leur ferait finalement le plus grand bien, autant à son fils qu'à elle, et leur permettrait de se changer les idées avant de prendre la route. Et puis, s'il ne se faisait pas trop tard, ils pourraient même aller boire un dernier verre chez Duane, ce serait la bonne occasion de visiter son appartement…

Son parfum quand il l'avait étreinte sur cette place, et qui lui avait fait se remémorer chaque seconde de leur nuit passée ensemble.

Mary Beth laissa son esprit divaguer quelques instants, puis elle éteignit le sèche-cheveux et attrapa sa trousse de maquillage laissée sur le rebord du lavabo.

Et c'est seulement à cet instant qu'elle se rendit compte que quelqu'un sifflait par-dessus le morceau passant à la radio.

Quelqu'un qui était dans sa propre chambre.

Elle se retourna vers la porte, alors que celui qui se tenait derrière continuait à siffler en tapant du pied sur le sol, de façon de plus en plus énergique, bien conscient qu'elle l'entendait et s'en amusant.

Son sang se figea dans ses veines. Elle savait que ce n'était ni Duane ni Scott. Elle savait d'avance que c'était Walter.

Il n'y avait aucun verrou. Elle était encore nue, chaque partie de son corps offerte au coup de poignard.

Prise au piège. Aucune échappatoire. Et rien autour d'elle pour se défendre.

Mary Beth se rhabilla sans un bruit, ses jambes tremblant tellement qu'elle en avait du mal à enfiler son jean.

Puis, bien consciente qu'elle ne pourrait pas rester indéfiniment dans cette pièce, elle éteignit la radio et saisit la poignée de la porte.

Rejeter une bonne fois pour toutes la terreur. La mettre à terre et la piétiner.

Il était assis sur le lit, les mains croisées, vêtu d'un costume noir, avec le regard du chasseur visant sa proie.

– Quelle tête tu fais, dit-il en se redressant. On croirait que tu viens de voir un fantôme !

Mary Beth ne put prononcer le moindre mot, tétanisée par ce regard glacé posé sur elle, la seule chose de son visage glabre qui n'avait pas changé sous le poids des années, d'une dureté toujours aussi désarmante, la dureté des banquises. Walter ne la quitta pas des yeux, et détailla son corps de haut en bas comme si elle se tenait toujours nue face à lui. Puis il se leva et s'approcha d'elle, ce qui fit dangereusement accélérer son rythme cardiaque.

– Tu n'as pas changé tant que ça, finalement, dit-il son visage face au sien. Je t'aurais reconnue au premier coup d'œil si je t'avais croisée dans la rue… En tout cas je suis heureux de constater que même après toutes ces années tu ne peux t'empêcher de m'obéir.

– Comment m'as-tu retrouvée ? demanda Mary Beth en ne parvenant pas à maîtriser les tremblements de sa voix.

– Oh, je n'ai aucun mérite. L'abruti que vous aviez chargé de me surveiller à Los Angeles n'était pas ce qu'on pourrait appeler un as de la filature ; il n'a pas fallu plus de dix minutes à mes hommes pour le remarquer et qu'il ne nous balance toute l'histoire. À l'heure où je te parle nous avons réussi à localiser la plupart de tes petits copains. Apparemment, leur chef, ce « Toadvine », est un peu plus difficile à débusquer, mais tu peux me faire confiance quand je te dis que ce n'est plus qu'une question de temps.

Mary Beth en eut un haut-le-cœur. Elle savait que Walter disait la vérité, qu'ils étaient sans doute tous déjà morts.

Combien encore ? Combien à s'ajouter à la liste ?

Duane ne l'avait toujours pas appelé ; avec un peu de chance, Scott et lui étaient toujours en sécurité dans les bureaux de sa maison de disques. Mais le temps pressait, elle devait les prévenir, les empêcher coûte que coûte de débarquer ici. Son téléphone était posé sur le lit, mais Walter ne la laisserait jamais l'atteindre, et elle savait d'avance que ses sbires se tenaient non loin de là, prêts à l'arrêter si elle arrivait à franchir la porte.

– En tout cas, je te félicite d'avoir réussi à faire intrusion chez moi de cette façon. Sur ce coup-là, tu as fait très fort, même si entre nous tu as eu beaucoup de chance. D'ailleurs peux-tu me dire où est Alyssa ? Elle m'appartient, tu sais, tu n'avais aucun droit de me la prendre.

– C'est trop tard, dit Mary Beth tout bas. Elle doit déjà être loin maintenant, tu ne la retrouveras jamais !

– Ah oui, vraiment ? répondit-il d'un air moqueur, tu es pourtant bien placée pour savoir que ceux qui me fuient, je les retrouve toujours !

Hors d'elle, Mary Beth lui cracha en pleine figure.

Walter, surpris, essuya sa joue de la paume de sa main, puis il la frappa en plein visage, si fort qu'elle percuta le mur derrière elle et tomba à genoux. Sonnée par le choc, elle se recroquevilla, du sang commençant à goutter sur la moquette, la douleur se propageant en vagues autour de son nez brisé. Sans lui laisser le temps de reprendre son souffle, Walter l'attrapa par les cheveux et la balança la tête la première contre le mur, ouvrant un peu plus la blessure. Mary Beth eu juste le temps de voir une marque ovale de son propre sang tacher le papier peint avant que ses jambes cèdent sous son poids et la fassent s'écrouler à nouveau sur le sol.

Elle chercha quelque chose à quoi s'agripper. Tout ce qui l'entourait se mit à tourner de plus en plus vite, la douleur s'intensifiant jusqu'à l'insoutenable et lui donnant envie de hurler. Et elle vit alors son sac laissé contre le mur, avec à l'intérieur l'arme de Toadvine. Elle ne savait pas combien de balles il y avait dans le chargeur. Mais elle n'en avait besoin que d'une.

Une seule, en plein milieu du front.

– Toutes ces années t'ont donné un peu plus de cran, j'ai l'impression, mais ce n'est pas grave, je remettrai la main sur elle avec ou sans ton aide. Et quant à nous, on va rester bien sagement ici jusqu'à ce que Scott et ton ami se joignent à nous. Ils ne devraient plus tarder maintenant, on verra bien si tu te montres toujours aussi effrontée en leur présence.

Réalisant ce qu'il venait de dire, Mary Beth eut l'impression de se prendre un coup de massue en plein ventre.

– Ah oui, au fait, j'ai oublié de te prévenir, dit Walter en lui pinçant le menton. Tu as reçu un message sur ton téléphone pendant que tu étais dans la salle de bains, un certain Duane qui s'excusait du retard et te prévenait que finalement ils passeraient te chercher avec Scott d'ici une vingtaine de minutes. Ce qui d'ailleurs m'arrange plutôt, ça m'évitera de devoir en plus aller le chercher je ne sais où…

– Je t'en prie, Walter ! Laisse-les en dehors de ça ! Duane n'a rien à voir là-dedans, et Scott ne t'est plus de la moindre utilité maintenant !

– Et qui est-il exactement ?

– Duane ? Ce n'est qu'un ami, rien d'autre.

– Rien qu'un ami ? Il est venu ici avec toi ?

– Non, nous nous sommes croisés par hasard tout à l'heure dans le quartier, il ne sait rien du tout, je te le promets !

Walter la fixa sans un mot et éclata de rire, le même rire qu'il avait poussé devant les cadavres de ses parents.

– Allez, détends-toi, je me doute bien que tu as dû rencontrer de nombreux hommes pendant toutes ces années, ce serait idiot de te le reprocher maintenant. Pour ton ami, ne t'inquiète pas, il aura à peine le temps de comprendre ce qu'il lui arrive. Et en ce qui concerne Scott, je t'avoue que la situation a bien changé depuis que je l'ai ramené de ce trou perdu où tu l'as si lâchement abandonné. J'ai pris le temps de le tester et j'ai décidé de le garder à mes côtés. Après tout c'est mon fils autant que le tien, et j'ai déjà plusieurs projets le concernant. Il faudra un peu de temps avant que je parvienne à l'endurcir pour le job que je lui réserve, mais je peux t'assurer que quand j'en aurai fini avec lui, tu n'arriveras plus à le reconnaître.

– Non ! tu n'as pas le droit !

– Oh si, au contraire, j'ai tous les droits sur vous deux ! J'espère au moins que tu as bien profité de cette longue parenthèse, car je peux te promettre qu'à partir de ce soir tu n'auras plus jamais la moindre chance de ressortir de l'endroit où je vais t'enfermer ! D'ailleurs, que penses-tu de ma petite salle de jeu ? Tu n'as même pas été assez curieuse pour ouvrir les autres portes, c'est dommage, tu aurais ainsi pu voir à quel point je peux me montrer créatif, j'ai eu tout le temps de m'exercer en t'attendant !

Avant que Mary Beth puisse dire quoi que ce soit, on frappa trois coups secs à la porte. C'était Jack, son homme de main, qui entra dans la chambre sans un regard vers elle, son front recouvert d'un bandage rougi par endroits. Il tendit un smartphone à Walter et lui dit quelque chose à l'oreille.

Consciente que c'était le moment ou jamais, elle longea lentement le mur en ne les quittant pas des yeux. Elle attrapa son sac par l'anse, le remonta derrière son dos et y plongea la main pour y chercher le contact métallique du Beretta de Toadvine, alors que Walter demandait à Jack de rejoindre les autres à la voiture et d'attendre son signal.

Mais elle ne trouva rien et chercha à nouveau, ses mains tremblant de plus en plus sous la panique.

Ce n'était pas possible. Elle l'avait pourtant bien mise à l'intérieur.

– Si c'est ça que tu cherches, tu me prends vraiment pour un amateur, dit Walter le Beretta à la main.

Mary Beth lâcha le sac, anéantie, et s'efforça de ne pas tomber dans ce gouffre qui peu à peu s'ouvrait sous ses jambes.

– Pauvre petite fille qui a voulu jouer dans la cour des grands, murmura Walter en faisant tourner l'arme autour de ses doigts. Tiens, regarde ce que je viens de recevoir, ça va sûrement te plaire…

Il lui tendit l'écran du smartphone que Jack lui avait passé. On y voyait Toadvine agenouillé les mains liées dans ce qui ressemblait à un entrepôt, fixant l'objectif avec le regard de celui qui se savait déjà mort.

– Tu vois, quand je te disais que ce n'était plus qu'une question de temps. Tous ces morts par ta faute, ça commence à faire beaucoup, non ? Bientôt tu pourras ouvrir ton propre cimetière !

Mary Beth courut droit vers la porte, mais il l'attrapa par le bras avant qu'elle puisse l'atteindre et la jeta de toutes ses forces sur une grosse table en bois qui se brisa sous le choc. Elle roula sur le côté et poussa un gémissement de douleur en sentant son corps craquer en de multiples endroits, ses oreilles pleines d'un sifflement strident qui lui transperça le crâne. Walter la frappa alors en plein dans le ventre avec le pied, puis il s'assit à califourchon sur elle et fit pression de tout son poids pour l'empêcher de se relever.

– Tu ne vois pas d'inconvénients à ce que je m'amuse un peu en les attendant ? dit-il tout en arrachant son chemisier. Cela nous rappellera une foule de bons souvenirs !

Elle se débattit, mais il la frappa à nouveau au visage, de plus en plus fort, jusqu'à ce qu'elle en avale des fragments de dents brisées et que le goût de son sang tapisse tout l'intérieur de la bouche. Profitant de son état de faiblesse, Walter déboutonna son jean et caressa ses hanches, son ventre, ses seins, des caresses comme autant de brûlures. Sonnée par le choc, elle ne put rien faire pour l'en empêcher, incapable de défendre son propre corps, un corps qui l'espace d'un seul instant se souvint de tous les anciens sévices et se figea comme un animal en cage. Elle tourna la tête vers la fenêtre pour s'échapper dans le bleu du ciel, priant pour que cela se passe le plus vite possible, et elle partit, loin, très loin d'ici, dans cette partie ombragée de son jardin où elle aimait s'installer pour lire ou faire des mots fléchés, apaisée par un silence de prairie, l'air ambiant chargé de l'odeur des glycines qu'elle avait fait pousser tout le long de la façade…

Mais la douleur, de plus en plus vive, la ramena à nouveau en enfer. Mary Beth releva la tête vers Walter, dont le visage n'était plus qu'un ovale sombre abritant deux yeux rieurs et brûlants, alors que les corbeaux s'agitaient en rasant le plafond de la chambre, l'ombre de leurs ailes sans cesse grandissante grignotant peu à peu la lumière orangée qui continuait à se déverser dans cette tombe à ciel ouvert.

Quand il eut fini, Walter se rhabilla et se rendit à la fenêtre. Mary Beth resta allongée sur la moquette, et remarqua des gouttes de son sang tacher le jaune crasseux des rideaux, ne pensant qu'à fuir ce corps humide et souillé, misérable tas de chair qui respire. Mais elle ne pouvait baisser les bras, tant qu'elle était vivante, elle devait encore se battre. L'empêcher de tuer Duane, l'empêcher de remettre la main sur son fils pour, d'une certaine façon, le tuer à son tour.

Elle prit appui sur le matelas, se releva, et essaya, une fois qu'elle fut debout, de ne pas s'écrouler à nouveau tant elle se sentait faible, comme si elle sortait à peine d'une longue maladie. Elle se vit alors dans le miroir de la salle de bains, son visage recouvert de sang et déjà tuméfié, son sein meurtri qui pendait entre deux lambeaux de vêtements.

Et, la devinant dans son reflet, cette bête immonde qui continuait à la dévorer de l'intérieur.

– Tu t'es calmée ? demanda Walter, son visage légèrement voilé par le contre-jour.

Elle se tourna vers lui alors qu'il s'adossait contre la petite rambarde en fer forgé de la fenêtre, arborant le sourire du loup prêt au massacre. Et ses proies étaient tout près de là, ne pouvant prévoir une seule seconde ce qui les attendait.

– Tiens, viens donc tirer quelques lattes, ça te détendra un peu. Et ensuite tu iras te débarbouiller dans la salle de bains, tu fais assez peur à voir.

Consciente que jouer la soumission permettait au moins d'éviter les coups, elle lui prit sa cigarette des mains et la porta à sa bouche, cherchant du regard l'arme qu'il portait toujours sur lui. S'en rendant compte, Walter souleva le bord de sa veste pour dévoiler le Beretta accroché au niveau de sa ceinture.

– C'est ça que tu veux ? demanda-t-il en le saisissant par la crosse et en le lui tendant. Décidément, tu ne renonces jamais ! Prends-le, je t'en prie !

Mary Beth s'empara du Beretta et en pointa le canon dans sa direction.

– Eh bien ? dit-il les bras écartés. Qu'est-ce que tu attends, maintenant ? Tire donc !

Et elle comprit en une fraction de secondes à quel point il s'amusait avec elle. Depuis le début tout n'était pour lui qu'un jeu. Il avait sûrement déjà enlevé le chargeur. Et maintenant il la laissait s'accrocher à un vain espoir, pour ensuite le briser comme un enfant un jouet.

Mary Beth, même si elle savait déjà que cela ne servirait à rien, appuya sur la gâchette.

Pour la beauté du geste.

Cependant, la seule chose qui rompit le silence fut le rire soudain de Walter, et qui l'éclaboussa de son emprise. Elle tira à nouveau, encore et encore, imaginant que par la seule force de sa pensée une balle surgisse par miracle du canon et atteigne cette ordure en plein cœur.

Pour que cette fois ce soit son propre sang qui coule.

Le tuer pour de bon, comme elle aurait dû le faire depuis le début.

Mais, dans cette réalité qui lui revint en pleine figure, elle se contenta de baisser les bras et de lâcher l'arme sur le sol.

Walter balança le mégot de sa cigarette par-dessus la rambarde et l'attrapa par la taille pour la ramener contre lui.

– Quand vas-tu comprendre qu'il ne sert à rien de lutter, murmura-t-il à son oreille. Tu es à moi, tu as toujours été à moi, toutes ces années n'auront servi à rien et ne m'empêcheront pas de finir ce que j'avais commencé. C'est dans l'ordre des choses, tu seras bien forcée tôt ou tard de l'accepter…

Mary Beth fut prise de nausée ; un grand morceau de ténèbres lui retomba sur le crâne.

Des bruits dans le couloir la sortirent de sa torpeur, ceux de pas qui se rapprochaient. Elle se retourna vers la porte mais Walter l'attrapa par le bras pour la forcer à ne pas bouger.

– Surtout, pas un mot, dit-il tous bas. Sinon mes hommes les abattront tous les deux.

Se sachant impuissante, elle fixa la porte de la chambre, incapable d'émettre le moindre cri pour les avertir.

Mais la porte resta fermée, les pas s'éloignèrent vers le fond du couloir. Et vint ce soulagement de comprendre que ce n'était pas eux, flamme fugace, trop vite étouffée par l'horreur de savoir que bientôt elle entendrait à nouveau des pas et que cette fois la porte s'ouvrirait pour de bon.

Et qu'ensuite il n'y aurait plus pour eux trois qu'une longue nuit noire.

Walter lâcha son bras, et elle regarda dans le ciel quelques mouettes survoler les toits. On entendait non loin de là le bruit d'une télévision, de voitures qui klaxonnaient dans les rues, de la sirène d'un bateau qui rejoignait le Pacifique…

Et, se rapprochant d'eux, celui des hélices d'un hélicoptère, qui résonnèrent de plus en plus fort dans la cour. Walter se pencha alors en arrière pour le chercher du regard, lui qui avait toujours été fasciné par le moindre engin capable de voler.

Et, en cet instant, dans la tête de Mary Beth le brouillard se dissipa. Elle comprit comment en finir une bonne fois pour toutes.

Trois étages.

Sauver Duane et son fils, la seule chose qui comptait encore.

Sans plus réfléchir, portée par l'énergie du désespoir, elle se jeta sur lui de toutes ses forces. Walter n'eut pas le temps de l'esquiver et ouvrit grand les yeux en cherchant désespérément quelque chose à quoi se raccrocher. Mais il était déjà trop tard, et, sans qu'il ne puisse rien faire pour l'empêcher, ils basculèrent dans le vide.

Elle poussa un petit cri à cause de la violente douleur qui poinçonnait son thorax.

Elle était allongée sur le corps de Walter, tenant toujours fermement la couture de sa veste, ce corps qui à la façon d'un bouclier avait amorti sa propre chute.

Encore un peu sonnée par le choc, elle se redressa en sentant craquer ses os, et ne vit personne dans la cour qui pourrait l'aider.

Elle était salement blessée à la cuisse, le sang commençait à tremper son jean troué par un morceau d'os qui en saillait.

Avant qu'elle ait le temps de s'en soucier, un gémissement se fit entendre en dessous d'elle. C'était Walter, il était toujours vivant ; la chute semblait lui avoir brisé le dos mais il était toujours vivant.

Mais elle ne pouvait lui laisser la moindre chance de s'en tirer.

Tant qu'il serait là, elle et son fils ne seraient jamais tout à fait en sécurité, toujours sur leurs gardes, à guetter le coup de poignard à chaque coin de rue...

Sachant que le temps lui était compté, que ses hommes pouvaient surgir à n'importe quel moment dans la cour, elle attrapa fermement sa tête des mains et la frappa contre la pierre, avec une force dont elle ne se serait jamais crue capable, poussant de petits cris au fur et à mesure qu'elle en entendait les os se briser, ne s'arrêtant que quand un impressionnant volume de sang commença à s'écouler des fractures.

Et elle le regarda droit dans les yeux, jusqu'à ce que la moindre étincelle de vie en disparaisse totalement, puis, prise d'un soudain vertige, elle s'écroula sur le dos.

Le ciel au-dessus d'elle donnait l'impression de se délaver. Mary Beth, de plus en plus faible, ne songea plus à faire le moindre mouvement. Elle savait que quelque chose en elle s'était brisé et se répandait sans qu'elle ne puisse rien faire pour l'en empêcher, que c'était ce qui bientôt la tuerait. Mais cela n'avait plus la moindre importance. Bercée par le bruit des arbres qui, tout autour d'elle, lui rappelèrent ceux du cimetière où reposaient ses parents, elle savoura les premières minutes d'un monde où Walter n'avait plus sa place. Un peu plus pur, un peu plus doux, presque une caresse.

Des cris se firent entendre non loin de là, mais elle n'y prêta pas attention, ne pensant plus qu'à son fils qu'elle ne reverrait plus, se demandant où il pouvait bien être à l'instant même, espérant de toute son âme qu'il puisse lui pardonner de l'abandonner à nouveau.

Mais il était libre. Et vivant. Et, elle le savait, bien assez fort pour dès à présent tout affronter seul.

Mary Beth suivit du regard un petit avion qui évoluait dans le ciel de Californie et coupait son bleu parfait de sa traîne vaporeuse, pour ainsi ne pas voir, frôlant de sa main celle du cadavre de Walter, le sinistre spectacle de leurs deux sangs qui sur les pavés commençaient déjà à se mêler.

BENJAMIN

Il était allongé en fœtus sur un fin matelas de mousse, entièrement nu et enchaîné par les bras à un gros tuyau de canalisation fixé dans le mur, de multiples lacérations zébrant ses cuisses et son torse qui prenait par endroits des teintes violacées. Il respirait encore et, entendant Benjamin s'approcher, il ouvrit les yeux d'un air surpris, comme s'il était le premier être humain qu'il voyait depuis des mois.

Benjamin l'avait aussitôt reconnu, malgré son visage amaigri et noirci par la crasse. Nathan Fargue, disparu deux mois plus tôt en revenant d'un match de football et dont personne n'avait eu la moindre nouvelle depuis. Des avis de recherche avaient été placardés dans tout le département, des équipes de télévision étaient même venues sur place, mais sans que l'enquête avance d'un pas. Nathan Fargue était le huitième adolescent porté disparu dans la région nantaise depuis l'été dernier, le second de son propre lycée après Olivier Granger, un petit blond d'à peine quinze ans, que sa mère n'avait plus revu depuis qu'elle l'avait envoyé faire une course, cinq mois auparavant.

La police avait peu à peu émis l'hypothèse de la présence d'un tueur en série, mais, sans corps ni preuves d'enlèvement, tout restait encore à l'état de supposition.

Tous préféraient penser à une succession de fugues.

Tout plutôt que *ça*.

Benjamin s'agenouilla près de Nathan et retira le bâillon qui lui enserrait la bouche. Le jeune homme se mit à tousser et ne parvint pas à articuler le moindre mot. Son corps, d'une maigreur obscène, donnait l'impression de pouvoir se casser au moindre mouvement brusque. Se sentant impuissant et gêné par cette nudité mutilée, Benjamin se contenta de prendre sa main dans la sienne et la serra pour qu'il n'oublie pas qu'il était à ses côtés.

La pièce faisait à peine dix mètres carrés. Un des murs était en grande partie recouvert de photos d'adolescents, pour la plupart prises à leur insu : à la piscine, sur des terrains de sport, ou simplement dans la rue. Une petite caméra était posée sur une commode. Dans le fond de la pièce, un gros seau dégageait une odeur nauséabonde.

Ils restèrent ainsi de longues minutes, jusqu'à ce qu'au creux de sa main celle de Nathan perde le peu de force qu'il lui restait encore. Benjamin l'appela d'une voix tremblante, mais Nathan ne réagissait déjà plus, ses yeux grands ouverts et vides. Paniqué, il commença à lui faire un massage cardiaque et du bouche-à-bouche, mais il était déjà trop tard. Quand il baissa la tête, quelques larmes tombèrent sur le front de Nathan et coulèrent au bord de ses yeux où se reflétait la lumière de la petite ampoule fixée au plafond ; ce regard bleu piscine qui l'avait subjugué la première fois qu'il l'avait croisé dans les couloirs de son lycée, à présent vide, deux surfaces aveugles.

De rage il en frappa le mur de ses poings, et, ne pouvant plus rester dans cette pièce, il retourna vers la porte sans plus oser regarder le cadavre de Nathan qui gisait sur le matelas, puis avança à genoux dans le petit tunnel qui menait à une échelle fixée le long de la paroi de ce qui ressemblait à un ancien puits.

Arrivé en haut, il referma la trappe, remit en place les caisses qui la recouvraient jusque-là et poussa la porte du cabanon.

Il respira à pleins poumons l'air du dehors et s'agenouilla dans l'herbe humide en époussetant son t-shirt et son jean.

Au loin on percevait des cris d'enfants qui s'amusaient sur les pelouses. Benjamin leva les yeux vers un ciel d'un rose délicat et qui lui parut d'un coup si vaste qu'il en eut le vertige. Derrière lui se fit alors entendre le bruit d'une voiture qui empruntait l'allée du jardin. Il se retourna alors que sa mère lui demandait de l'aider à rentrer les courses dans la maison. Sa petite sœur Zoé courut vers lui et sauta dans ses bras, manquant de le faire basculer contre le mur de la cabane à outils de son beau-père.

Benjamin l'embrassa sur la joue, et Zoé le repoussa tout en faisant une petite grimace, comme si ses vêtements et sa peau étaient encore imprégnés de l'odeur du sous-sol, puis elle rejoignit leur mère qui remontait l'allée les bras chargés de courses.

Il prit les derniers sacs qui restaient dans le coffre et les suivit à l'intérieur.

Sa mère se tenait debout dans le salon, son téléphone à la main. Elle avait dénoué ses longs cheveux auburn. Elle était bien plus belle les cheveux détachés.

– Tout s'est bien passé aujourd'hui ? demanda-t-elle en enlevant ses chaussures.

– Euh, oui, je suis rentré plus tôt de chez Fabien, il partait au cinéma avec ses parents.

Je suis rentré plus tôt, je cherchais un truc dans la cabane à outils de Franck, qu'il avait pour une fois laissée ouverte, et j'ai découvert une trappe cachée par des piles de caisses et qui menait à une pièce souterraine où était prisonnier Nathan Fargue. Il est mort en me tenant la main, maman…

– Puisque tu es là, tu pourrais ranger les courses pour moi ? J'ai pas mal de coups de fil importants à passer.

– Oui, comme tu veux.

La prendre par la main et de l'emmener de l'autre côté du jardin pour la confronter à l'insoutenable ; mais peut-être alors se rendre compte, dans son regard, dans ses gestes, qu'elle savait, qu'elle avait toujours su.

Sa mère ouvrit la porte coulissante qui menait au jardin et marcha pieds nus dans l'herbe pour aller s'adosser contre le tronc de leur cerisier japonais. Benjamin, tout en ne la quittant pas des yeux, essaya d'entendre des bribes de sa conversation à travers la vitre, des dizaines de petits pétales roses voletant autour d'elle, certains se posant dans ses cheveux.

Que pouvait-elle donc raconter qui exigeait qu'elle s'éloigne de cette façon ?

D'un jeune garçon enfermé sous son jardin ; de ses doutes que son propre fils ait découvert quelque chose...

Il rangea les courses, remonta dans sa chambre et s'allongea sur son lit. Sa mère ne pouvait pas être au courant, c'était impossible. Il la revoyait encore quelques jours après la disparition de Nathan, quand elle avait tenu Catherine Fargue dans ses bras pendant que des hommes-grenouilles draguaient le fond d'un lac des environs ; comment elle s'était employée, avec son tact habituel, à empêcher cette femme dévastée de chagrin de regarder en direction de l'eau ; et puis ce moment où elle avait vu Benjamin la regarder de la pelouse, et qu'il avait senti passer dans le fond de ses yeux le sentiment, honteux en de telles circonstances, d'être soulagée que ce ne soit pas *lui*.

Il fallait que Thierry et Catherine Fargue sachent au moins ce qu'il était arrivé à Nathan. Aucun des disparus n'avait été retrouvé. Maintenant qu'il était mort, son beau-père allait forcément se débarrasser du corps.

Comme pour tous les autres ?

Les avait-il tous enfermés dans cette cave ? Les avait-il tous tués ?

La meilleure chose à faire était d'appeler les flics. Ils viendraient arrêter Franck, et, malgré le scandale, tous reprendraient un jour ou l'autre une vie de famille normale.

Mais les autres, tous les autres, ces petites consciences bien ancrées dans leurs certitudes, ne les laisseraient plus jamais en paix.

Benjamin vit alors sa mère totalement perdue devant les forces de police qui fouilleraient sa maison de fond en comble, puis l'emmèneraient menottes aux poignets devant tous leurs voisins. Arriverait-elle à leur prouver qu'elle n'avait rien à voir avec cette horreur ? Et si son beau-père, pour une raison ou pour une autre, l'incriminait ?

Pour ne pas tomber seul, détruire tout ce qui pouvait encore l'être avant de finir derrière les barreaux.

Il ne devait pas agir trop vite, prendre le temps de définir la meilleure chose à faire pour préserver au mieux sa famille. Son beau-père reviendrait du travail dans à peine une heure, il faudrait bien qu'il affronte son regard, qu'il mange à sa table et supporte ses petites phrases assassines sans broncher, lui qui passait son temps à critiquer sa façon de s'habiller, sa mollesse, son manque total d'ambition ; en résumé, de ne pas être comme lui.

Comment réagirait-il une fois que tous verraient son vrai visage ? Il le connaissait assez pour le savoir capable de tout.

Lui revint alors en mémoire ce rêve qu'il avait fait quelques jours après la disparition de Nathan, dans lequel il arpentait les couloirs de son lycée avec l'agréable impression de marcher sur un duvet chaud, les hautes fenêtres noyant l'atmosphère d'une lumière cotonneuse. Les autres lycéens avaient tous les yeux baissés, leurs voix résonnant comme s'ils évoluaient au fond d'un bassin vide. En arrivant à la salle de cours, Benjamin avait remarqué que Nathan se tenait adossé contre un mur et lui souriait, comme s'il l'attendait. Benjamin l'avait rejoint avec fébrilité et Nathan lui avait murmuré à l'oreille un endroit, une heure, avant de s'éloigner dans un couloir qui s'était rempli dans son sillage d'une lueur de plus en plus intense.

Nathan Fargue ; ses yeux bleus qui faisaient frémir des blocs de filles entiers ; ses lèvres qu'il avait souvent embrassées en pensée, enlacé dans ses bras ; lui qui depuis tout ce temps avait été là, à une vingtaine de mètres de sa maison…

Si seulement il l'avait découvert plus tôt.

Et Olivier ? Et tous les autres ?

Benjamin se coucha sur le côté et regarda le petit tableau accroché sur le mur face à lui. Sa mère l'avait acheté dans une petite galerie du sud de l'Angleterre, quand ils y étaient partis ensemble en vacances, juste avant qu'elle ne rencontre Franck. Il représentait un homme et une femme enlacés au sommet d'une falaise, leurs silhouettes perdues dans une nature vertigineuse. Benjamin avait toujours adoré cette peinture, dont les teintes pastel paraissaient changer selon l'endroit où on se tenait dans la pièce. Quand ils avaient emménagé ici, Franck avait refusé que sa mère la mette dans le salon, et Benjamin lui avait demandé de la prendre dans sa chambre. Depuis, à chaque fois qu'il la contemplait, il se rappelait avec nostalgie de ces quelques jours enchantés qu'ils avaient passés ensemble, dans cette vie d'avant, quand sa mère paraissait heureuse, le cœur plus léger, la démarche plus souple ; ces jours à présent si lointains.

Quand son beau-père revint de son travail, il resta prostré sur son lit la lumière éteinte. Sa mère l'appela un peu plus tard pour le dîner. Au bout de la troisième fois, il descendit dans le salon l'estomac noué et s'installa en bout de table juste en face de Franck, qui, le visage plus rougeaud que d'habitude, le salua d'un hochement de tête.

– Tu n'as pas l'air en forme, dit-il en mettant sa serviette sur ses genoux. C'est de ne rien faire de tes journées qui te rend comme ça ?

Benjamin baissa les yeux. Sa mère passa derrière Franck et lui donna un coup de coude dans le dos avant de mettre une grosse louche de purée de pommes de terre dans son assiette.

– Quoi, Marion ? Ce n'est pas ma faute si ton fils est un légume !

Sa mère ne répondit rien, Benjamin non plus. Ce genre de remarques était si fréquent qu'il n'y faisait même plus attention.

Après les avoir servis, sa mère s'assit à côté de Zoé et ils commencèrent à manger.

– Retire tes coudes de la table, Benjamin, dit Franck en crachant des particules de purée sur la toile cirée.

Un chien qui ne lâchait jamais son os à ronger.

Benjamin ne toucha pas à son assiette, ne quittant pas du regard cet homme qui leur avait permis de venir vivre dans cette grande maison de la banlieue résidentielle de Nantes. Il se pensait intouchable et sûr de son bon droit, libre d'assouvir ses pulsions perverses dans son abri souterrain. Combien de fois sa mère avait-elle répété qu'elle ne savait pas où ils seraient si Franck n'avait pas été là pour eux ? Elle qui avait perdu son emploi de vendeuse en prêt-à-porter et n'avait plus eu à en rechercher un depuis ?

Que feraient-ils sans lui à présent ?

Franck pensait peut-être à Nathan en ce moment même, crevant d'envie de le rejoindre et de le posséder à nouveau dans la moiteur des souterrains alors que lui-même n'avait étreint son corps qu'en pensée. Benjamin eut la nausée en ressentant au fond de lui, mais bien présente, une petite pointe de jalousie.

Combien y en avait-il eu avant Nathan ? Comment faisait-il pour les enlever sans laisser de traces ? Et que devenaient leurs cadavres ?

– Tu veux ma photo ? dit Franck en fourrant un gros morceau de viande dans sa bouche.

Benjamin, ne répondit rien, sentant ses joues s'enflammer.

Il ne pouvait plus rester ici. Il étouffait, même l'air qu'il respirait semblait prêt à l'empoisonner.

– Maman, est-ce que je peux sortir de table ? demanda-t-il en reposant sa fourchette sur la nappe.

Sa mère s'approcha et posa la main sur son front.

– Oui, tu es un peu chaud mon chéri, va te reposer dans ta chambre, je passerai te voir après le dîner.

Son beau-père émit un petit rire et continua à couper sa viande avec acharnement. Benjamin fit un clin d'œil à Zoé et quitta la table.

De retour dans sa chambre, il ferma la porte et se rallongea sur son lit sans allumer la lumière, figé dans l'obscurité comme si un sniper caché à l'extérieur risquait de lui tirer une balle en pleine tête au moindre geste brusque.

Sa mère, un peu inquiète, vint le voir une demi-heure plus tard.

– Je sais que quelque chose te tracasse, dit-elle en s'asseyant sur le bord de son lit. Je te connais par cœur, Benjamin. Explique-moi ce qui ne va pas… Tu as un souci en particulier ? De la peine à cause d'une fille ?

Tu vois que tu ne me connais pas tant que ça, maman.

C'est de ton âge, tu sais, tu peux m'en parler. On ne parle jamais de rien dans cette foutue famille…

– J'ai juste besoin de dormir, ça ira mieux après une bonne nuit, ne t'en fais pas.

Sa mère soupira et parut réfléchir, comme si elle était sur le point de lui dire un secret qu'elle gardait en elle depuis trop longtemps, mais qu'elle n'arrivait pas à trouver les mots. Et lui s'angoissait à l'idée de la mettre au courant de ce qu'il avait découvert, que cette horreur vienne se placer à jamais entre eux deux. Sa mère était tellement fragile, elle qui donnait constamment l'impression de pouvoir se briser en morceaux à la moindre contrariété.

– Bon, je vais te laisser te reposer, alors. N'hésite pas à me prévenir si tu as besoin de quoi que ce soit, d'accord ?

– D'accord.

Elle l'embrassa sur la joue, puis elle sortit de sa chambre en fermant la porte.

– Je t'aime, maman, dit Benjamin d'une petite voix et quand il fut à peu près certain qu'elle ne risquait plus de l'entendre.

Une voiture fit crisser ses pneus sous ses fenêtres. Il ne put s'empêcher de penser à ce qu'avait dû subir Nathan durant ces dernières semaines, une terreur à vous détraquer le cerveau, un corps et une âme lentement consumés, l'espoir de parvenir à s'échapper s'amenuisant de jour en jour.

Si seulement il avait eu le réflexe d'appeler les secours en le découvrant dans le sous-sol, ils auraient peut-être pu le sauver. Mais s'il l'avait fait, Nathan serait mort seul.

Son regard quand il avait senti sa présence auprès de lui, comme si, à cet instant précis, il avait été l'être le plus important de la terre.

Benjamin resta de longues minutes à fixer le plafond dans le noir, sentant peu à peu la fatigue l'envahir, y succombant sans hésiter pour s'offrir un peu d'oubli.

Et à peine s'endormit-il : les murs sales qui l'enserraient, cette eau noire qui coulait entre les briques, la morsure des chaînes sur ses poignets.

La peur, la colère, la haine.

Et puis ces pas dans le tunnel, de plus en plus rapides, ceux d'une bête sauvage qui fonce vers sa proie.

Entre son corps nu et l'animal, aucun rempart.

La peur, maintenant juste une peur à rendre fou.

Le cri qu'il n'arrivait plus à pousser. Les voix au-dessus du sol qui avaient oublié son existence.

Et alors ce visage qui surgit par l'entrebâillement de la porte…

Il ouvrit brusquement les yeux en entendant la voix de Franck à l'extérieur et courut à la fenêtre, le voyant marcher sur la pelouse en train de parler au téléphone. Il allait sûrement rejoindre ses collègues pour faire la tournée des bars et ne reviendrait, comme d'habitude, qu'au beau milieu de la nuit.

Franck raccrocha puis se rendit vers le cabanon et s'arrêta à deux mètres de la porte. Il regarda alors un peu les alentours, comme s'il se sentait épié, puis il rejoignit sa voiture garée le long du trottoir.

S'il y était entré, Benjamin aurait pris son courage à deux mains et n'aurait pas hésité à l'enfermer dans le puits.

Et l'y laisser crever jusqu'à ce que la pourriture de son corps se mêle à celle de Nathan Fargue.

Quand Franck reviendrait et découvrirait le cadavre, il le ferait sûrement disparaître comme les autres.

Mais Nathan devait être enterré dans un cimetière, pleuré par les siens. Son nom gravé sur une stèle.

Il n'avait pas le choix, il fallait qu'il le sorte de là. Ce serait son dernier geste d'amour envers lui.

Benjamin vérifia que la lumière de la chambre de sa mère était bien éteinte. Dans la cabane à outils, il enfila des gants et ouvrit la trappe à nouveau. Il n'avait pas beaucoup de temps, il fallait sortir le corps sans que personne ne le voie. Il retourna dans la maison et alla chercher une grosse corde entreposée dans la cave, puis il la jeta dans le gouffre et descendit par l'échelle.

Dans la pièce souterraine, il saisit le corps de Nathan par les bras en réprimant son envie de vomir, le tira à genoux dans le tunnel, l'attacha solidement par les pieds et remonta l'échelle, l'autre bout de la corde noué au poignet.

Il fit démarrer la voiture de sa mère, l'approcha le plus près possible de la cabane et fixa la corde à la boule d'attelage. Puis il roula en direction de la route en s'efforçant de ne pas penser à l'état du corps de Nathan secoué contre les parois de pierre.

Une fois qu'il eut fini, il l'enveloppa dans un gros sac de couchage et le fit entrer dans le coffre de la voiture.

Au bout d'une vingtaine de minutes, il arriva devant la maison de la famille Fargue. Une seule pièce, située au premier étage, était allumée. Le portrait de Nathan était placardé sur les arbres qui longeaient la rue et sur la porte d'entrée.

Ils l'attendaient toujours. Mais comment faire autrement ? Pourtant il ne pouvait pas le laisser ici, encore moins les imaginer sortir le lendemain matin pour aller prendre le courrier et trouver le cadavre de leur fils sur leur pelouse.

Il continua à rouler jusqu'à la sortie de la ville et emprunta un petit chemin terreux qui longeait un champ de blé, puis il arrêta la voiture et coupa le moteur.

Demain matin au plus tôt, des promeneurs le trouveraient, les autorités appelleraient sa famille pour aller l'identifier à la morgue.

La fin du questionnement, mais aussi la fin de tout espoir.

Benjamin extirpa le corps de Nathan du coffre et le traîna jusqu'à la lisière du champ. Le haut du sac de couchage laissait apparaître une partie de son visage. Il ouvrit un peu plus la fermeture éclair et posa ses lèvres sur les siennes, des lèvres qui, dans son esprit, étaient encore chaudes et douces.

L'important était le baiser. Leur premier, leur dernier.

Quand il irait se recueillir sur sa tombe débordante de fleurs, il aurait la certitude d'avoir fait le bon choix. Tout le monde saurait ce que Nathan avait subi ; les enquêtes sur les disparus seraient relancées, peut-être même que les flics, en relevant des indices, remonteraient jusqu'à son beau-père. Lui et sa mère seraient obligés d'affronter le regard des autres, et Zoé de vivre avec le poids d'être la fille d'un psychopathe.

Mais cela n'avait aucune importance. En cet instant, c'était à Nathan qu'il pensait, seulement à Nathan.

Il resta de longues minutes à ses côtés, ayant du mal à se résoudre à l'abandonner ici, dans cette immensité sombre et bruissante qui paraissait presque aussi effrayante que sa prison sous la terre.

Mais il ne devait pas courir de risques plus longtemps. Il ne pouvait plus rien faire d'autre pour lui.

Désemparé, il rejoignit sa voiture sans plus se retourner et démarra.

Arrivé dans son jardin, et ne voulant pas encore rentrer dans la maison, il s'assit à côté de la cabane à outils, dont il avait laissé dans l'agitation la porte ouverte. Son beau-père n'était pas encore rentré, il avait encore le temps d'aller réveiller sa mère et sa sœur pour les forcer à le suivre sans poser de questions, partir loin d'ici et une fois en sécurité tout lui dire. Mais le croirait-elle, maintenant que le corps n'était déjà plus là ? Et comment admettre une telle chose ? Elle appellerait aussitôt Franck pour avoir des explications. Et il saurait, comme d'habitude, quoi faire pour la faire revenir.

Mais elle serait bien forcée de l'écouter, cette fois-ci, il était hors de question de continuer à vivre avec ce monstre. Et si elle s'y refusait, il serait obligé de partir. Il n'aurait pas le choix.

Plongé dans ses pensées, Benjamin entendit le bruit d'une voiture et aperçut la Mercedes de Franck au bout de la rue. Il rentrait beaucoup plus tôt que d'habitude. Il n'avait pas pu attendre plus longtemps. Il venait voir Nathan.

Son rythme cardiaque s'accéléra d'un coup. Il se força malgré tout à ne pas bouger.

Trop tard pour la fuite.

Franck se gara dans l'allée et marcha en titubant sur la pelouse. Remarquant d'abord Benjamin, il s'arrêta net en voyant ensuite la porte du cabanon ouverte, les caisses qui ne cachaient plus la trappe.

Son visage se décomposa. Il fixa Benjamin avec une lumière noire dans les yeux, puis il se dirigea droit vers la maison. Benjamin, lui, resta assis sur la pelouse, fixant la porte-fenêtre du salon, sous le choc de ce qu'il venait de se passer.

Et maintenant, que devait-il faire ? Il était hors de question de retourner dans cette maison avec son beau-père à l'intérieur, pas à présent qu'il savait qu'il avait tout découvert. Benjamin eut soudainement peur qu'il ne commette un geste irréparable, qu'il prenne son arme et mette en danger la vie de sa mère ou de sa petite sœur par sa faute.

La lumière du salon de Mme Mauduit, une institutrice à la retraite qui habitait de l'autre côté de la rue, était allumée. Il était souvent allé chez elle quand il était plus jeune pour manger des gâteaux après l'école. Il pourrait la prévenir, appeler sa mère de chez elle pour qu'elle les rejoigne avec Zoé…

Ce n'est que quand il se retourna vers sa maison qu'il remarqua que Franck l'observait de derrière la porte-fenêtre du salon. Avant qu'il ait le temps de faire le moindre geste, celui-ci l'ouvrit et marcha droit dans sa direction.

Benjamin se leva en ne le quittant pas des yeux et recula jusqu'à se retrouver sous la lumière crue du lampadaire.

– Il faut qu'on parle, dit Franck. Ce n'est pas du tout ce que tu crois, laisse-moi juste t'expliquer…

– T'approche pas de moi, dit Benjamin en cherchant quelque chose pour se défendre. Je sais ce que tu as fait, tout ce que tu as fait ! Nathan est mort ! Mort par ta faute ! T'es un putain de psychopathe !

Franck ouvrit grand les yeux. Benjamin comprit aussitôt pourquoi, il ne pouvait pas savoir que Nathan était mort.

– Ce n'est pas ce que je voulais ! Merde, je ne voulais pas qu'il crève !

Il se prit le visage dans les mains et s'assit sur bord du trottoir.

– J'ai rencontré Nathan sur internet au début du printemps, avoua-t-il d'une voix tremblante. On s'est donné rendez-vous dans un bar pour prendre quelques verres, puis on s'est rendus dans un hôtel. On s'est revus deux ou trois fois par la suite. Je n'avais jamais fait ça auparavant, je te le jure… Je lui avais donné une fausse identité, mais un jour il m'a téléphoné pour me dire qu'il nous avait filmés et que si je ne réunissais pas une certaine somme d'argent, il enverrait la vidéo à ta mère. Je ne pouvais pas le laisser faire, j'aime ta mère par-dessus tout, il était hors de question qu'il foute tout en l'air. Alors je lui ai dit que je lui donnerais tout ce qu'il voulait. Ce petit con a mordu à l'hameçon et m'a rejoint ici, mais, quand il a compris que j'avais menti, ça a vite dégénéré. Il est devenu terriblement violent. On s'est battus dans le salon et j'ai réussi à l'assommer avec une des statues de bronze posées sur la cheminée. Je ne savais pas quoi faire, j'étais paniqué, alors je l'ai foutu dans cette cave que j'ai découverte par hasard quand j'ai emménagé ici. Je voulais juste le faire flipper, pour qu'il me dise où il avait caché la vidéo. Mais ça n'a pas marché, ce petit morveux me tenait tête, se moquait de moi, et après je l'ai frappé et…

Franck s'arrêta de parler et se frotta les yeux avec le bras. Abasourdi par ce qu'il venait d'entendre, Benjamin ne sut trop quoi dire, n'arrivant pas à croire que Nathan ait pu faire une chose pareille. Sa famille était une des plus riches de la région, il était fou amoureux de sa petite amie. Ce qu'avait raconté Franck était totalement incohérent et ressemblait à un scénario de mauvais téléfilm, pourtant c'était la première fois qu'il s'adressait à lui comme à un homme, avouant des choses qu'il n'avait peut-être jamais dites à personne.

Mais il l'avait torturé, violé et filmé en le faisant. Il l'avait séquestré pendant deux mois dans une geôle dix mètres sous terre.

– Je ne voulais pas en arriver là, je te le jure, continua Franck. S'il le faut j'irai me dénoncer à la police, je te demande juste un peu de temps. Tu n'as rien dit à ta mère, n'est-ce pas ?

– Non, répondit Benjamin en s'asseyant sur le bord du trottoir à son tour. Comment veux-tu que je lui dise un truc pareil ?

– À la police non plus ?

– Non plus.

– Bien. C'est à moi de le faire. Je suis bien conscient que je n'ai plus le choix.

Un léger vent fit bruisser les feuilles des arbres. Benjamin remarqua alors qu'une camionnette blanche roulait vers eux tous phares éteints.

Avant qu'il puisse se douter que quelque chose clochait, Franck le prit violemment par le bras et le frappa en plein visage. Benjamin s'écroula dans l'herbe, les étoiles tournant dans le ciel comme si elles étaient collées sur un disque.

Deux hommes sortirent de la camionnette et rejoignirent Franck. Il en reconnut un, il s'appelait Erwan, un poivrot qui travaillait dans un garage non loin de là.

– Tu es bien sûr qu'il n'en a parlé à personne ? demanda-t-il à Franck.

– Non, je suis revenu à temps. J'aurais dû me débarrasser de l'autre gamin beaucoup plus tôt, c'est de ma faute.

– C'est peu de le dire, tu n'as pas idée de la merde dans laquelle il aurait pu nous foutre ! Occupe-t'en cette nuit, au même endroit que d'habitude, Victor t'y rejoindra.

Encore sonné, Benjamin voulut se relever pour courir vers la maison, mais Franck et Erwan le maintinrent au sol, collèrent un adhésif sur sa bouche et le jetèrent à l'arrière de la camionnette. Erwan y monta à son tour et attacha ses mains pendant que le troisième homme s'installait au volant.

Franck se tenait toujours à l'extérieur. Benjamin se mit à hurler et Erwan lui frappa le visage contre la tôle.

– Dis-moi au moins où tu l'emmènes, dit Franck d'un air faussement concerné.

– Non, il vaut mieux que tu n'en saches rien, mais ne t'en fais pas, il ne posera plus de problèmes, répondit-il en riant.

Franck acquiesça et le salua, puis Erwan claqua la portière.

Et la camionnette démarra. La dernière chose que Benjamin vit de l'extérieur fut Franck qui retournait d'un pas tranquille vers sa maison.

– Tu as de la chance, tu es tout à fait mon type, dit Erwan en pinçant ses joues. Sinon je t'aurais déjà buté, tu peux me croire…

Benjamin se débattit et Erwan le saisit par le cou et l'embrassa à pleine bouche pour étouffer ses cris.

– Tu es à moi, maintenant, dit-il avant d'imbiber un gros bout de chiffon de chloroforme. On va bien s'amuser tous les deux, tu n'as même pas idée…

Il plaqua le chiffon contre son visage et Benjamin perdit peu à peu conscience et pensa le plus fort possible au visage de sa mère, pour qu'il le guide comme une lampe dans les ténèbres.

Il émergea dans ce qui ressemblait à une petite cave, les murs assez bas et recouverts de briques. Il était seulement vêtu de son caleçon, attaché par les poignets et les chevilles aux barreaux d'un vieux lit en fer. Il se débattit à nouveau, mais les liens étaient beaucoup trop serrés.

De l'autre côté de la pièce, pendu par les bras à une poutre, se trouvait le corps inerte d'Olivier Granger. Dans un état bien pire que celui de Nathan.

Disparu depuis cinq mois.

– Ah tiens, tu es enfin réveillé, dit Erwan en entrant dans la pièce. Tu as dormi pendant plus de dix heures, j'ai eu la main un peu lourde. En tout cas tu seras ravi d'apprendre que le corps de ton ami Nathan a été découvert très tôt ce matin. Je me doute bien que c'est toi qui en es le responsable, et chapeau, tu t'es pas mal débrouillé sur ce coup-là, cette nouvelle va agir comme une petite bombe dans la communauté. Mais vois-tu, et heureusement pour nous, Bertrand vient de me téléphoner pour me prévenir que Franck s'est tiré une balle en pleine tête peu après notre départ. Tôt ou tard, la police serait remontée jusqu'à lui, il le savait. Au final, ça arrange bien nos affaires. Les flics ont un coupable et ne chercheront pas plus loin. Mais toi, tu devras vivre avec sa mort sur la conscience, du moins pendant le temps qu'il te reste, je ne pense pas que tu seras aussi résistant que ton prédécesseur...

Erwan enleva ses vêtements en sifflotant.

– Ta pauvre mère doit être complètement abattue à l'heure qu'il est, continua-t-il. Son cher mari qui se suicide et qui est suspecté d'être un pervers et un meurtrier, son fils qui disparaît à son tour... Tu aurais dû y penser un peu avant de faire du zèle et de venir foutre ta merde, ça lui aurait au moins épargné l'horreur de tomber sur le cadavre de Franck à son réveil. Et puis toutes ces choses qu'elle va apprendre sur lui ! La vache, je la plains déjà ! Qui va la réconforter, à ton avis ? Je me sens un peu seul depuis que ma femme m'a quitté, je l'appellerai peut-être un de ces jours, qui sait ?

Fou de rage, Benjamin se jeta sur lui et se lacéra les poignets à force de tirer sur les menottes.

Franck, son pantalon plein de terre, découvrant avec terreur que la geôle était vide. Toute sa vie qui s'écroulait d'un coup. Ce moment où il avait compris qu'il était foutu, la rage impuissante qu'il avait éprouvée en enfonçant le canon de son arme dans sa bouche.

Et sa mère... Que faisait-elle à cet instant précis ? À quoi pensait-elle ? Benjamin sentit les larmes lui envahir les yeux en la sachant seule à l'extérieur et entrant de plain-pied dans un cauchemar qui ne la lâcherait plus.

Et enfermé ici, il ne pourrait rien faire pour lui venir en aide.

Mais ce n'était pas sa faute.

Quand il revint, Erwan posa son caleçon sur une chaise, sa nudité flasque éclaboussée par la lumière de la lampe, puis il se coucha sur lui en comprimant la moindre parcelle d'air entre leurs deux peaux.

Benjamin fixa le visage déformé d'Olivier. Il avait l'impression qu'il le regardait, savait pourtant que ce n'était pas le cas. Olivier avait enfin réussi à s'enfuir de cette cave, et de la seule façon possible.

– Franck n'a pas été assez prudent, dit Erwan en ricanant. Il a dû en payer le prix, mais moi, je peux te promettre que quand j'en aurai fini avec toi, jamais personne ne te retrouvera.

Il ferma les yeux pour ne plus rien voir de ce qu'Erwan faisait de son corps. Et sous son assaut, qui lui causa une douleur qu'il n'aurait jamais crue possible, il hurla jusqu'à s'en faire exploser la gorge.

Le cadavre d'Olivier n'était plus là, ne restaient que les chaînes qui pendaient dans le vide. Benjamin fit tout pour ne pas trop penser au fait que ce serait bientôt à son tour de disparaître, quand son corps n'en pourrait plus, ou qu'Erwan commencerait à s'en lasser.

Nathan, lui, était maintenant auprès des siens. Benjamin imagina ce que serait son enterrement : sa famille réunie, la plupart des camarades du lycée venus lui rendre un dernier hommage, sa tombe recouverte de fleurs.

Mais lui ne serait pas là. Qui remarquerait son absence ? Auraient-ils une pensée pour lui ? Se préoccuperaient-ils aussi de son sort ?

Par la suite, Erwan lui rendit visite quasi chaque jour, ne lui donnant à manger que du pain, des yaourts ou du fromage. Il restait parfois à l'observer, sans le toucher, écrivait à un petit bureau ou écoutait la radio, simplement excité par l'idée qu'il était à sa disposition.

Benjamin ne perdait plus son temps à le supplier de le libérer. Erwan le battait moins depuis qu'il restait silencieux.

Parfois, il gardait l'espoir qu'il lui ait menti, que Franck était toujours vivant et en prison, sa mère en bonne santé et seulement inquiète de son absence. Mais dans ce cas, que lui aurait raconté Franck ? Des dizaines de raisons que cette ordure aurait pu inventer pour expliquer sa disparition défilèrent dans sa tête. Et chacune lui lacéra le cœur.

Ils étaient huit en tout, certains dont le visage lui était familier mais sans qu'il puisse y mettre un nom. Ils venaient ici comme d'autres iraient dans un club privé, parlaient d'abord de leur vie quotidienne dans une pièce attenante en buvant des bières et en riant. Puis ils passaient à ce qui leur importait le plus, rentrer dans la geôle l'un après l'autre pour violer et torturer un adolescent attaché à une poutre. Benjamin se forçait à garder les yeux ouverts pour se rappeler les moindres détails de leurs visages et de leurs corps, au cas où il pourrait arriver à s'enfuir et à les dénoncer.

Il se résignait parfois à penser qu'il ne sortirait jamais vivant de cette cave, que ces heures d'enfer seraient les dernières qu'il passerait dans ce monde, des heures qui lui feraient peu à peu oublier tous les moments de joie qu'il avait connus jusque-là.

Mais alors il les rejoindrait, eux qui avaient suivi le même chemin, ses compagnons de soufffrance, tous partis trop tôt et qui devaient déjà l'attendre de l'autre côté.

Il retrouverait Nathan.

Un soir, en écoutant une conversation entre Erwan et un homme à la voix efféminée, il comprit que trois autres adolescents étaient toujours retenus prisonniers ailleurs, une fille et deux garçons. L'un d'entre eux venait de succomber à ses blessures, et ils l'avaient emmené où ils faisaient habituellement disparaître les cadavres. Là où pourrissait maintenant Olivier. Là où, malgré tout, il avait empêché Nathan de finir.

Certains abattoirs de la région étaient, paraît-il, munis de fosses remplies d'acide où les équarrisseurs se débarrassaient des carcasses de bétail après avoir envoyé les meilleures pièces dans les boucheries.

Était-ce de cette façon qu'ils se débarrassaient des corps ? Ils les y jetaient peut-être vivants, eux se tenant en cercle autour du gouffre et tendant l'oreille pour mieux apprécier les cris de leurs victimes, le bruit que faisait leur peau en train de fondre.

Mourrait-il dévoré par un bain d'acide ?

Et Benjamin se rendit compte à cet instant qu'on pouvait tomber encore plus bas dans la terreur.

Franck se tenait debout au-dessus du lit, la moitié du visage déchiquetée et couverte de sang séché.

Il le fixait de l'unique œil qui lui restait.

Benjamin se redressa en sursaut et hurla.

Une nuit, au moment où il basculait peu à peu dans le sommeil, il sentit sa conscience s'extirper des quatre murs de sa prison pour se déployer dans un espace fait de lumières scintillantes et qui paraissait s'étendre jusqu'à l'infini. Tout autour flottaient des centaines de formes oblongues remplies d'images mouvantes, certaines si vives qu'il avait peur de se brûler à leur contact. Ces images, il le savait sans comprendre comment, étaient des rêves, les rêves de milliers d'adolescents endormis dans les environ. Et il distingua alors leurs silhouettes étendues sur leurs lits, perçut le souffle de leur respiration, le bruit que faisaient leurs corps en se frottant contre les draps. Pris d'un vertige soudain, il se concentra et leur parla en s'immisçant dans leur conscience, les prévint du danger qui rôdait, matérialisa par la seule force de son esprit les visages de ses kidnappeurs, pour que tous puissent les garder en mémoire et les reconnaître s'ils s'approchaient trop près d'eux.

Quand il se réveilla, il pleura jusqu'à ce que le jour se lève.

Il les avait tous pris dans ses bras, embrassés, protégés.

Et il se convainquit que cela avait été autre chose qu'un simple effet de son imagination pervertie de fièvre.

Le lendemain, Erwan l'informa que sa mère avait été hospitalisée suite à une tentative de suicide et que Zoé avait été placée dans un centre spécialisé en vue d'être adoptée par une famille d'accueil.

Tout cela par sa faute.

Benjamin ne voulait pas y croire. Il avait dit cela dans le seul but qu'il perde tout espoir. Erwan parti, il se raccrocha à la vision de sa mère allongée dans son hamac, en train de lire un de ses romans à l'eau de rose ; sa petite sœur assise dans l'herbe en train de jouer avec ses poupées.

Toutes deux en paix et baignées de soleil, attendant son retour.

Car elles savaient qu'il reviendrait un jour.

Pour se donner encore du courage, il pensait parfois à ce que serait sa vie s'il parvenait à s'échapper. Son bac en poche, il s'inscrirait en première année de lettres à la Sorbonne. Devenir étudiant et vivre à Paris lui permettraient de saisir sa vie à bras-le-corps. Ses études finies, il se trouverait un poste de pigiste dans un petit journal culturel pour finir au bout de quelques années par signer des critiques littéraires dans plusieurs magazines. À vingt-six ans, il écrirait son premier roman, un drame d'anticipation qui aurait un certain succès et serait traduit en une quinzaine de langues. Un an plus tard, il rencontrerait Laurent, un architecte, à la sortie d'une projection de *Rusty James* dans un petit cinéma du Quartier latin. Ils achèteraient ensemble un appartement près du canal Saint-Martin, puis une maison en Bretagne où ils passeraient tous leurs étés. Sa sœur Zoé, qui serait devenue actrice, leur rendrait souvent visite avec son petit ami du moment.

Il aurait toujours une place dans ses pensées pour Nathan, irait se recueillir sur sa tombe chaque année, à l'abri des regards.

Son second roman, se passant dans le Japon de l'avant-Hiroshima, remporterait de nombreux prix et le ferait voyager à travers le monde pour en assurer la promotion.

Il éprouverait chaque matin le soulagement que sa vie soit en tout point celle dont il avait toujours rêvé.

Il observait une petite araignée qui remontait sur sa toile quand un homme assez massif portant une cagoule noire plaça une caméra sur une étagère. Il la plaça face à lui et l'alluma. Benjamin, attaché debout à la poutre pendant que l'homme le frappait, fixa vaillamment l'objectif, pour que son regard plein de rage se plante dans les yeux des malades qui suivraient la scène derrière leur écran.

L'homme lui fouetta ensuite le dos avec sa ceinture jusqu'à en faire jaillir le sang. Puis il le jeta au sol et le roua de coups.

Avant de lacérer son torse avec un couteau.

Au fil du temps, son odeur, certaines de ses attitudes, lui parurent douloureusement familières. Mais Erwan avait bien dit qu'il était mort. Une balle de fusil en pleine tête. Son sang et des débris de cervelle éparpillés en grosse rosace sur le mur du cabanon.

Quand l'homme parla enfin, Benjamin refusa de reconnaître cette voix venant d'outre-tombe.

Et vint le moment où il ne ressentit même plus de douleur, son sang jaillissant aussi naturellement de son corps que la salive d'une bouche, ses dernières pensées s'abîmant les unes après les autres, comme des lucioles dans une nuit noire, à l'intérieur du grand vide qui poussait sous son crâne.

Un matin, il le vit avec stupeur se tenir au-dessus de lui.

Nathan Fargue.

Encore plus beau que dans ses souvenirs, ses yeux bleus luisant comme des gemmes pour lui, rien que lui.

Il était venu le chercher.

Nathan le prit dans ses bras et détruisit les menottes qui entravaient ses poignets. Le contact chaud et doux de sa peau fit l'effet d'un baume sur son corps blessé ; ses lèvres qui se posèrent sur les siennes, tout oublier de ce qu'il avait subi dans cette prison puante.

Et il l'emmena à ses côtés dans cette lumière qui inondait la geôle, pour le conduire dans un endroit où, Benjamin le savait, personne ne pourrait plus jamais les atteindre.

....

À peine une semaine plus tard, Antoine Doucet profita du fait que son père s'était affalé devant la télévision pour sortir en douce et aller fumer tranquillement son premier joint de la journée. Il était presque vingt et une heures mais il faisait encore bon à l'extérieur. Antoine emprunta l'allée et fit un signe de la main à leur voisine, Mme Mauduit, qui profitait du crépuscule pour arroser ses plantes. Tout en remontant le trottoir, il jeta un coup d'œil à la maison des Leroy qui se dressait de l'autre côté de la rue, tous ses volets fermés, ses murs recouverts de tags plus obscènes les uns que les autres. Personne n'y habitait depuis plusieurs semaines, et il faudrait encore du temps pour que le quartier reprenne une vie normale après le cauchemar qu'ils avaient tous traversé. Louise, sa mère, avait été particulièrement bouleversée par toutes les révélations qui avaient suivi le suicide de Franck Leroy. Marion Leroy et elle étaient devenues de bonnes amies, et, une fois le choc passé, elle avait tout fait pour tenter de lui venir en aide, de la soutenir dans cette épreuve alors que les autres l'avaient progressivement abandonnée. Antoine avait toujours du mal à réaliser que Nathan Fargue avait été emprisonné sous ce cabanon qu'il apercevait de la fenêtre de sa chambre, à présent condamné par la police, *Nathan et tous les autres* ; que Franck Leroy ait pu faire toutes ces choses sans que personne ne se doute de rien. Si près de chez eux, l'enfer à une vingtaine de mètres de distance. Par chance on ne voyait plus trop de journalistes ces temps-ci, juste quelques curieux qui se plantaient là avec leurs appareils photo pour se payer un petit frisson avant de tranquillement retourner chez eux. Ce qu'avaient dû subir Nathan et les autres victimes restait, quoi qu'il puisse faire, gravé dans un coin de sa tête, se rappelant à lui avec plus de force quand il était seul, où dans ses cauchemars. Il n'avait parlé avec Nathan que deux ou trois fois au lycée et s'était néanmoins rendu sur sa tombe quelques jours après l'enterrement. Les enquêteurs ne savaient toujours pas pourquoi seul son corps avait été retrouvé, dans ce champ à quelques kilomètres de la ville. Cela restait un mystère, tout comme ce qu'il était arrivé aux autres, tout comme ce qu'il était arrivé à Benjamin Leroy cette nuit-là…

Antoine remonta le boulevard Ernest-Renan et, une centaine de mètres plus loin, tourna sur sa droite et emprunta une petite rue jonchée d'arbres qui menait directement au stade, là où il se rendait souvent après les cours avec quelques camarades de sa classe pour fumer et faire quelques parties de foot. Il n'y avait personne dans les parages, à part une camionnette blanche qui passa devant lui et prit la première rue sur la gauche. Antoine huma une agréable odeur de feu de cheminée qui perçait entre les feuillages, puis il continua sa route en sifflotant et s'assit sur un petit banc en bois situé près d'un abribus. Vérifiant qu'il était bien seul, il fuma quelques taffes de son joint en regardant le ciel qui continuait de s'assombrir, attentif aux bruits des oiseaux cachés dans l'ombre, au sein de cette atmosphère si apaisante qui précédait la nuit.

Il s'installa plus confortablement sur le banc et pensa à Lucile, sa petite amie. Cela faisait seulement trois semaines qu'ils étaient ensemble, et cette fille lui plaisait de plus en plus. Il avait hâte d'à nouveau caler son corps nu contre son corps nu.

Un cri se fit entendre au loin. Il remarqua une silhouette courir dans le champ qui s'étalait de l'autre côté des arbres, et disparaître derrière une petite maison en briques.

Il n'allait pas s'éterniser ici. Sa mère, qui était peut-être déjà rentrée de chez son amie Sonia, n'aimait pas le savoir seul dehors trop longtemps, et il ne voulait pas risquer de l'inquiéter inutilement.

Il finit son joint et s'apprêtait à partir quand il vit la camionnette blanche passer à nouveau devant lui, et s'arrêter une dizaine de mètres plus loin. Par précaution, il jeta le mégot dans l'herbe. Un homme assez corpulent en sortit, portant une combinaison de mécanicien. Il jeta quelques coups d'œil aux alentours et marcha dans sa direction en levant le bras, comme s'il voulait lui demander un renseignement.

Quand il vit plus nettement son visage, Antoine se redressa d'un coup, et l'homme, surpris par sa réaction, fit semblant de chercher quelque chose dans la poche de sa veste. Antoine bondit alors du banc et courut dans l'autre direction en sentant son cœur tambouriner dans sa poitrine. Il ne s'arrêta qu'une cinquantaine de mètres plus loin, au niveau d'un mur recouvert de graffitis, et osa un regard en arrière. L'homme se tenait toujours en plein milieu de la route et l'observait sans bouger, puis il cracha sur le sol et retourna vers la camionnette. Antoine attendit qu'elle disparaisse au bout de la rue pour s'éloigner à son tour, tous les sens aux aguets, une sueur glacée coulant le long de ses tempes. Il avait d'habitude les pieds sur terre, et il lui faudrait du temps pour admettre ce qui venait de se passer, cet électrochoc qu'il avait ressenti face à ce visage gras, l'un de ceux, il en était persuadé, qu'il avait vus dans ce rêve qu'il avait fait deux semaines plus tôt et qui ne cessait de le hanter depuis, ce rêve où Benjamin Leroy l'avait mis en garde contre ceux qui l'avaient capturé et qui rôdaient, la nuit tombée, dans les rues paisibles de sa ville.

Il pressentit ce à quoi il venait d'échapper, même s'il n'arriverait peut-être jamais à se l'expliquer. Ne voulant pas rester plus longtemps seul dans cette rue déserte, il pressa le pas pour rejoindre sa maison ; vit, quand il arriva à proximité, sa mère sortir de sa voiture et en claquer la portière, quelques sacs de courses à la main. Les larmes lui montèrent aux yeux et il la rejoignit en ne se souciant même pas de l'odeur du joint qui devait encore imprégner ses vêtements, et se jeta dans ses bras, comme il ne l'avait pas fait depuis qu'il était tout gamin.

Louise, d'abord étonnée par son geste, lâcha les sacs dans l'herbe. Et, sans un mot, elle le serra fort contre elle et balaya son angoisse d'un tendre baiser sur sa joue.

SCOTT

De ses mains, il épousa la forme d'un petit nuage qui, solitaire dans le bleu du ciel, ressemblait à un crâne.

Et entre ses paumes il en fit légèrement craquer les os.

Scott Lamb, ses jambes nues posées sur le rebord de la fenêtre, se redressa en faisant grincer la chaise où il se tenait assis. De la rue lui parvint le rire franc de Rose, la responsable du salon de coiffure qui se trouvait au pied de l'immeuble, grand travesti noir qui la veille avait fêté ses cinquante ans dans son loft sur Diamond Street, où la moitié de Castro s'était succédé tout au long de la nuit.

Il était à peine neuf heures du matin. Elisa dormait toujours, emmitouflée dans les draps. Scott s'étira et alla chercher ses vêtements laissés en boule sur la moquette. Sans faire de bruit, il se rhabilla et attrapa son sac à dos. Il toqua à la porte de la chambre de son ami Joey, et, n'obtenant pas de réponse, l'entrouvrit. La pièce était plongée dans la pénombre, Joey encore endormi, enlacé avec le grand brun qui les avait rejoints en fin de soirée. Scott referma doucement la porte et se dirigea vers le salon, où subsistaient des relents de tabac froid et de whisky. Il ouvrit la fenêtre pour aérer, attrapa sa veste accrochée au portemanteau et sortit de l'appartement.

Il passa devant la vitrine du salon de coiffure et fit un petit signe à Rose, qui à l'intérieur discutait avec un jeune homme musclé qu'il se souvenait avoir croisé chez elle la veille. Le voyant, elle lui envoya un baiser de la main, ses innombrables bracelets dorés étincelant sous les lampes.

Il faisait déjà très chaud en cette fin du mois d'août. Scott mit son casque sur les oreilles tout en descendant Noe Street pour rejoindre la station de métro la plus proche.

À peine entré dans la rame, il s'assit sur une banquette à côté d'une femme en tailleur qui jouait à Candy Crush sur son smartphone et posa sa tête contre la vitre en écoutant le dernier album d'Interpol.

Une dizaine de minutes plus tard, il descendit à la Montgomery Station et prit le premier bus en direction de Telegraph Hill.

Duane était déjà parti travailler. L'appartement sentait une bonne odeur de café chaud. Scott alluma son Macbook laissé sur la table basse et sortit son paquet de cigarettes de sa veste, remarquant, au moment où il en porta une à sa bouche, le numéro de téléphone que cette jeune femme dont il ne connaissait même pas le prénom avait écrit à l'intérieur au stylo noir. Le simple fait de repenser à elle le fit frissonner, elle qui, à partir du moment où elle était entrée chez Rose en fin de soirée, avait rendu toutes ses pensées captives. Sensiblement du même âge, les cheveux d'un blond très clair, elle était alors vêtue d'une petite robe argentée ouverte dans le dos et qui laissait entrevoir sur son épaule dénudée le tatouage d'une pin-up tenant un lasso. Scott l'avait ensuite abordée alors qu'elle buvait un verre de vin sur le balcon. C'est au fil de leur trop courte discussion qu'elle avait évoqué les nombreux concerts qui se jouaient le surlendemain au Golden Gate Park. Scott, l'ayant pris comme une invitation, lui avait proposé de l'y rejoindre, et en guise de réponse elle s'était contentée de lui écrire son numéro de téléphone avant de partir avec ce mec au crâne rasé qui l'avait accompagnée chez Rose et que Scott avait aussitôt jalousé.

Mais s'ils étaient ensemble, elle ne lui aurait sûrement pas laissé son numéro.

À condition que ce soit bien le sien.

Scott prit deux gros donuts dans le réfrigérateur, qu'il mangea en se passant quelques bandes-annonces sur You Tube.

Cela faisait quatre semaines qu'il vivait chez Duane, depuis ce soir où, à peine arrivés à l'hôtel de Grant Avenue, ils avaient vu cette ambulance stationnée devant l'entrée, et les secouristes y transporter le corps inanimé de sa mère étendu sur une civière. Aussitôt mise sous respirateur artificiel, elle avait été emmenée au San Francis Memorial Hospital, souffrant de plusieurs hémorragies internes. Mais vivante, encore vivante, et ce malgré une chute du troisième étage, comme le leur avait expliqué un infirmier aux urgences. Duane et Scott s'étaient rendus dans la salle d'attente, et, devant son incompréhension, Scott lui avait tout raconté : qui était Walter ; ce qu'il avait fait à sa mère ; le meurtre de ses parents adoptifs ; son enlèvement et sa séquestration dans l'immeuble de Hayes Street ; puis le fait que Mary Beth était revenue à San Francisco dans le seul but de le sortir de là. Duane avait mis quelques minutes avant de tout emmagasiner. Ils étaient par la suite restés des heures à attendre dans cette grande pièce sentant le désinfectant au citron, jusqu'à ce qu'un des médecins qui l'avaient opérée vienne leur dire que son état s'était stabilisé mais qu'il restait toujours critique.

Ils n'avaient, malgré leur insistance, pas été autorisés à la voir, et Duane lui avait proposé de rentrer ensemble à son appartement pour se reposer un peu. Scott n'avait pas réussi à fermer l'œil du reste de la nuit. Le lendemain midi, ils étaient tous deux retournés à l'hôpital pour apprendre que Mary Beth avait été plongée dans un coma artificiel suite à un traumatisme crânien et à une grave infection pulmonaire.

Depuis lors, il venait la voir plusieurs fois par semaine, pour simplement rester auprès d'elle, incapable de s'enlever de la tête cette certitude que s'il ne l'avait pas laissée rentrer seule à l'hôtel il aurait au moins pu tenter quelque chose pour la protéger.

Elle qui avait risqué sa vie pour venir le sauver.

Les médecins disaient que ce n'était à présent qu'une question de temps. Scott avait confiance, il savait qu'un jour ou l'autre son corps guérirait et qu'elle se réveillerait.

Elle ne pouvait pas être revenue dans sa vie pour en disparaître d'une telle façon.

Dès le premier jour, il a répété aux enquêteurs chargés de l'enquête tout ce qu'il avait dit à Duane. Au regard de son témoignage et du rapport transmis par les médecins à propos des violences sexuelles et des coups dont elle avait été la victime avant la défenestration, aucune charge n'avait été retenue contre elle pour la mort de Walter. Scott leur avait laissé les coordonnées de Duane au cas où ils auraient besoin de le joindre, puis il était retourné se reposer un peu à l'appartement. Le soir même, un certain Louis Coake avait appelé sur le téléphone portable de Mary Beth, que Scott était entre-temps allé récupérer à l'hôtel avec le reste de ses affaires. Ils avaient longuement discuté, et Scott lui avait promis qu'il l'informerait de l'évolution des choses.

Le lendemain matin il avait appelé son oncle Stephen, qui vivait en Idaho. Stephen était le frère aîné de Martha et avait rapidement été mis au courant de tout ce qu'il s'était passé ces derniers jours par le sheriff de Twin Falls, lui-même ayant été contacté par la police de San Francisco. Très ému d'entendre à nouveau sa voix, il s'était proposé de payer son billet d'avion pour qu'il vienne vivre chez eux à Boise, mais Scott, qui allait sur ses dix-huit ans, avait répondu que pour le moment il préférait rester ici et attendre que l'état de sa mère s'améliore. Duane avait ensuite pris le combiné et l'avait rassuré en expliquant qu'il s'occuperait de lui le temps nécessaire. Stephen et Patty, bien conscients qu'ils n'avaient pas vraiment le choix, avaient simplement demandé à leur neveu de rester en contact avec eux et de venir les voir de temps en temps pendant les vacances.

Scott avait mis un moment avant d'oser fouiller dans les affaires de Mary Beth, qu'il avait rangées dans le bas de son armoire, mais la curiosité avait fini par l'emporter. Sa valise contenait surtout des vêtements, une trousse de toilette, un ordinateur portable dont la batterie était vide, un exemplaire du roman *Le Chardonneret* de Dona Tartt et aussi toutes ces photos en noir et blanc, de lui, de Walter, de l'immeuble de Hayes Street et qu'il avait déchirées et brûlées dans la cheminée du salon. Il avait également ouvert son sac à main, qui contenait son portefeuille, les clefs de sa maison de Lafayette, un paquet de chewing-gums, un agenda rempli de numéros de téléphone et une petite bouteille de parfum, le même que portait la mère d'une de ses anciennes petites copines à Twin Falls.

Un soir où Duane était sorti avec une fille qu'il avait rencontrée chez des amis communs, il avait appelé Louis pour lui demander s'il pouvait lui parler un peu d'elle, de ce qu'était sa vie à Lafayette, de ses habitudes, de ce qu'elle aimait faire quand elle ne travaillait pas, toutes ces choses qui pourraient un peu combler cette soudaine absence à laquelle il n'arrivait toujours pas à s'habituer. Ils étaient restés une bonne heure au téléphone, et, quand il avait raccroché, Scott avait passé un moment à contempler le ciel étoilé qui recouvrait la baie, se repassant dans la tête tout ce qu'il avait appris sur cette femme endormie à quelques kilomètres de là, cette femme redevenue un peu plus vivante, plus proche du réveil.

Sa mère qui aimait les romans anglais du XIXe siècle, sa mère dont le film préféré était *Splendor in the Grass* d'Elia Kazan, sa mère qui pendant son temps libre restait des heures à s'occuper des fleurs qu'elle avait plantées à l'arrière de son jardin, sa mère qui rêvait de se promener un jour dans les rues de Paris, sa mère qui préparait la meilleure tarte à la myrtille de tout l'Indiana, sa mère que tout le monde aimait, sa mère qui était bien trop forte pour permettre à la maladie de la vaincre…

Un fois qu'il eut fini de manger, il se jeta sur son lit et détailla d'un air las les quelques cartons qui restaient empilés contre le mur du fond et qui contenaient le reste de ses affaires qu'il n'avait pas pris la peine de déballer. Une semaine plus tôt, Duane avait profité de ses quelques jours de vacances pour l'emmener en Idaho. Ils étaient d'abord allés chez Stephen et Patty et avaient dîné dans une atmosphère beaucoup plus détendue qu'il n'aurait pu le penser au premier abord. Le lendemain, Scott était parti avec son oncle au cimetière où avaient été enterrés Paul et Martha, puis dans son ancienne maison de Twin Falls, où rien n'avait bougé depuis la nuit du drame, cette maison à présent si froide et silencieuse, dans laquelle, à peine en avait-il franchi le seuil, il avait ressenti l'étrange impression de revenir après des années d'absence, et qu'il n'y avait dorénavant plus sa place.

Une fois dans sa chambre, il avait cherché la photo où sa mère le tenait dans ses bras, qu'il avait installée depuis des années sur son étagère, mais les flics avaient dû la garder pour l'enquête. Il se rappelait parfaitement le jour où Martha la lui avait donnée quand il avait à peine dix ou onze ans et qu'il commençait à poser des questions sur l'identité de sa mère biologique ; cette même photo que Mary Beth avait gardée de son côté, comme il l'avait appris par Duane quand ils avaient pris un verre sur cette terrasse face à la scène, au cœur de cette journée à laquelle il n'avait depuis jamais cessé de repenser.

Si seulement il avait su que le temps qui leur était accordé serait aussi court ; il n'aurait pas été si distant avec elle, il l'aurait prise dans ses bras pour la première fois de sa vie, afin d'ensuite pouvoir en garder au moins le souvenir…

Duane les avait rejoints en fin de journée au volant d'un petit camion afin de récupérer une majeure partie de ses affaires et ainsi revenir à San Francisco par la route. Une fois les cartons rangés à l'intérieur, Scott avait également récupéré une photo sous cadre que Paul avait prise de Martha et lui quand ils avaient visité le Grand Canyon. Avant le départ, son oncle lui avait dit qu'il le contacterait dans les prochains jours pour faire un point sur les démarches à suivre s'il comptait vendre la maison. Scott, bien conscient qu'il ne retournerait sans doute jamais vivre en Idaho, avait rapidement compris que ce serait le seul choix envisageable, que cela lui permettrait de mettre de l'argent de côté le temps que sa mère se réveille, et d'ensuite pouvoir l'aider à régler les frais médicaux engendrés par son hospitalisation.

Il était à peine dix heures et demie. Alyssa l'avait prévenu dans son dernier texto qu'elle passerait le chercher en fin de matinée. Scott songea un instant à l'appeler pour annuler, mais il savait qu'il devait le faire, en finir une bonne fois pour toutes.

Il attrapa l'exemplaire du *San Francisco Chronicle* daté de la semaine précédente, qu'il avait laissé sur son bureau, et l'ouvrit en page 6, jetant un nouveau coup d'œil à cet article signé par un certain Don Chapman et qu'il connaissait presque par cœur :

> « Étrange rebondissement
> dans l'affaire Kendrick
>
> Le corps de Walter Kendrick, entrepreneur controversé et mort en chutant du troisième étage d'un hôtel de North Beach le 12 juillet dernier, aurait mystérieusement disparu du cimetière municipal où il était enterré, au sud de Daly City. Walter Kendrick, cinquante-deux ans et figure bien connue des nuits du Tenderloin, dirigeait en parallèle un des plus importants réseaux de prostitution et de trafic de stupéfiants que la ville ait connu depuis les agissements de la famille Lanza et, selon les enquêteurs, responsable d'au moins une trentaine de meurtres perpétrés tout au long de ces vingt dernières années… L'affaire avait

déjà pris un cours inattendu quand quelques jours après sa mort les empreintes digitales de Kendrick avaient révélé qu'il s'agissait en fait de Daryl Greer, principal suspect dans l'incendie qui avait ravagé sa propre maison au début de l'été 1979, et coûté la vie à ses deux parents, George et Loretta Greer, ainsi que du viol et du meurtre d'Anita Warren, une bibliothécaire du lycée d'Emporia, auquel il aurait participé en compagnie d'un nommé Samy Winslow, arrêté quelques mois plus tard pour braquage, et détenu depuis à la prison fédérale de Leavenworth. Daryl Greer, aussitôt recherché par toutes les forces de police du Kansas, avait par la suite été également suspecté du meurtre de Graziella Rios, une infirmière dont le cadavre avait été retrouvé dans une chambre de motel des environs de Colorado Springs, ainsi que de celui de Tracy Donoghue, une adolescente de quinze ans, violée et égorgée chez elle deux semaines plus tard pendant que ses parents étaient partis à un gala de bienfaisance à Boulder. Le suspect n'avait jamais été appréhendé et avait depuis lors totalement disparu dans la nature, et ce malgré l'intense chasse à l'homme qui s'était mise en place dans plusieurs États du Midwest. »

Scott renonça à relire le reste et balança le journal par terre, lui qui, ces dernières semaines, avait parcouru des dizaines d'articles consacrés à Walter, évoquant pêle-mêle son arrivée à San Francisco au début des années 1980 ; sa courte carrière de voleur de voitures ; les kidnappings d'hommes d'affaires de Financial qu'il avait organisés en compagnie de trois ou quatre anciens repris de justice ; ses premiers pas dans le milieu en tant qu'homme de main de Simon Barnett, un dealer de cocaïne mort en 1987 dans l'incendie de sa maison de Diamond Heights ; sa façon particulièrement retorse, à base d'extorsion et d'intimidation, de gravir ensuite un à un les échelons qui l'avaient mené, à peine dix ans plus tard, à la tête de cet empire qui depuis n'avait cessé de croître dans l'ombre et dont les enquêteurs dépêchés sur place n'avaient pas encore réussi à démêler toutes les ramifications… Certains psychologues interrogés sur sa personnalité l'avaient décrit comme un parfait sociopathe, obsédé par le contrôle et le pouvoir, dénué de la moindre empathie et ne considérant les autres que comme de simples objets, des pions dont il ne se servait que pour arriver à ses fins ou assouvir ses pulsions les plus perverses.

Ce monstre qui était son père, ce monstre dont le sang vicié continuait à lui couler dans les veines.

Les fédéraux n'avaient pas longtemps attendu avant de faire des descentes dans tous ses établissements, bars de nuit, discothèques, épiceries ou salles de sport éparpillés un peu partout dans la région, la plupart ayant servi à blanchir une grande partie de l'argent sale amassé par ses trafics de stupéfiants et de chair humaine. La quasi-totalité de ses hommes avaient été arrêtés et incarcérés, certaines enquêtes concernant de nombreuses disparitions, liées de près ou de loin à son organisation, rouvertes…

L'opinion publique avait été pour le moins horrifiée par tous les récits qui avaient commencé à émerger au fur et à mesure que les langues s'étaient déliées, notamment à propos des crimes dont Walter et ses hommes s'étaient rendus responsables, et ce sans jamais être inquiétés ; de toutes ces filles, pour la plupart mineures, qu'ils avaient jetées dans les rues du Tenderloin après leur avoir confisqué leur passeport et les avoir rendues dépendantes au crack ; de ces immenses entrepôts de la zone industrielle d'Oakland, où ils stockaient leurs marchandises et faisaient disparaître les corps de ceux qui s'avéraient trop gênants ; et surtout de cet endroit de cauchemar, découvert dans son appartement, ces cellules où avaient été retrouvées trois jeunes femmes enchaînées et mutilées, et, au regard de leur état physique, détenues ici depuis des mois ; cette prison privée, puant l'humidité et la mort, où les enquêteurs estimaient que beaucoup d'autres victimes s'étaient succédé tout au long de ces dernières années, et pour la plupart desquelles il serait vraisemblablement impossible de retrouver un jour un nom ou un visage…

Le sort de Mary Beth avait, dans une moindre mesure, également intéressé les médias, qui avaient tenté de savoir qui pouvait bien être cette femme de trente-sept ans retrouvée vivante près du cadavre de Kendrick, et qui depuis lors était toujours plongée dans un profond coma.

De nombreuses personnes s'étaient au fil des jours rendues à son chevet, en majorité des victimes de

Walter, mais aussi leurs mères, leurs filles, venues lui apporter des fleurs, prier pour elle, lui parler longuement en la tenant par la main ; toutes réunies par une même souffrance et partageant envers elle une même compassion.

Au cours d'une de ses visites, Scott avait croisé une petite métisse d'une quarantaine d'années et au visage émacié qui, en sortant de la chambre, lui avait dit en le voyant qu'il « lui ressemblait comme deux gouttes d'eau ». Sans prononcer un mot de plus, elle avait mis ses lunettes de soleil sur le nez et était partie dans le couloir pour rejoindre la sortie. Scott n'avait même pas songé à la retenir, et s'était ensuite plusieurs fois demandé si elle avait voulu parler de Mary Beth ou de Walter.

Pris par l'envie de se défouler, il se rendit dans la petite pièce attenante à sa chambre, dans laquelle Duane avait récemment installé quelques engins de musculation. Il s'assit sur un rameur posé près de la fenêtre entrouverte et commença ses exercices, essayant de ne plus penser à rien, de ne se concentrer que sur les mouvements de ses bras et de ses jambes.

C'était Duane qui l'avait motivé à refaire du sport, ils avaient ces derniers temps pris l'habitude d'aller courir tous les deux sur les quais qui longeaient la baie quand il rentrait du travail. Ces exercices physiques quotidiens lui permettaient au moins d'évacuer toutes les angoisses qui refaisaient surface et qu'il apprenait ainsi de mieux en mieux à maîtriser.

Son téléphone se mit à vibrer dans sa poche. C'était Alyssa, qui l'informait qu'elle l'attendait en bas de son immeuble. Scott enfila ses chaussures et une veste, tout en évitant de trop penser à ce qu'il s'apprêtait à faire.

Elle se tenait de l'autre côté de la rue, vêtue d'une petite robe blanche et d'une veste en jean, et adossée contre une vieille Buick, son téléphone portable collé à l'oreille.

Scott la salua de la main quand il passa près d'elle, ce à quoi elle répondit par un demi-sourire son téléphone collé à l'oreille. Elle avait bien meilleure mine que la dernière fois qu'il l'avait vue ; ses cheveux avaient repris leur couleur naturelle, proche du châtain, et, détachés sur ses épaules, lui donnaient des airs de jeune fille tout juste débarquée de son Midwest.

Il s'assit à l'avant de la voiture, dont l'intérieur sentait une intense odeur de vanille chimique. Un petit garçon en t-shirt rouge le dépassa en faisant rebondir un ballon sur le trottoir et emprunta les escaliers qui descendaient vers Greenwich Street.

Alyssa raccrocha quelques instants plus tard, puis elle s'assit au volant et l'embrassa sur les joues.

– C'était Betty, ma nouvelle coloc. Elle voulait savoir à quelle heure je rentre car elle nous prépare un dîner indien ce soir, j'ai vraiment tiré le gros lot en emménageant avec elle…

– Cela m'en a tout l'air, dit Scott en riant.

– Tu es toujours certain de vouloir y aller ?

– Plus que jamais, répondit-il en attachant sa ceinture, bien conscient du mensonge.

Alyssa jeta son sac à main sur la plage arrière, puis elle démarra et fit demi-tour au bout de l'impasse où se trouvait l'immeuble de Duane, pour ensuite contourner le Pioneer Park et rejoindre Lombard Street.

Scott alluma l'autoradio et s'arrêta sur une station qui passait « Between the Bars » d'Elliott Smith.

Alors qu'ils passaient dans le Presidio, il distingua la forme du Golden Gate se découpant au loin. C'était la première fois depuis qu'il vivait ici qu'il allait le traverser.

– Comment va ta mère ? demanda Alyssa en accélérant sur la voie rapide.

– Toujours pareil, les médecins me disent qu'ils sont confiants, mais rien ne bouge.

– Je suis allée la voir la semaine dernière, c'est difficile à expliquer, mais j'ai vraiment eu la sensation qu'elle savait que j'étais là, je suis sûre qu'elle va bientôt guérir, tu dois garder confiance…

– C'est ce que je fais, dit-il en observant des ouvriers travailler sur un immense immeuble en construction sur leur droite, et qui lui fit penser à un paquebot bientôt prêt à prendre le large.

Ils s'arrêtèrent au péage puis ils s'engagèrent sur le pont pour rejoindre l'autre rive. Scott admira ses deux immenses pylônes d'acier culminant à plus de soixante mètres au-dessus de la mer, qui firent se succéder dans sa tête de nombreuses scènes de films, puis il baissa le regard vers les quelques piétons qui marchaient le long du trottoir, et, de l'autre côté du garde-corps, la baie qui rejoignait le Pacifique, une vision qui, sublimée par le soleil qui déjà haut dans le ciel en enflammait l'eau, provoqua chez lui un début de vertige.

Son portable vibra dans sa poche. C'était Joey qui lui envoyait un texto pour savoir ce qu'il faisait. Scott décida de répondre plus tard, quand ils seraient sur le chemin du retour.

Une dizaine de minutes plus tard, Alyssa se gara dans une petite station-service au nord de Sausalito.

Scott sortit de la voiture en même temps qu'elle et s'étira pendant qu'elle mettait un peu d'essence dans le réservoir. Alyssa se rendit ensuite à la boutique pour payer, et Scott, adossé contre le capot, remarqua deux hommes d'une quarantaine d'années qui, debout près la vitrine, la détaillèrent de haut en bas quand elle passa près d'eux, comme s'ils sentaient encore l'odeur de la marchandise pointer sous cette apparence de jeune fille normale qu'elle avait depuis tenté de se forger.

Il claqua la portière avec l'envie de leur foutre son poing dans la figure, puis il ralluma l'autoradio et monta le son quand il tomba sur le *Sinnerman* de Nina Simone, tournant la tête vers Alyssa qui parlait à l'intérieur de la boutique avec une des vendeuses. Elle paraissait déjà si différente de celle qu'il avait connue auparavant, si bien qu'il se demanda si à ses yeux lui aussi avait changé. Aussitôt sortie de l'hôpital, elle était repartie chez ses parents, qui vivaient à Salt Lake City, puis, quand elle avait appris dans les journaux ce qui était arrivé à Walter, elle était finalement revenue à San Francisco dans l'espoir de tout recommencer à zéro et avait vite décroché un boulot de serveuse dans un restaurant près d'Union Square. Elle faisait partie de celles qui s'en étaient le mieux sorties. D'autres filles n'avaient pas eu sa chance et arpentaient toujours les trottoirs du Tenderloin ; la laisse qu'on leur avait fixée de force autour du cou avait, pour la plupart d'entre elles, eu à peine le temps d'être retirée que d'autres prédateurs s'étaient déjà baissés pour la ramasser et la leur remettre en place, et ce sans qu'elles puissent leur opposer la moindre résistance.

Tous deux ne reparleraient sans doute jamais de leur expérience commune dans l'immeuble de Hayes Street. Et c'était bien mieux ainsi, à présent ils ne devaient penser qu'à aller de l'avant et laisser tout ce passé douloureux derrière.

Ce passé vers lequel il se rendait pourtant à nouveau.

Scott dessina un petit cercle sur la fine couche de poussière qui recouvrait la vitre.

– Tiens, je nous ai pris quelques sucreries, dit Alyssa en balançant un sac en plastique vert sur ses genoux. Je ne sais pas ce qu'il m'arrive ces temps-ci, mais si je m'écoutais je ne me nourrirais plus que de ça, j'ai pris genre cinq kilos en à peine un mois, et le pire, c'est que je m'en fous royalement… Par contre, toi, t'es toujours un peu trop maigrichon, donc n'hésite pas à te servir.

Scott choisit un Snickers au moment où Alyssa redémarrait.

Quelques kilomètres plus loin, elle sortit de l'Interstate et prit la Shoreline Highway, qui longeait tout le sud du Parc national de Muir Woods pour rejoindre la côte.

– J'espère que je ne vais pas nous perdre, dit-elle en doublant une petite Aston Martin rouge et blanche juste avant un virage. Je n'y suis allée qu'une fois, et c'était quelqu'un d'autre qui conduisait. Je t'avoue que si cela n'avait pas été pour toi, je n'y serais jamais retournée de moi-même.

Scott, son Snickers à peine entamé à la main, sentit son ventre se comprimer au fur et à mesure qu'ils approchaient. Dans le ciel, il suivit du regard des mouettes survolant l'océan, qui, peu à peu, se dévoilait sous leurs yeux.

Une vingtaine de minutes plus tard, après qu'ils eurent atteint le nord de la baie de Bolinas, Alyssa emprunta une autre route sur leur gauche et ils s'arrêtèrent face à un grand portail en fer forgé. Elle tapa un code sur un boîtier encastré dans le mur, et entrèrent alors dans une immense propriété, dont le terrain en partie boisé paraissait se prolonger jusqu'au rivage. Sur leur droite une allée menait à une grosse bâtisse en pierre grise, qui faisait penser à une réplique de manoir anglais, ses volets tous fermés indiquant qu'elle était pour l'instant inhabitée. Alyssa continua de rouler sur les graviers et se gara au niveau d'une grosse fontaine en granit.

Scott marcha à sa suite le long d'un sentier qui serpentait entre les hauts conifères d'un petit bois et le distingua une vingtaine de mètres plus loin, sa silhouette sombre figée au sein d'une petite clairière baignée d'ombres mouchetées. Il s'approcha en ne le quittant des yeux, l'odeur de la décomposition, ramenée par le vent le forçant à se mettre la main sur le nez pour ne pas vomir ce qu'il venait de manger.

– Je retourne à la voiture, fit Alyssa en posant sa main sur son épaule. Prends le temps qu'il te faudra, d'accord ?

Sans rien répondre, il continua à avancer en faisant craquer les branchages sous la pression de ses pas.

Le cadavre de Walter Kendrick était attaché par les bras au tronc d'un immense séquoia, entièrement nu et agenouillé dans une position de soumission. Ses pieds et ses jambes avaient été en partie dévorés par les animaux sauvages, son ventre et ses cuisses portaient des dizaines de traces de coups de couteau, des plaies ouvertes dont se repaissait la vermine.

Scott, surmontant son dégoût, se força à bien voir ce qu'il restait de son visage penché en avant, sa bouche entrouverte, ses lèvres arrachées qui dévoilaient ses dents fracassées par les coups, ses joues lacérées au cutter, et, là où auparavant trônaient ses yeux bleu acier, deux orbites vides, remplies d'une faune grouillante.

Des battements d'ailes se firent entendre au-dessus de lui. Il leva la tête et vit un corbeau se poser sur une branche. Il en remarqua alors plusieurs autres, leurs plumes noires tachetées par endroits par les rayons de soleil qui perçaient à travers les feuilles, le fixant tous en attendant qu'il reparte pour reprendre leur dû.

Il savait par Alyssa que cette propriété appartenait à Joan Fuller, la mère de Nicola Fuller, une adolescente de quinze ans qui avait fugué du domicile parental au début de l'année et faisait partie des trois prisonnières de l'appartement de Hayes Street. Nicola, malgré les efforts des secours, n'avait pas survécu à ses blessures et avait été enterrée au San Francisco National Cemetery. Joan, après avoir été avertie par le SFPD, s'était d'abord rendue dans l'immeuble de Hayes Street, qui, dans les jours qui avaient suivi la mort de Walter, avait été entièrement dévasté et pillé, là où il avait violé et torturé sa fille unique pendant les six derniers mois de sa vie. Ivre de colère, consciente que ce monstre ne serait jamais vraiment jugé pour ses crimes, elle avait décidé de payer deux hommes pour aller déterrer son corps et le ramener ici, dans cette propriété léguée par son père à sa mort, pour au moins lui arracher le semblant de dignité que conférait la tombe, la seule chose qu'elle pouvait encore lui reprendre. Joan Fuller avait par la suite communiqué l'adresse à toutes les victimes de Walter qu'elle avait pu retrouver, dans le but de leur offrir à elles aussi la possibilité de venir contempler sa dépouille à l'abri des regards. Parfois seules, parfois à plusieurs, elles s'étaient déplacées de nuit comme de jour, afin de pouvoir déchaîner leur haine sur son cadavre, d'avilir un peu plus ce qu'il restait de son corps comme il l'avait fait avec le leur.

Certaines étaient reparties d'ici le cœur un plus moins lourd. Certaines étaient reparties d'ici avec la sensation, peut-être illusoire, qu'ensuite les blessures seraient un peu moins dures à supporter.

Après avoir hésité plusieurs fois, Scott avait décidé de se rendre ici à son tour, pour voir ce qu'il restait de cet homme qui auparavant s'était montré si fier de son royaume, si ivre du pouvoir qu'il avait sur les autres.

Un roi à présent nu et misérable, tout juste bon à nourrir les charognards

Face à sa chair violacée qui pourrissait à l'air libre, il se remémora tout ce que Walter lui avait fait subir, tout ce qu'il l'avait forcé à faire, tout ce qu'il avait dit pendant sa captivité.

Qu'il avait dès le début discerné en lui cette flamme qui ne demandait qu'à croître, cette flamme que lui-même avait ressentie alors qu'il végétait dans la ferme de ses parents trente-cinq ans plus tôt ; que le sang ne mentait pas ; que bientôt il le remercierait de l'avoir à son tour arraché à cette vie morne qui lui tendait les bras en Idaho ; qu'à ses côtés il comprendrait là où était sa place, son véritable rôle dans ce monde ; tout comment lui il l'avait compris alors qu'à son âge il avait regardé, par une belle nuit d'été, tout son passé disparaître en fumée dans le ciel noir du Kansas.

Une fois son corps guéri, Scott avait tenté de rejeter du mieux qu'il l'avait pu ces paroles empoisonnées qui tant de fois avaient alimenté ses cauchemars.

Et maintenant qu'il était là, dans cette clairière qui empestait le cercueil, il sut que se tenir simplement face à lui ne suffisait pas. Cette rage qui continuait à l'habiter, il devait enfin la libérer, d'une façon ou d'une autre.

Dans les branches, un des corbeaux se mit à croasser, marquant ainsi son impatience. Scott saisit une barre métallique laissée à ses pieds, et frappa Walter au ventre le plus fort qu'il le put faisant gicler sous le choc des particules de chair putride, les mouches s'agitant tout autour d'eux en bourdonnant.

Et il le frappa à nouveau, sans s'arrêter, le fer cognant dans sa chair avec un bruit de fruit trop mûr qu'on éclate ; il le frappa pour sa mère, pour Martha, pour Paul, pour toutes ces femmes qu'il avait entendu hurler au plus profond de sa cellule et qui plus jamais ne pourraient fouler cette terre de leurs pieds.

Et, ses larmes inondant ses yeux en même temps que sa rage irradiait son sang, il hurla à son père ce qu'il n'avait jamais pu lui dire pendant sa captivité, *qu'il n'avait jamais été comme lui, qu'il n'était pas comme lui, qu'il ne serait jamais comme lui…*

Scott lâcha la barre sur le sol, les poumons en feu, et se rendit compte que ses mains étaient parsemées de fines gouttes de pourriture.

Et là, au niveau de son pouce, une petite larve blanchâtre qui se tortillait…

Il s'essuya les mains dans l'herbe. Au loin, on entendait le bruit des vagues qui venaient s'écraser contre le rivage. Il avança jusqu'à apercevoir l'océan en contrebas, pris par l'envie subite d'y courir, de plonger dans ses eaux tumultueuses, d'être emporté sans lutter par le courant…

Sachant qu'il était temps de partir, il rejoignit le chemin qui menait à la voiture, sans plus jeter le moindre regard vers le cadavre de son père.

Alyssa et lui passèrent tout le trajet du retour sans prononcer le moindre mot et arrivèrent à San Francisco alors qu'un épais brouillard stagnait sur la ville.

– Ça va aller ? demanda-t-elle en s'arrêtant pile en bas de chez Duane.

– Oui oui, t'inquiète pas pour moi, je vais juste avoir besoin de me changer un peu les idées…

– Bon, tu prends soin de toi, d'accord ? Je t'appelle bientôt, on va organiser une soirée à la maison pour notre crémaillère, j'aimerais beaucoup que tu sois là.

– Avec plaisir, tu pourras compter sur moi, dit Scott en se penchant vers elle pour l'embrasser sur les joues.

Une fois rentré chez Duane, il se déshabilla entièrement dans la salle de bains, et chercha dans le miroir la moindre parcelle de son corps qui aurait pu être atteinte, avec la désagréable impression de sentir des relents de cadavre sur sa peau.

Il ouvrit le robinet puis se lava les mains, le visage et le cou avec une tonne de savon.

Dans sa chambre, il jeta directement ses vêtements dans la poubelle, puis il alluma sa platine et y plaça son 33 tours de *Low* de David Bowie. Il attrapa ensuite un joint qu'il avait laissé dans le tiroir de sa commode, puis il s'allongea sur son lit et essaya du mieux qu'il le put, ne pensa plus qu'à la musique synthétique qui inondait ses oreilles tout en attendant avec impatience les premiers effets de l'herbe dans son organisme.

Il l'avait fait.

Pourtant rien n'avait vraiment changé.

Mais à quoi s'attendait-il, après tout ? Que d'un coup tout se soit effacé ?

Au fil de ses pensées, Scott se rappela qu'il avait oublié de répondre à Joey et lui envoya un texto pour lui dire qu'il était chez lui en train de comater sur son lit et qu'il l'appellerait un peu plus tard dans la soirée.

Il ne connaissait Joey et Elisa que depuis deux petites semaines. Il les avait rencontrés à une crémaillère organisée dans un loft à Mission, alors qu'au départ il devait y retrouver une étudiante en médecine avec qui il correspondait de temps en temps sur internet. C'est Joey qui l'avait abordé le premier, puis, rejoints en cours de route par Elisa, ils avaient passé une bonne heure à parler tous les trois sur la terrasse et étaient repartis ensemble pour finir la soirée dans l'appartement qu'ils partageaient depuis le début de l'été sur Noe Street. Même si depuis lors il couchait parfois avec Elisa, c'est avec Joey que les liens étaient devenus les plus forts. Il était, tout comme Elisa, étudiant au San Francisco Art Institute et, en attendant de reprendre les cours, passait ses vacances à travailler sur un projet de bande dessinée de science-fiction dont il avait eu l'idée plusieurs années auparavant. Le fait qu'il soit ouvertement gay n'avait pour Scott jamais été un problème, même si la situation avait été forcément un peu ambiguë au tout début et que par la suite il avait parfois cru discerner, dans certains de ses regards ou de ses gestes, de touchants et fugaces signes de désir. Joey, dont les bouclettes blondes et le sourire incendiaire faisaient frémir bien des cœurs dans les nuits de Castro, lui avait dès les premiers jours fait rencontrer son petit groupe d'amis, pour la plupart des étudiants en art, en cinéma, en lettres, des personnalités plus intéressantes et extraverties les unes que les autres, tellement différentes de celles qu'il avait pris l'habitude de côtoyer à Twin Falls. Scott était plus ou moins resté en contact avec certains de ses anciens amis grâce aux réseaux sociaux, mais qu'il le veuille ou non, quelque chose s'était brisé depuis qu'il avait quitté de force l'Idaho ; cette vie qu'il avait menée là-bas, au fur et à mesure que les jours passaient ici, paraissait de plus en plus lointaine, une vie qu'il n'arrivait même plus à regretter.

Bien sûr, Martha lui manquait toujours terriblement, Paul aussi, d'une certaine façon, mais le reste, tout le reste, se nimbait peu à peu, et sans qu'il tente quoi que ce soit pour l'empêcher, d'une sorte de halo gris qui préfigurait l'oubli.

Personne parmi ses nouvelles connaissances n'était vraiment au courant de son histoire personnelle, mis à part Joey, à qui il avait tout raconté un soir où ils avaient bu une bonne bouteille de rhum dans sa chambre.

Ce qu'il avait fait ce matin, il ne savait même pas s'il lui en parlerait un jour, s'il en parlerait un jour à qui que ce soit. Cette violence dont il avait fait preuve dans cette clairière, il espérait ne plus jamais avoir à la déployer à nouveau.

Les effets de l'herbe et de la fatigue se firent de plus en plus sentir. Scott posa son joint dans un cendrier laissé au pied de son lit et enfouit sa tête au creux de l'oreiller, un filet d'air frais passant par la fenêtre ouverte lui caressant la peau.

Ce furent les vibrations de son téléphone contre sa cuisse qui, plus de deux heures plus tard, le réveillèrent en sursaut. Scott, les yeux encore à demi fermés, le saisit en grommelant et décrocha.

Une voix de femme, assez stridente, demanda à l'autre bout du fil si elle parlait bien à Scott Lamb. Il répondit par l'affirmative, et elle annonça qu'elle était infirmière au San Francis Memorial Hospital et l'appelait pour le prévenir que sa mère, Mary Beth Doyle, était sortie du coma en fin de matinée.

Le téléphone à la main, il resta un instant sans bouger.

Sortie du coma.

Elle s'était réveillée.

Il bondit du lit et poussa un cri de joie, ses jambes tremblant encore sous l'effet de la surprise. Puis il saisit des vêtements propres dans sa penderie, se rhabilla et sortit en trombe de l'appartement.

Tout en descendant le trottoir pour rejoindre la station de bus la plus proche, il appela Duane pour l'informer de la nouvelle. Très heureux de l'apprendre, il lui expliqua qu'il était coincé au boulot jusqu'au milieu de l'après-midi mais qu'il trouverait un moment pour se libérer et le rejoindre là-bas. Scott lui dit qu'il le tenait au courant, puis il raccrocha et remarqua que le bus qu'il devait prendre était sur le point de repartir. Il se mit à courir le plus vite possible sur le bord de la route pour ne pas le louper et bondit à l'intérieur juste avant que les portes ne se referment.

Il était déjà plus de quinze heures. Dans à peine vingt minutes, il serait avec elle.

L'infirmière n'avait pas eu le temps de donner beaucoup d'indications sur l'état de Mary Beth, juste qu'elle s'était réveillée en fin de matinée, soit, il s'en rendit compte avec stupeur, à peu près au même moment où il était avec Alyssa dans la propriété de Joan Fuller et tentait d'éjecter pour de bon son père de sa vie.

Ce ne pouvait pas être une simple coïncidence. Scott était persuadé que ce ne pouvait pas être une putain de coïncidence.

Il chercha le numéro de Louis dans son répertoire et lui envoya un message afin de le prévenir. Il ne savait pas trop qui d'autre contacter, n'ayant jamais osé appeler un des noms écrits dans le carnet de sa mère, de peur de s'immiscer dans sa vie sans son accord, ne sachant même pas si elle avait déjà parlé de lui à quiconque.

De toute façon, Louis se chargerait sûrement d'avertir certains d'entre eux.

Au fur et à mesure que le bus remontait Pacific Avenue, Scott commença à angoisser à l'idée que sa mère, à peine réveillée, soit victime de séquelles irréversibles, qu'elle ne se souvienne pas de qui il était, qu'elle ait tout oublié du peu de temps qu'ils avaient passé ensemble.

Que lui dirait-il alors ?

Comment se présenterait-il ?

Il descendit à l'arrêt situé au croisement entre Pacific Avenue et Hyde Street, puis il continua à marcher le long du trottoir, l'hôpital ne se trouvant plus qu'à quelques centaines de mètres de là.

Il s'arrêta en chemin chez un petit fleuriste, et tenta de se souvenir de ce qu'avait dit Louis sur les fleurs que Mary Beth préférait. Il opta pour un gros bouquet de roses jaunes.

Elle était allongée sur son lit, seule dans cette chambre aux hauts murs blancs, la fenêtre entrouverte surplombant tout l'ouest de la ville. Elle avait les yeux fermés et semblait dormir paisiblement. L'espace d'un instant Scott eut peur qu'elle n'ait rechuté. Il entra en faisant craquer dans ses mains l'emballage en plastique des fleurs, et, l'entendant, Mary Beth ouvrit les yeux et le fixa pendant un moment, puis elle sourit enfin, et dans ce sourire, il comprit avec soulagement qu'elle se souvenait parfaitement de qui il était.

Scott posa les fleurs sur la table, attrapa une chaise et s'assit près d'elle.

Mary Beth ne le quittait plus des yeux. Un regard si intense, et qui en même temps contrastait terriblement avec son corps étendu sur le lit, presque pétrifié.

Il prit sa main dans la sienne et lui dit qu'on venait tout juste de l'appeler et qu'il était venu le plus vite qu'il l'avait pu ; il lui dit à quel point elle lui avait manqué durant toutes ces semaines ; qu'on était au début du mois d'août et qu'il vivait chez Duane depuis l'accident et que tout se passait bien ; qu'il attendrait patiemment qu'elle soit autorisée à partir d'ici pour venir la chercher et ainsi faire en sorte que plus rien ne puisse à nouveau les séparer.

Un médecin passa les voir un peu plus tard, et leur expliqua en lisant rapidement le dossier que les premiers résultats étaient très positifs, qu'ils n'avaient pas constaté de grosse perte de mémoire ou de motricité et que la pneumonie dont elle avait souffert était totalement guérie. Selon lui, Mary Beth pourrait bientôt reparler et serait à même de se lever et de marcher sur de petites distances. Ils comptaient la garder ici quelques jours, puis la transférer dans une structure adaptée jusqu'à ce qu'elle ait récupéré toutes ses facultés et puisse retourner chez elle et reprendre peu à peu une vie normale…

Scott, rassuré, resta avec elle jusqu'à ce qu'une infirmière vienne faire quelques examens. Conscient qu'elle avait besoin de repos, il l'embrassa et lui expliqua qu'il reviendrait la voir dès le lendemain pour cette fois passer toute l'après-midi ensemble.

Une fois à l'extérieur, il appela Duane et tomba sur le répondeur. Plutôt que de laisser un message, il décida de le rejoindre directement à sa maison de disques, avec l'impression au fur et à mesure qu'il remontait Hyde Street, de marcher sur de petits nuages collés au trottoir.

Duane était assis dans son bureau quand il toqua à sa porte et l'ouvrit. Le voyant, il le rejoignit et le prit dans ses bras.

– Alors, dis-moi tout, comment va-t-elle ?

– Je n'ai pas pu rester longtemps, mais le médecin a l'air très optimiste, selon lui elle est définitivement guérie et n'aura pas de grosses séquelles…

– C'est vraiment une bonne nouvelle ! Je passerai là-bas demain après le boulot, je pense, enfin ça dépendra des horaires de visite. C'est déjà bien que tu aies pu la voir aussitôt, tu dois être fou de joie !

– Je t'avoue que j'ai toujours du mal à me rendre compte. Depuis le temps que j'attendais ce putain de coup de fil… J'ai imaginé ce moment des dizaines de fois et pourtant ça ne m'a pas empêché de me sentir désarmé quand c'est finalement arrivé. Après, je ne te cache pas que je suis un peu frustré de ne pas avoir pu rester plus longtemps, mais j'appellerai l'hôpital en fin d'après midi pour savoir comment elle va. Peut-être que je pourrai repasser vite fait la voir…

– Attends plutôt demain, même pour elle ça sera mieux de te voir quand elle aura un peu récupéré. À mon avis elle va passer encore plusieurs semaines en observation, mais après, si elle a besoin, elle pourra venir un peu à la maison, ça sera plus simple pour son suivi qu'elle habite dans le coin dans un premier temps. Et puis elle ne pourra pas reprendre le boulot tout de suite, elle aura surtout besoin de repos et de calme.

– Oui, en effet, je ne sais pas trop comment ça va se passer.

– Tu y as un peu réfléchi depuis la dernière fois qu'on en a parlé ?

– Pas vraiment, si elle veut toujours repartir en Indiana, j'irai avec elle, mais d'un autre côté je t'avoue que j'aimerais bien qu'on reste ici, après tout c'est là qu'elle vivait avant de rencontrer Walter, et elle n'a plus besoin de se cacher maintenant…

– Vous en parlerez bientôt tous les deux à tête reposée. Personnellement je pense aussi que ça lui ferait le plus grand bien de changer d'air, mais ça sera à elle de décider.

– En attendant, je vais mettre les bouchées doubles pour que la maison de Twin Falls se vende le plus vite possible… Si elle est d'accord on pourra déjà se prendre un petit appartement ici. Il y en a même un à louer dans l'immeuble de Joey et Elisa, faudra que j'aille le visiter, juste pour me faire une idée.

– Ah oui, au fait, c'était sympa ta soirée hier ?

– Plutôt pas mal, ouais. Il y avait la blinde de monde, Rose était super-contente.

– Tant mieux, j'aurais aimé passer mais j'étais vraiment trop crevé. D'ailleurs, seras-tu là demain soir ? J'ai invité Ben et Juliet à venir prendre l'apéro à la maison.

– Je pense, oui, mais Joey vient me chercher en début de soirée pour qu'on aille aux concerts gratuits au Golden Gate Park.

– C'est vrai que c'est demain, j'avais zappé ! On ira sûrement y faire un tour nous aussi, je pense… Tu m'excuses, je dois aller voir James en bas, je n'en aurais pas pour longtemps.

Scott acquiesça et attrapa un exemplaire du *NME* qui traînait sur le bureau puis il se remit doucement de ses émotions tout en le feuilletant. Cette journée était tellement folle, il avait l'impression que son cœur n'avait fait que dévaler des montagnes russes ces dernières heures, le réveil soudain de sa mère ayant délavé d'un coup toute l'horreur qu'il avait ressentie dans la propriété des Fuller, un peu à la façon d'un mauvais rêve qui se serait dissipé dans la clarté du matin.

Duane le rejoignit un peu plus tard, quelques démos à la main. Scott décida de passer le reste de l'après-midi à ses côtés. Il avait pris l'habitude de lui donner quelques coups de main au boulot de temps en temps, une façon de le remercier pour toute l'aide qu'il lui avait apportée.

Quand ils rentrèrent à l'appartement, ils prirent quelques bières dans le réfrigérateur et montèrent sur le toit de l'immeuble en empruntant l'échelle fixée sur le mur du balcon. Duane, qui était le seul locataire des quatre logements à ainsi y avoir accès, y avait installé une table basse et quelques fauteuils. Depuis le début de l'été, ils y avaient passé de longues soirées à boire et à discuter, des soirées où Duane, dans un premier temps, avait un peu forcé la main de Scott pour qu'il lui dise tout ce qu'il gardait sur le cœur, des soirées où à son tour il avait évoqué des instants de sa vie d'avant : son court séjour en prison ; son père qui était toujours enfermé à Rikers Island pour un braquage qui avait mal tourné ; sa dépendance à différentes drogues ; Dennis ; ce que Mary Beth avait fait pour lui quand il avait décidé de ramener Josh à son père…

Un peu plus tard Scott appela Joey, qui se trouvait dans un bar près d'Union Square avec quelques amis de son école d'art, et le mit au courant au sujet de sa mère. Joey, à l'autre bout du fil, poussa un grand cri de joie et lui proposa de passer prendre un verre. Après avoir hésité un court instant, il lui dit qu'il préférait rester ici ce soir afin de ne pas se coucher trop tard et être en pleine forme pour aller la voir. Il lui expliqua aussi qu'il passerait l'après-midi avec elle et que s'il était toujours partant, ils pourraient se rejoindre en début de soirée pour aller ensemble aux concerts du Golden Gate Park. Joey lui répondit qu'il n'y avait pas de soucis et qu'il passerait directement le chercher chez lui.

Il raccrocha, puis il retourna dans sa chambre, se déshabilla et se glissa sous les draps. Il se demanda alors ce que pouvait bien faire sa mère à l'instant même, si elle dormait ou si elle était réveillée, et si oui à quoi elle pouvait bien penser. Il espéra en tout cas qu'elle était sereine, que les cauchemars ne viendraient pas l'assaillir en traîtres pendant cette première nuit.

Aussitôt réveillé, il appela l'hôpital pour vérifier les horaires de visite, puis mit de la musique et alla prendre une douche. Il choisit ensuite dans son armoire une chemise blanche, un jean ainsi que la veste noire que Martha lui avait achetés l'année dernière quand ils étaient allés au baptême de son neveu à Salt Lake. Une fois habillé, il chercha dans la valise de Mary Beth ce qu'il pourrait apporter à l'hôpital et décida de prendre son sac à main, quelques vêtements pour quand elle se réveillerait, son téléphone portable, son carnet d'adresses et aussi le roman de Donna Tartt qu'elle était en train de lire avant son coma, ce pavé que lui-même avait commencé mais dont le sujet, un adolescent qui dès le début du livre perd sa mère tuée dans un attentat à la bombe, l'avait dissuadé de continuer. Scott mit tout cela dans un grand sac de sport noir, ainsi que l'enveloppe marron qu'il avait gardée de côté pour ce moment où se réveillerait, impatient de voir sa réaction quand elle se rendrait compte de ce qu'elle contenait.

Les effets de la faim se firent sentir, il prit quelques yaourts du réfrigérateur, se servit une tasse du café que Duane avait fait ce matin et s'installa sur le balcon.

Il faisait doux au-dehors. Le ciel était un peu embrumé, si bien qu'on ne distinguait pas l'autre rive. Des dizaines de petits bateaux de toutes les couleurs voguaient sur l'eau de la baie ; on entendait non loin de là un enfant faire ses gammes sur un piano.

Scott envoya un message à Alyssa au sujet de sa mère, puis il finit de manger, enfila sa veste et attrapa le sac avant de sortir de l'appartement.

Mary Beth avait le visage tourné vers le ciel.

Scott posa le sac au pied du lit et l'embrassa sur les joues.

– Tu as bien dormi ? demanda-t-il en se redressant.

Elle fit un petit oui de la tête puis elle appuya sur une petite télécommande pour remonter le dossier de son lit. Elle avait déjà repris un peu de couleurs, ses mouvements paraissaient plus assurés, lui coûter moins d'efforts.

Scott s'assit près d'elle, et Mary Beth prit sa main dans la sienne. Et quand elle la serra, il sentit frémir sous sa peau ses forces retrouvées.

D'une voix encore un peu hésitante, elle lui dit à quel point elle était heureuse de le revoir, et demanda qu'il lui raconte plus en détail tout ce qu'il s'était passé depuis qu'elle avait été amenée ici.

Il lui expliqua tout d'abord qu'il avait prévenu Louis, avec qui il avait plusieurs fois parlé au téléphone. Il lui dit aussi qu'avec Duane il était allé chercher ses affaires à Twin Falls ; qu'il avait ainsi pu voir son oncle Stephen et sa tante Patty et se recueillir sur la tombe de Martha et de Paul. Il lui parla ensuite de ce qu'il faisait de ses journées, des amis qu'il avait rencontrés ici, puis, après y avoir réfléchi, il évoqua tout ce que la mort de Walter avait provoqué, ces vies qu'elle avait libérées, Alyssa, qu'il voyait de temps en temps et qui avait déjà commencé à remonter la pente…

Mary Beth, tout du long, l'écouta avec attention.

Scott lui montra ensuite les affaires qu'il avait apportées et les posa sur une petite table. Il brancha son téléphone à une prise murale puis lui donna ce qui se trouvait à l'intérieur de l'enveloppe marron : des dizaines de photos de lui qu'il avait récupérées dans les albums de Martha, des photos qui le représentaient à différents âges et qu'il avait tenté de ranger de façon chronologique, ce qui permit à Mary Beth, en les regardant les unes après les autres, de le voir grandir sous ses yeux pour la première fois.

Scott à un an et demi, endormi dans son lit ; Scott jouant avec ses petites voitures sur les pavés de leur maison ; Scott à quatre ans, assis dans son bain et faisant une grimace à celui qui le prenait en photo ; Scott à six ans, debout près de la voiture de Martha, son cartable sur le dos ; Scott fêtant son huitième anniversaire dans le jardin de son oncle Stephen, entouré de tous les enfants de sa classe ; Scott déguisé en Michael Myers pour Halloween ; Scott faisant du vélo avec son ami Kevin dans les rues de Boise ; Scott sautant du grand plongeoir de la piscine municipale ; Scott, adolescent, main dans la main avec sa première vraie petite amie, Stella ; Scott prenant Martha par l'épaule et pinçant ses joues pour la forcer à sourire à l'objectif…

Une fois qu'il eut fini, Mary Beth resta un instant sans bouger. Puis elle le remercia d'une façon qui le toucha droit au cœur.

Tout au long de l'après-midi, il la fit parler le plus possible, l'emmena dans une chaise roulante faire un tour dans le petit parc situé derrière l'hôpital et l'aida à écrire des textos à ceux avec qui elle voulait reprendre contact… lui-même appela Louis et lui passa le téléphone pour qu'elle puisse entendre le son de sa voix et lui dire quelques mots à son tour.

Elle eut encore quelques moments de flottement, s'endormant sans prévenir, de temps en temps un peu moins attentive à ce qui l'entourait ; mais au bout du compte il la retrouva progressivement comme il l'avait laissée quatre semaines plus tôt.

Duane les rejoignit un gros bouquet de fleurs à la main. Mary Beth parut très émue de le voir, et ils restèrent ensemble jusqu'à ce qu'une infirmière vienne les prévenir que les heures de visite étaient terminées.

Ben et sa copine Juliet les retrouvèrent à l'appartement un peu plus tard. Ils burent quelques verres, puis, aux alentours de vingt heures, Scott reçut un appel de Joey qui le prévenait qu'il était en bas. Il lui ouvrit la porte en titubant, déjà un peu saoul.

– Je vois que tu ne m'as pas attendu pour boire, dit Joey en enlevant sa casquette et en ébouriffant ses cheveux de la main.

Scott l'embrassa sur la joue, puis il lui fit signe de le suivre dans sa chambre.

Joey se jeta sur le lit, et ils restèrent une bonne heure à parler, fumer et écouter de la musique, puis ils se motivèrent à sortir pour ne pas louper les meilleurs concerts.

Il y avait déjà beaucoup de monde quand ils arrivèrent sur les pelouses du Golden Gate Park ; une grosse scène installée un peu plus loin ; des stands disséminés tout autour d'eux et qui proposaient principalement bibelots, disques vinyles, nourriture et boissons, certains dégageant des fumées qui chargeaient l'air ambiant d'une odeur mêlée de viande grillée et de friture.

Scott suivit Joey en direction de la scène, le groupe qui s'y produisait, trois garçons et une fille à la guitare, jouant un morceau aux sonorités pop rock. Ils déambulèrent parmi la foule et s'arrêtèrent à une cinquantaine de mètres des barrières, Joey les yeux rivés sur un flyer qu'il avait pris à l'entrée et qui présentait la liste des groupes qui devaient encore se produire.

Il chercha le numéro de la jeune fille qu'il avait rencontré chez Rose sur son téléphone et lui envoya sans perdre plus de temps un message pour dire qu'il était pile devant la scène.

Face à eux, le groupe se mit à jouer une reprise de Muse, suscitant des acclamations aux premiers rangs d'une foule qui s'amassait de plus en plus nombreuse.

Son téléphone vibra dans la poche de son jean. C'était elle, qui lui disait qu'elle se tenait face à la régie principale. Scott se retourna, la chercha du regard, et la vit alors, accompagnée d'une autre jeune femme, plus petite qu'elle, ses cheveux noirs coupés au carré.

Il leva le bras jusqu'à ce qu'elle le voie à son tour.

Elle était encore plus renversante que chez Rose deux jours plus tôt, ses cheveux blonds détachés sur les épaules, vêtue d'une petite robe bustier rouge et d'une veste en jean.

– Tu viens d'arriver ? demanda-t-elle quand il arriva à son niveau.

– Oui, il y a cinq minutes à peine, avec mon ami Joey.

– D'accord, eh bien moi, je te présente Laurie, dit-elle en se tournant vers la jeune femme qui l'accompagnait.

Scott lui serra la main et se rendit tout de suite compte qu'elle savait déjà qui il était. Visiblement un peu éméchée, Laurie leur dit qu'elle avait un coup de fil à passer et s'éloigna un peu son téléphone à la main.

– C'est la copine du guitariste de mon groupe, on cherchait un endroit où se poser un peu avant de rejoindre les autres.

– Ah ouais, tu joues dans un groupe ?

– Oui, depuis quatre semaines environ. J'ai eu beaucoup de chance, ils cherchaient une nouvelle chanteuse et ça a tout de suite collé. D'ailleurs on va monter sur scène dans une demi-heure, c'est pour ça que je suis un peu nerveuse.

– Vraiment ? Je savais pas non plus que tu jouais ce soir ! dit Scott en se sentant d'un coup complètement idiot.

– En fait, je voulais plus ou moins te faire la surprise. Je devrais être en backstage depuis longtemps mais ça me donnait trop le trac d'attendre là-bas, alors je suis venue faire un tour ici. C'est la première fois que je vais chanter devant autant de gens, j'en aurais presque envie de courir me cacher dans ma voiture. Enfin bref tout ça pour dire que si on ne s'était pas chopés avant tu m'aurais directement vue sur scène, après je ne suis pas sûre que tu m'aurais reconnue à cette distance.

Oh si, pensa Scott en ne pouvant s'empêcher de détacher son regard du sien, *il l'aurait reconnue même dans une nuit noire.*

– Tu es anglaise ? Tu as un petit accent que j'avais déjà remarqué hier.

– Oui, enfin, à la fois anglaise et américaine... Ma mère et née en Californie et mon père à Londres. Pour faire court j'ai vécu dans le sud de l'Angleterre jusqu'à leur décès et je suis arrivée ici il y a à peine trois mois, et j'espère pour le plus longtemps possible. Tu es d'où, toi, déjà ?

– De l'Idaho.

– Ah oui, c'est vrai, tu me l'as déjà dit l'autre soir. Je ne vois pas trop à quoi ça ressemble mais j'imagine que ton arrivée ici a dû être au moins aussi dépaysante que la mienne…

Un homme coiffé de dreadlocks leur demanda du feu. Scott lui tendit son briquet, puis l'homme le remercia et se dirigea vers la scène.

– Kate, j'ai David au bout du fil et ils ont besoin de toi là-bas, dit Laurie en les rejoignant.

Kate.

– Dis-lui que j'arrive dans cinq minutes, d'accord ?

– D'accord, répondit Laurie en s'éloignant à nouveau.

– Tu en veux une ? demanda Scott en lui tendant son paquet de clopes.

– Oui, merci, j'ai laissé les miennes avec mes affaires.

Kate en porta une à sa bouche et tira quelques taffes dessus en trahissant son anxiété.

Scott en prit une à son tour, ne sachant pas quoi faire, dans sa tête se succédant toutes les choses qu'il aimerait faire avec elle.

Ils se regardèrent alors droit dans les yeux, chacun, sans le savoir, y cherchant au même moment le désir de l'autre.

Kate, un peu gênée, vérifia l'heure sur sa montre.

– Bon, je vais devoir y aller. J'ai ton numéro maintenant, donc je t'appelle après le concert et on pourra se retrouver si tu veux, comme ça, tu me diras ce que tu en as pensé.

– Oui, avec plaisir, balbutia Scott. On ira se prendre un verre quelque part, et puis Joey va sûrement organiser une soirée à son appartement…

– Pourquoi pas, de toute façon je pense que je serai trop excitée pour fermer l'œil de la nuit…

Elle l'embrassa sur la joue et suivit Laurie dans la foule. Scott resta un instant la cigarette à la main sans bouger, l'esprit encapsulé, sentant encore sur sa joue l'empreinte d'un baiser qu'il aurait tant aimé pouvoir faire glisser jusqu'à ses lèvres.

– C'était la nana d'avant-hier, non ? demanda Joey en le rejoignant.

– Ouais. On s'était donné rendez-vous ici. Elle va chanter sur scène avec son groupe.

– C'est donc pour ça que tu avais autant envie de venir ! En même temps je te comprends, elle plutôt canon…

– À t'en assécher l'air dans les poumons, murmura Scott en regardant toujours dans la direction où Kate avait disparu.

Duane et Ben les rejoignirent une dizaine de minutes plus tard, puis ils avancèrent tous les quatre pour se rapprocher un peu plus de la scène.

Alors qu'ils arrivaient dans les premiers rangs, Scott leva les yeux vers un ciel étoilé comme jamais il ne l'avait vu au-dessus de cette ville, ne pensant plus qu'à Kate, vibrant d'impatience à l'idée de l'entendre chanter.

Son regard dans lequel il avait perçu cette pointe d'ardeur.

Ses lèvres brillantes de gloss qu'il ne pensait maintenant plus qu'à embrasser.

Mais ils se reverraient bientôt, et ensuite, si tout se passait bien, ils auraient tout le reste de la nuit pour eux deux.

Le groupe sur scène joua un morceau enlevé qui fit se déchaîner les premiers rangs. Scott se retourna vers Duane et Ben, discernant alors, à la lumière des projecteurs braqués sur le public, encore plus leur ressemblance.

Comme deux frères.

Son téléphone vibra à nouveau dans sa poche. C'était Mary Beth qui lui écrivait qu'elle espérait qu'il s'amusait bien à son concert. Scott leva son téléphone et prit une photo de la scène pour la lui envoyer.

Pendant le temps de battement entre les groupes, et alors que des machinistes changeaient les instruments sur la scène, Scott se retourna une nouvelle fois vers tous les spectateurs qui s'étaient amassés pour assister au prochain concert, une foule qui lui parut être deux fois plus nombreuse que quand ils étaient arrivés.

Les enceintes passèrent un morceau des Black Keys diffusé par la radio sponsor du concert, puis, une dizaine de minutes plus tard, deux jeunes mecs portant des t-shirts bariolés s'installèrent sur scène, un à la guitare, l'autre au clavier, en qui il reconnut celui qui avait accompagné Kate chez Rose.

Les lumières baissèrent en intensité. Le guitariste commença à jouer les premières notes, suivi par le claviériste, une musique douce et vaporeuse, qui ressemblait à un morceau de Beach House qu'il avait écouté quelques jours plus tôt.

Et Kate fit alors son apparition, seulement vêtue de sa robe rouge, ses cheveux enflammés par les projecteurs.

Scott en eut le souffle coupé et tourna la tête vers Joey, qui lui sourit en lui faisant un clin d'œil.

Kate se plaça derrière son micro, les yeux fermés, concentrée, bougeant les hanches au rythme de la musique qui lentement s'élevait. Et quand elle commença à chanter, il ressentit un frisson dans tout le corps, surpris par la puissance et l'assurance d'une voix qui prolongea sa beauté à ses oreilles.

Sans plus bouger, le monde réduit à sa silhouette gracile, il l'écouta attentivement pendant quelques morceaux qui passèrent en une fraction de seconde, puis il décida de s'approcher le plus possible de la scène.

Kate dédia la prochaine chanson à un certain Martin, un morceau que, dès les premières notes, il reconnut comme étant une reprise du *I Know It's Over* des Smiths.

Et c'est alors que leurs regards se croisèrent, et restèrent aimantés de longues secondes, son cœur battant de plus en plus fort dans sa poitrine, de façon douloureuse.

La voix de Kate, au milieu du morceau, se brisa légèrement. Scott crut voir des larmes briller au coin de ses yeux, sentit comme si elle était sienne l'émotion qui la frappa. Mais elle se reprit aussitôt et continua de chanter de ce timbre si parfait pour évoquer les trop intenses solitudes…

I know its over – still I cling… I don't know where else I can go, over and over and over and over…

Il posa ses mains sur la barrière, la bouche asséchée, tous les sens en éveil, avec l'impression que son corps entier pulsait au rythme de son cœur.

Et leurs regards plongèrent à nouveau l'un dans l'autre.

Et c'est à cet instant précis que pour la première fois de sa vie Scott Lamb tomba éperdument amoureux.

KATE

La chaleur du Nebraska, en cette fin de matinée, était déjà à peine tenable. Assise à l'avant de la voiture, Kate étala un peu d'huile solaire sur ses bras et ses jambes, pendant que Scott s'occupait de mettre de l'essence dans le réservoir, le visage tourné vers la route. Depuis que, sur un coup de tête, il s'était coupé les cheveux très court, il paraissait presque plus jeune que quand ils s'étaient rencontrés chez Rose trois ans auparavant, lui donnant des airs de soldat prêt à partir en guerre.

Cela faisait près d'une semaine qu'ils avaient quitté San Francisco. Son prochain concert aurait lieu le lendemain soir au Bottom Lounge de Chicago, et ils étaient largement dans les temps pour rejoindre le reste du groupe, qui ne prendrait l'avion qu'en milieu de journée.

Ils avaient tous les deux décidé de profiter des vacances de Scott pour traverser le pays dans l'ancienne voiture de Duane, sans plan établi, au hasard des envies et des rencontres. Deux jours plus tôt, ils s'étaient rendus à Boise, chez son oncle Stephen et sa tante Patty, qu'elle avait trouvés particulièrement charmants et attentionnés, et même si Scott n'avait pas été très à l'aise tout au long de leur séjour, comme si une part de lui se sentait toujours responsable de ce qu'il était arrivé à ses parents adoptifs.

Kate alluma l'autoradio et sélectionna une station qui passait un vieux morceau de Duke Ellington.

– Je vais en profiter pour acheter des trucs à manger, dit Scott en se penchant par la vitre ouverte. Tu as besoin de quelque chose ?

– Prends-moi juste la plus grosse bouteille de soda bien frais que tu peux trouver, après j'ai pas spécialement faim, je picorerai plus tard dans ce que tu auras rapporté.

– Ça marche, fit-il en lui caressant l'épaule du bout des doigts.

Alors qu'il s'éloignait vers la boutique, elle constata à quel point il avait pris des épaules ces derniers temps, lui qui passait au moins deux heures par jour dans la salle de musculation qui se trouvait en bas de chez eux.

La chanson finie, elle changea de station et écouta le flash d'informations d'une radio locale. Le journaliste y parlait des tornades qui dans la nuit avaient ravagé une petite ville de l'Oklahoma, puis évoqua la découverte macabre, dans une chambre de motel, à la frontière entre le Nebraska et le Dakota du Sud, du cadavre d'un jeune auto-stoppeur, dont les blessures ressemblaient à celles qu'on avait relevées sur un escort boy d'une vingtaine d'années, tué dans son appartement de Minneapolis en début de semaine.

Elle éteignit la radio, puis, après s'être assurée que sa peau était bien protégée, elle mit ses lunettes de soleil et alla se dégourdir un peu les jambes.

L'Interstate passait à une trentaine de mètres de là, et croisait, à la sortie de l'aire de la station-service, la route qui menait au Kansas. De chaque côté, les champs de maïs s'étendaient à perte de vue, une vision qui, étrangement, lui procura une désagréable sensation d'enfermement.

Scott, à l'intérieur de la boutique furetait dans les rayons en riant au téléphone. À l'expression de son visage, elle savait d'avance qu'il parlait avec Joey, tous deux ne passant pas un jour sans se voir ou s'appeler. Joey était en ce moment même à New York pour faire la promotion du deuxième tome de sa bande dessinée, qui était sorti au début de l'été et commençait à avoir un grand succès. Ils avaient prévu de fêter ça dignement à leur retour, dans le loft où il vivait avec son petit ami, Christopher.

Elle ne savait pas si Scott avait remarqué qu'ils étaient aussi près de l'endroit d'où venait son père, *là où tout avait commencé*. Elle n'avait, de toute façon, nullement l'intention d'aborder le sujet, trop heureuse de constater qu'il avait enfin réussi à lâcher un peu la pression. Depuis qu'il secondait Duane dans sa maison de disques, il enchaînait les journées de dix heures et rentrait chez eux épuisé de fatigue. Mais, d'un autre côté, il était tellement passionné par son nouveau travail… Duane lui avait fait un cadeau inestimable en lui proposant de les rejoindre juste après avoir laissé tomber la fac. Cela lui avait permis de retrouver une certaine stabilité et lui remplissait à nouveau la tête de projets. Ils en avaient profité pour emménager dans un appartement plus grand, pas loin de Castro, et pensaient déjà à passer leurs vacances d'hiver en France et en Italie. Depuis le temps qu'elle voulait lui faire découvrir l'Europe...

Tout en observant son reflet dans la carrosserie de la voiture, elle posa sa main sur son ventre et en ressentit un petit frisson.

Elle devrait bientôt lui annoncer la nouvelle, d'une façon ou d'une autre. Mais, après trois ans passés ensemble, elle ne savait toujours pas comment il pourrait réagir.

Malgré ce qu'il tentait de faire croire aux autres, Scott avait toujours du mal à vivre pleinement dans un monde que le fantôme de Daryl Greer continuait de hanter.

On ne comptait plus les reportages télévisés qui retraçaient son parcours, les articles sur lui fleurissant sur la toile, les tentatives d'experts du monde entier de percer à jour une personnalité qui continuait à fasciner les foules et qui dans l'ombre aiguisait certains esprits pervers...

Le fait que son cadavre ait disparu sans laisser de traces faisait même penser à certains qu'il n'était pas mort, qu'il avait réussi à disparaître une nouvelle fois dans la nature, et les témoignages d'anonymes affirmant l'avoir croisé à un coin de rue se multipliaient sur les forums.

Scott avait changé de nom et pris celui de sa mère afin de se faire oublier, mais il continuait malgré tout à subir ces cauchemars qui, presque chaque nuit, le faisaient se réveiller en hurlant. Il avait toujours refusé d'évoquer le sujet ou d'aller voir un spécialiste. En vérité, la seule fois où il avait vraiment parlé de son père avec elle, il l'avait fait sur le toit de l'immeuble de Duane, quelques jours seulement après leur rencontre. Kate se souvenait encore parfaitement de son regard inquiet, de ses mains qui dans les siennes tremblaient, pendant qu'il lui racontait en détail tout ce que sa mère et lui avaient subi ; comme si sa seule crainte, à ce moment-là, était qu'elle décide de s'éloigner de lui.

Mais il n'en avait rien été. C'est même durant ces quelques minutes qu'elle avait compris qu'elle passerait le reste de sa vie à ses côtés ; elle qui, par chance, n'avait eu personne dans son entourage pour lui dire de prendre ses distances, que ce jeune homme était encore trop perturbé pour que cela puisse marcher entre eux, que le tourbillon dans lequel il risquait de l'entraîner pourrait être dangereux…

Elle avait toujours su que Scott n'était pas Daryl Greer, qu'il n'était pas George Greer, que leur sang vicié n'avait aucun pouvoir sur lui.

Même si elle percevait parfois en lui une colère qui lui faisait peur. Même si, quand il avait un peu trop bu, que les soucis s'accumulaient ou qu'il avait passé une mauvaise journée, il pouvait se montrer irascible, violent…

Un mois plus tôt, il avait failli se battre avec un pauvre type qui l'avait draguée à la fête organisée pour l'anniversaire de Joey. Kate s'était interposée entre eux à temps, mais quand leurs regards s'étaient croisés, elle avait perçu dans le sien quelque chose qu'elle n'y avait jamais vu auparavant, cette haine tenace qui précédait les coups.

Conscient qu'il était allé trop loin, Scott était parti sur le balcon pour se calmer, puis il l'avait rejointe un peu plus tard et l'avait prise dans ses bras sans un mot.

Il parvenait toujours à se maîtriser. Jamais il ne l'avait frappée, jamais il ne lui avait fait de mal. Et ses étreintes étaient les seules choses dans ce monde dont elle ne pourrait se passer.

Mais pourtant elle ne pouvait s'empêcher de s'angoisser à l'idée de lui annoncer qu'elle attendait son enfant. Une angoisse peut-être irrationnelle, attisée par ce qu'elle savait de son passé, mais bien présente, *celle d'un nouveau cycle qui, par elle, se déclenchait.*

La nuit dernière, alors qu'il se tenait au-dessus d'elle pendant l'amour, il avait pris son ventre à pleines mains et l'avait regardée droit dans les yeux, comme s'il savait, qu'il attendait simplement qu'elle le lui dise. Mais elle n'avait pas pu prononcer le moindre mot. Après avoir joui, il s'était affalé sur le lit et s'était endormi en la laissant avec ce poids qui dans une vie normale et tranquille ne devait pas en être un.

Seule Mary Beth était au courant. Elle l'avait surprise en train de vomir dans ses toilettes quelques jours plus tôt et avait tout de suite compris. Kate lui avait fait promettre de ne rien dire à Scott, lui expliquant qu'elle attendait juste le bon moment. Elle ne devait pas s'en faire, tout se passerait bien, Mary Beth serait là si elle avait besoin d'elle. *Elle qui avait été enceinte au même âge, dans des circonstances si effroyables ; elle dont la soudaine maternité lui avait appris le combat.*

Scott avait tellement de chance d'avoir une mère comme elle, si présente à ses côtés et parvenant comme personne d'autre à l'apaiser. Depuis qu'ils avaient emménagé ensemble, Mary Beth vivait seule dans une petite maison sur Telegraph Hill, non loin de chez Duane. Ils allaient la voir deux ou trois fois par semaine, souvent pour dîner, et s'installaient quand le temps le permettait dans le petit jardin où elle passait l'essentiel de ses journées. Kate et elle se voyaient aussi quand Scott travaillait et qu'elle n'était pas sur les routes avec son groupe. Elles faisaient ensemble les magasins, visitaient des musées et parlaient de tout et de rien ; si bien qu'au fil du temps elle lui avait confié des choses qu'elle n'aurait jamais dites à personne, des choses qu'elle aurait aimé confier un jour à sa propre mère, si elle avait eu la chance d'être encore en vie. Un mois auparavant, elle lui avait offert pour ses quarante ans un tableau de Charlotte Boyd qu'elle avait acheté sur internet et qui représentait un petit garçon d'une dizaine d'années assis devant une fenêtre. La cote de ses œuvres avait triplé depuis sa disparition, mais elle avait eu celui-là à un bon prix. Kate ressentait toujours une vive émotion quand elle le contemplait. C'était Camilla, quand elle vivait encore chez elle à Pasadena, qui l'avait un soir prévenue qu'on avait retrouvé le corps de Martin sur une plage et que l'enquête avait conclu à un suicide ; que sa femme était toujours portée disparue et que des traces de son sang avaient été prélevées sur le parquet de leur appartement de Hatham Cove. Une fois le choc passé, Kate avait souvent tenté de comprendre ce qui avait bien pu arriver cette nuit-là ; si c'était Martin qui l'avait tuée et s'était tué ensuite ; si c'était pour cela qu'il s'était retrouvé au bord de la falaise ; ce qu'il avait fait après l'avoir laissée à la gare ; si, quand ils avaient été ensemble, il savait comment tout se finirait pour lui, s'il l'avait prévu depuis le début…

Des questions auxquelles elle n'aurait jamais de réponse, juste cette certitude que sa propre vie, grâce à lui, avait pris un tournant décisif au cœur d'un drame dont elle n'avait même pas eu conscience.

Au loin, de gros panaches de fumée s'élevaient dans le ciel, comme si une portion de champ avait pris feu. Kate retourna près de la voiture en se protégeant le visage du vent chargé de poussière qui se levait.

Une décapotable bleue venant du nord de l'État entra alors sur le parking, pour s'arrêter dix mètres plus loin, à une des pompes à essence. Le conducteur, un jeune homme portant une casquette de baseball, en claqua la portière, son téléphone portable à la main. Il avait l'air tout juste sorti de l'adolescence, très maigre, la peau diaphane comme s'il fuyait le soleil. L'écoutant parler au téléphone, elle se rendit compte qu'il était français. Elle avait commencé à l'apprendre au collège, elle trouva amusant de croiser un autre Européen ici, au milieu de nulle part.

Le jeune homme raccrocha et mit de l'essence en sifflotant. Kate s'approcha de lui pour lui dire quelques mots, mais elle s'arrêta d'un coup en remarquant une trace sombre et visqueuse collée sur le bas de son jean, puis les petites taches qui constellaient un côté de sa chemise, et qui lui firent aussitôt penser à du sang coagulé.

Et elle se remémora le cadavre retrouvé dans une chambre de motel une centaine de kilomètres plus au nord. La pompe à la main, il leva alors les yeux vers elle et lui lança un regard glaçant, le regard du loup à peine repu, prêt à se lancer à la recherche d'une nouvelle proie.

Conscient de son trouble, il lui fit un grand sourire, puis se rendit à la boutique pour payer, comme si de rien n'était, et croisa Scott qui en ressortait les bras remplis de courses.

Et en cet instant, le temps parut se figer.

– Tu vas bien ? demanda Scott en la rejoignant, tu es toute pâle !

– C'est rien, j'ai juste fait un petit malaise, ça va déjà mieux.

Elle se faisait des idées, cela ne pouvait pas être autre chose que du sang. Repenser à Daryl Greer lui avait sûrement obscurci le cerveau.

Scott fit la moue, puis il jeta les courses à l'arrière de la voiture et la prit dans ses bras. *Comme il le faisait à chaque fois qu'il sentait qu'elle en avait besoin.* Kate respira l'odeur de sa peau et ferma les yeux tout en pressant son ventre contre le sien, avec le vain espoir qu'il parvienne à y percevoir les petits battements de cœur qui commençaient à rythmer ses journées.

Elle le lui dirait après le concert, quand ils seraient à nouveau seuls et encore pleins d'euphorie. Et, sur le visage du père de son futur enfant, elle verrait se dessiner la seule expression qu'elle attendait.

Et tout serait éclairci.

Au même moment, le Français retourna tranquillement à sa voiture une bouteille d'eau à la main, puis il démarra et quitta le parking. Kate, protégée par l'étreinte de Scott, le suivit du regard, jusqu'à ce qu'il prenne la route qui menait au Kansas.

– On y va ? chuchota Scott à son oreille. On a encore pas mal de route à faire…

– Oui, on a déjà trop traîné ici, murmura Kate, sa tête calée contre sa poitrine, impatiente qu'il l'emmène dans un endroit où il y avait *plein de lumières, de musique et de gens jeunes et vivants.*

Scott s'assit au volant et l'embrassa sur la joue, puis il sortit à son tour de l'aire de la station-service pour rejoindre l'Interstate.

Droit vers l'est.

Kate brancha son iPod sur l'autoradio et mit le morceau *Heaven or Las Vegas* des Cocteau Twins, qu'elle avait projeté de reprendre en clôture de leur concert.

Elle monta le son de la musique, attacha sa ceinture et regarda avec soulagement le panneau du Kansas s'éloigner derrière eux ; puis Scott, qui conduisait un demi-sourire aux lèvres ; et, par-delà la vitre, les champs qui défilaient de plus en plus vite alors qu'au loin, là où la route se confondait avec l'horizon, leur futur à eux trois se dessinait…

Et, malgré le vent qui lui soufflait sur le visage, elle se borna à garder les yeux grands ouverts, à la fois émue et rassurée par tout ce qu'elle y voyait.

TABLE DES MATIÈRES

Mise en pages PCA
44400 Rezé

Achevé d'imprimer en juin 2015
sur les presses de Normandie Roto Impression s.a.s.
à Lonrai (Orne)
pour le compte des Éditions Payot & Rivages
106, bd Saint-Germain – 75006 Paris
N° d'imprimeur : 1502621
Dépôt légal : août 2015

Imprimé en France